慰安婦性奴隷説を

ハーバード大学

ラムザイヤー教授が

完全論破

―娼婦・慰安婦は年季奉公契約をしていた―

［著者］

J.Mark Ramseyer

J．マーク・ラムザイヤー

［訳者］

藤岡 信勝（編訳）

山本優美子（編訳）

藤木 俊一

矢野 義昭

茂木 弘道

ハート出版

はじめに

ラムザイヤー教授の学問と受難　――読者への道案内

本書の構成

本書はハーバード大学ロースクールのジョン・マーク・ラムザイヤー（John Mark Ramseyer）教授による、戦前の日本の娼婦の契約と、戦時下の慰安婦の契約に関する論文を集めて一書としたものである。本書の内容は、結果として、世界中に流布されている「慰安婦＝性奴隷説」にトドメを刺すものとなっている。編集作業を担当した藤岡信勝と山本優美子の連名で、この紹介文を草することとした。

収録された論文は次の４本である。

〈第1論文〉戦前日本の年季奉公契約による売春制度
――性産業における「信用できるコミットメント」（1991年）
〈第2論文〉慰安婦たちと教授たち（2019年）
〈第3論文〉太平洋戦争における性サービスの契約（2020年）
〈第4論文〉太平洋戦争における性サービスの契約――批判者への回答（2022年）

〈第1論文〉は戦前日本の娼婦の契約を対象としており、〈第2論文〉と〈第3論文〉は戦時下の戦地における慰安婦の契約を対象としている。なお、〈第3論文〉は内容的には〈第2論文〉を半分強の分量に圧縮したものになっていることをお断りしておきたい。〈第4論文〉は〈第3論文〉を批判・攻撃した人々への回答である。反論は細部にわたって徹底的になされており、批判者を完膚なきまでに論破している。出典はそれぞれの論文の扉の頁に記載してある。ご覧のとおり、〈第1論文〉と〈第4論文〉の間には、約30年の隔たりがあるが、著者の理論の骨格と論旨は一貫しており、その立場は微動だにしていない。

日本語版への序文を依頼したところ、かなり長文の、注の付いた文章をいただいた。その内容は〈第3論文〉を書いたあとに起こった異常な、身体的脅迫を含む言論弾圧・人権侵害の赤裸々な体験記と、その背景にあるアメリカの大学の文系学部の実態を示す貴重な情報となっている。そこで、これを一つの論文として扱い、次のように本書の〈プロローグ〉として位置づけることとした。

〈プロローグ〉「ラムザイヤー論文」騒動とその背景

——日本語版論集の発刊に寄せて（2023年）

問題の設定

まず、〈第1論文〉がどのような問題を設定しているのかを、編者の関心に引きつけて述べたい。

かつて日本の中学・高校段階の歴史教科書には、1929年以後の世界恐慌のあおりを受けて、日本の主に東北地方の農村で、娘を身売りする農家が急増したとして、「娘身賣《みうり》の場合は當《とう》相談所へ御出下さい　伊佐澤村相談所」と書かれたポスターの写真がしばしば教材として掲載されていた。それをご記憶の世代の方もおられるだろう。伊佐澤村は1954年まで存在した山形県の村の名前で、現在の長井市の東端にあたる。親が娘を売って、その金で生活しなければならないほど東北の農村が疲弊していたことを印象付けようとした教材だ。娘が売られた先は、典型的には遊郭だった。

ところで、親が自分の娘を「売る」とは、具体的にはどういうことなのだろうか。16世紀の大航海時代に始まったアフリカの黒人奴隷のように、娘は買い手の所有物として、奴隷として、モノとして売り渡されたのだろうか。

しかし、そうだとすると、ポスターを掲示した村の公的な機関が、白昼堂々と奴隷売買の斡旋や相談業務をしていたことになる。そして、自分が生き残るために、近代日本の農村の親は、自分の娘を奴隷として売り飛ばしていたことになる。しかも、それを公的機関を含む社会全体が認めていたことになる。ちょっと自分の胸に手をあてて想像してみればよい。誰でも、「そんなことは絶対にない」と言い出すに違いない。

ではどういうことだったのだろうか。親は娘を仲介業者である女衒《ぜげん》の手に委ねて、都会に出した。しかし、娘は永久に帰って来ないのではない。3年とか6年とか、期間を決めて遊郭で働き、約束した期間が終わると（これを「年季があける」という）、そのあとは帰郷するなり他の職業につくなり、自分の進路を決めることができた。この制度を年季奉公（英語ではindenture）というのである。

年季奉公は遊郭に固有の制度ではなかった。年季奉公は、時代区分上近世と呼ばれる織豊政権期以降に発達した農村からの労働力調達方式で、商家の店主や職人の親方のもとで住み込みの丁稚《でっち》として働き、仕事を覚え、一人前になって自分の次のキャリアを歩むことができた。彼ら・彼女らも奴隷であるはずがないし、誰もそんなことは言わない。

では、どうして遊郭に娘を年季奉公させる場合に限り、奴隷と間違われかねない「売る」という言葉が使われるのだろうか。その理由は明らかで、仕事の内容が特殊であるからに他ならない。親にとっても、本人にとっても、慣れない都会で暮らすことは不安があるばかりでなく、女衒や遊郭に騙されるという疑いもあり、世間から烙印を押されるなどのマイナスを抱え込むことにもなる。そうした特殊な様々な条件のもとでも、親や本人と業者の間に合意（契約）が成立したのはどういうメカニズムによるのか、というのが、ラムザイヤー教授が〈第1論文〉で解こうとした問題なのである。

日本文化論の陥穽

以上の論述から読者は、争いを好まず譲り合い、相手の気持ちを推しはかって状況を円滑にし、まるく収めようとする日本人の行動様式、つまりは日本文化論として語られるような論理が持ち出されるのではないかと想像するかも知れない。事実は正反対である。ラムザイヤー教授が用いたのは、ゲーム理論（game theory）と呼ばれる、１９８０年代に経済学でブームとなったとされる人間行動についての普遍的な分析方法なのである。そこでは合理的経済人とでもいうべき最小限度の属性だけが仮定されて、一切の文化的要素は排除されている。

そもそもラムザイヤー教授の専門は「法と経済」と称される分野であり、日本の社会や経済を、日本に固有とされる慣習や伝統によって説明し理解する通説・通念を次々と打ち破る研究成果を挙げてこられたのである。例えば「系列」（『日本経済論の誤解』）、「産業政策」（『産業政策論の誤解』）などをめぐる通念が、徹底的な批判にさらされ、解体される。後者では、通産省の指導が日本経済の高度成長の要因だとする通念が完膚なきまでに否定される。痛快な読後感がある。

私たちは、日本人として日本文化に誇りを持ち、よかれ悪しかれ日本人的発想や行動が他と違うことを自覚させられることがしばしばある。それはそれでよいかも知れないが、しかし、日本を高く評価するかのような「日本文化論」が、時には「日本特殊論」となり、「日本異質論」となって反転し、ジャパン・バッシングの根拠にされることもあるのだ。これは日本文化論の陥穽《かんせい》（落とし穴）である。

では自己の利得を極大化するように行動する合理的経済人の仮定からは、ガリガリの利己主義者だけが登場する世界が現出するのかというと、決してそうではない。そのような行動様式は、むしろ利得を減少させるというのが、ゲーム理論のミソである。なぜなら、自分の意思で操作することの出来ない独立した主体としての相手がゲーム的状況には初めから存在するからである。

そして、戦前の日本の農家についてのイメージは、彼らは貧しかったかも知れないが、その環境の中でもよりよい生活を求めて必死に努力し、強《したた》かに生き抜いてきた人たち、というものである。そういう人々の行為の総体として近代日本は築かれた。〈第1論文〉を読むと、結果として、そういう温かい眼差しに出合うことになる。これは上から目線で、ひたすら「虐げられた民衆」というイメージにのっかって、それに同情している自己の道徳的高さの証として要請される受動的・消極的な民衆像の対極にあるものである。

敗北した論敵

いわゆる慰安婦問題というのは、韓国人元慰安婦の金学順《キム・ハクスン》が最初に名乗り出た1991年8月から始まった。ところが、ラムザイヤー教授は、慰安婦が問題化するその前から、日本の戦前の芸娼妓の年季奉公契約について法経済学者として研究論文を発表していたのだ。これは驚きである。

ラムザイヤー教授の慰安婦論は、〈第1論文〉の延長上にある。娼婦の年季奉公契約と慰安婦の年季奉公契約とは、場所を戦場に移動し条件のいくつかが変わるだけで、基本的骨格においてどこにも違いはない。前者が初めから契約関係なのだから、後者も当然、初めから契約関係なのである。かくして、「慰安婦＝性奴隷説」の成立する余地などあるはずがない。だから熱心な読者には、ぜひとも〈第1論文〉を精読していただきたい。そこでは、対立仮説を次々と実証データによって棄却しつつ結論になだれ込む、下手な推理小説よりも遙かにスリリングな論理の展開を味わうことができる。

ラムザイヤー教授が嵐のような攻撃にさらされることになったのは、〈第3論文〉が発表されたあとであった。２０２１年1月31日付の産経新聞が、青山学院大学の福井義高教授の書いた〈第3論文〉の要約を掲載すると、韓国を震源地として、異様な攻撃が世界中に広がった。中には命の脅迫をするものまであった。

慰安婦問題を論じる海外の学者のほとんどは「慰安婦＝性奴隷説」を妄信している。性奴隷説ばかりの英語の文献に頼っているようだ。彼らは必ずと言っていいほど慰安婦問題を人権問題にすり替え、被害者話を検証もせずに鵜呑みにして反日感情を露わにする。そのくせ、彼らこそが最大の人権侵害行為の常習犯なのである。自分たちと意見の異なる否定派に対する人権無視のバッシングは、彼らのダブルスタンダードの醜い正体をあらわにした。彼らのそのような振る舞いは、その論理の敗北を決定的に示している。

しかし、人間は誰でも不死身ではない。窮地に陥った時には、外部からの支えが必要だ。黙っていないで、「言論の自由を守るわれわれはあなたと共にいる」と声を出さなければならない。そこで、本書の訳者5人が所属する国際歴史論戦研究所は、産経新聞の後援を得て、2021年4月24日、緊急シンポジウム「ラムザイヤー論文をめぐる国際歴史論争」を主催した。シンポジウムでは、秦郁彦、西岡力、有馬哲夫、高橋洋一、高橋史朗の各氏と本書の編者二人が登壇し、ラムザイヤー教授と言論の自由を守る決意を内外に示した。この集会にビデオ・メッセージを寄せたラムザイヤー教授は次のように語った。

この経験を通して学んだのは、友達がどれほど重要なのかということです。この非難は僕に友達がいなければ絶対生き残ることが出来なかったものだと思います。米国の友人、日本の友人、彼らの励ましがなんといっても不可欠でした。信じてくれる友達、安心させてくれる友達。「あんたはインターネットで言われているほどくだらない人間じゃないよ」と、何回も何回も繰り返して言ってくれる友達に僕は頼りました。

二つの世界をつなぐ

本書の二人の編者は、2023年の7月に、東京で初めてラムザイヤー教授にお目にかかった。コロナ禍前は毎年夏休みを日本で過ごしていたそうで、数年ぶりの日本滞在とのことだった。丁寧で控え目で穏やかな方だった。日本語も日本人と同じようにお話しになる。ハーバード大学の偉い先生というふうは全くなく、「恐縮です」と頭を下げられるとこちらも恐縮してしまう。専門のお話をされるときは学者のお顔だが、自分の原点であるという1960年代の宮崎の小学校時代の思い出を語るときは、当時の日本のやんちゃな少年のお顔になる。

ラムザイヤー教授はシカゴに生まれて生後6ヶ月、船で日本に渡ってこられた。高校まで日本で過ごした。祖父も父も、キリスト教メノナイト派の宣教師だった。編者の一人・藤岡が思い出すことがある。1992年にペンシルバニア州のアーミッシュの里を訪れた。アーミッシュは、電気や自動車など近代文明を受け入れずに、馬車とランプで暮らし、つつましい生活の中でキリスト教の信仰を守っている人たちだ。そのアーミッシュの人たちが、文明社会の中で生きていけるのは、周辺を取り囲んでメノナイトの人たちが住んでいて、文明世界との間の緩衝役をしてくれるからだということを現地で発見した。

日本に愛着をもつ穏やかな感性と、西欧が研ぎ澄ましてきた論理を駆使する鋭い知性を併せ持ったラムザイヤー教授は、二つの世界を結びつける伝道者の役割を果たしておられることになるのではないかと思う。そういう先生がハーバードにおられたということは、日本にとって奇蹟ともいうべき僥倖である。昭和の日本と宮崎が育んでくれていた至宝である。そして、その学問を日本人に紹介する役回りをいただいたことにも深く感謝する次第である。

翻訳の分担と凡例

本書の翻訳作業は、藤岡信勝、山本優美子、藤木俊一、矢野義昭、茂木弘道の5人の共同作業である。5人はいずれも一般社団法人・国際歴史論戦研究所（2018年創立、杉原誠四郎会長、山本優美子所長）の上席研究員であり、この翻訳作業は事実上、同研究所の事業の一環である。

翻訳の分担は次の通りである。

〈プロローグ〉藤岡信勝、〈第1論文〉藤岡信勝・藤木俊一・山本優美子、〈第2論文〉矢野義昭、〈第3論文〉〈第4論文〉茂木弘道。

最後に、用語と約束事について記しておきたい。

本書は、専門分野の研究論文を、一般の読書人でも普通に読んで容易に理解できるようにするという、ある意味で挑戦的な試みである。そのため、訳文は何度も練り直した。5人の訳者はいずれも、法学についても経済学についても門外漢であるが、自分にとって関心があり、人間が人間について書いたものが普通の人間に分からないはずがないとの信念のもとに作業を進めた。どこまで達成しているかは読者の判断に待つしかない。

〈第1論文〉には、北海道大学法学部の曽野裕夫教授による日本語訳（『北大法学論集』44巻3号、1993年）があり、論文の理解に大いに役立った。記して謝意を表する。

著者による注は、（原注）と書き、注記の本体は論文の末尾ではなく、パラグラフの直後において参照しやすくした。【訳注】も同じ扱いとした。また、適宜、［　］で訳注をはさんだところもある。原著者も同じ括弧を使っているので、混同する時は区別できるような書き方をした。

訳語の選択では、prostitute に、社会科学的に最も正確な「売春婦」という訳語をあてた。この語はあまり語感がよろしくないが、ほかに言葉がないのでやむを得ない。具体的場面を想定するような文脈では、当時の一般的呼称である「娼婦」と言い換えた場合もある。brothel は「売春宿」と訳したが、文脈によっては「売春業者」「業者」とした。ただし、あまり厳密な統一はしていないことをお断りする。誤解されやすい言葉や専門用語には（　）で原語を添えた。

2023（令和5）年10月

藤岡　信勝
山本優美子

目次

第2論文 慰安婦たちと教授たち（2019年） 123

第3論文　太平洋戦争における性サービスの契約（2020年）　199

プロローグ（2023年）

「ラムザイヤー論文」騒動とその背景

——日本語版論集の発刊に寄せて——

8ページの論文に「殺人予告」

２０２０年の暮、私は慰安婦に関する8ページの論文を、「法と経済」に関する学会誌International Review of Law and Economics（ＩＲＬＥ）に発表した。ある友人はこれを評して、「6人くらいの専門家と君のお母さんなら読むかも知れない論文」と言った。その時は、それが当たっているように思えた。私が書いた論文のほとんどについて言えることだが、6人もの人が読んでくれれば上出来としなければならない。その上、母は今回の論文には興味を示さないだろうことを私はわきまえていた。5年前に、旭日中綬章《きょくじつちゅうじゅしょう》をいただいた時、私はうれしくて、すぐに母に電話して伝えた。母の反応は「そんな立派な賞を貰えるような何か大事なことをお前はしたのかねえ」だった。こんな母が8ページの今度の歴史論文に興味をもつはずはなかった。

年が明けて1月31日、産経新聞が私の論文の見事な紹介記事を掲載した。私への攻撃が始まったのは、その直後からだった。来る日も来る日も、ヘイト・レターが電子メールで届いた。最初の一日だけで77通もあった。メールの洪水は2ヶ月間続き、3ヶ月後まで止《や》まなかった。メールの多くには韓国人の姓が記されていた。ほとんど全てのメールは度外れた罵詈雑言だったが、しかし、その悪態は英語の慣用に合致した流暢で完璧な英語だった。おそらく、メールを送った人物のほとんどは、アメリカの大学に在籍する韓国人（または韓国系アメリカ人）の学生か、卒業したての大学院生に違いなかった。

メールのなかには、殺人を予告するものすらあった。私はハーバード大学当局と（私が居住する地域の）レキシントン警察に届け出た。

ある週末のことだった。韓国の報道機関の取材チームの車が私の家の外にピタリと停車した。彼らはしばらくそこに居続け、煙草をふかし、ギャングの一味よろしくあたりを睥睨《へいげい》していた。彼らは、［ハーバード大学の］ジニー・ソク＝ガーセン（Jeannie Suk-Gersen）教授にインタビューするためにボストンに来ていたのだ。ソク＝ガーセンは雑誌『ニューヨーカー』で私を攻撃していた。おそらく、彼女が私の自宅の住所を教えたのだろう。くだんの者たちはわが家の外に駐車し、私が出て来るのを待ってビデオを回し、質問に答えるように私に要求するつもりなのだ。私は外に出なかった。

「論文撤回」を要求する署名運動

ＵＣＬＡに在籍する一人の韓国系アメリカ人の学者（マイケル・チュー、Michael Chwe）が署名運動を始めた。彼は右記の学会誌に私の論文を撤回するように要求した。「ラムザイヤーの論文は、普通の意味で研究論文として欠陥があるとか、研究論文の基準・知的誠実・研究倫理に違反しているとかいった次元を優に超えている」と、彼は書く。実際にも、「ラムザイヤーは経済学を悪用し、……身の毛もよだつ残虐行為を正当化するための蓋として使っている」。彼は3000筆を超える署名を集めた。

韓国で実施したある嘆願書の署名数は3万筆に達した。その嘆願書はハーバード大学が私を懲戒することを要求した上で、次のように書いていた。

〔論文は〕日本の戦争犯罪の事実を歪曲し、ナチス時代の宣伝相ゲッペルスの言い草よろしく日本の近隣諸国への侵略を正当化し、侵略戦争の責任を何ら取ろうとしない日本政府の言い分の拡声器として使われている。

さらに、多数の攻撃が、人文科学分野のアメリカの学者たち（その多くは日本研究の専門家を自任）からやって来た。産経新聞の記事が出たあとの第一日目に、ハンナ・シェパード（Hannah Shepherd、イエール大学）が嫌がらせを開始した。早朝、彼女は「さて、どこから始めたらよいのだろうか。三菱が研究費を支援しているハーバードの法学の教授が、慰安婦はすべて売春婦だったと論じているのだ」とツイートした。すぐに続けて彼女は言う。「私たちはこの論文を無視したいところだが、すでに韓国の新聞の一面で報じられ、どの記事も論文執筆者の所属機関に言及している以上、これを私たちは無視できるのか、無視すべきなのか、迷うところだ」（2021

年2月1日。以下、日付はすべてツイッターへの発信日）。

「ヤバい！　言葉もない」と書いたのはダニエル・マーティン（Daniel Martin、韓国科学技術院、映画研究）だ（2021年2月1日）。「産経の記事にはゾッとする」とマーク・ラヴィナ（Mark Ravina、テキサス大学）が付け加えた（2021年2月1日）。ポール・クライトマン（Paul Kreitman、コロンビア大学）は私の論文を「無茶苦茶な女性蔑視と反共主義の退屈な長話」（2021年2月1日）と評した。そこから私に対する侮辱が継続した。日本関連の分野の研究で博士号を持つ人々による侮辱的（かつ、しばしば卑猥な）言辞による攻撃が、来る日も来る日も続いた。

火曜日までに（ということは、産経の記事が掲載されてから1日以内に）、彼らは、この際、論文撤回を要求すべきだと互いに言い合い、そうだそうだという話に落ち着いていた。事実、アミー・スタンリー（Amy Stanley、ノースウェスタン大学の日本史研究者）とシェパードは、私の論文が公表された正にその日、学会誌宛ての論文撤回要求を発信していたのだった。「ラムザイヤー論文が書いていることは全て、日本の極右の史実否定主義者たちが仲間内で語っているさわりを、学術論文の中で繰り返しているに過ぎない」とシェパードは広言した（2021年2月1日）。

そして、この連中は自らを日本関連分野の専門研究者であるとして発言していたのである。私はショックを受けたが、彼らのほうは言葉のあくどさを増す分だけ快感の度を高めているふうであった。「今のところ、少なくとも5人の女性が、トンデモ論文を掲載した学会誌の編集者にすでに手紙を出した（そしてその多くは公然と共有されている）と言っています」とポーラ・カーティス（Paula Curtis、ＵＣＬＡのポスト・ドクトラル）は告知し、「何人の男性研究者が編集者に手紙を書いたのかしら？」と問いかけた（２０２１年２月２日）。スタンリーは（同月の半月後に）、「〈苦情申立文書〉部門での発信の個人記録を更新しつつある」と宣言した。彼女自身の説明によれば、それは「フェミニズム活動」（２０２１年２月16日）の一環であるということだった。学会誌の編集者は私に手紙をくれて言った。「マーク、この連中は本気でアンタを憎んでいるよ。きょうはすでに50通の抗議メールが来ていると思う」。

「学問的刺客」の呼びかけ

産経の記事が出てから１週間以内に、ハーバードの日本史研究者アンドリュー・ゴードン（Andrew Gordon）は、（歴史家のカーター・エッカート Carter Eckert と連名で）公開批判を出した。ゴードンは、「慰安婦が業者と契約したとする」契約書の一次史料が提示されていないから、論文は撤回されるべきである、と宣言した。言うまでもないことだが、私がその種の契約書の原本を持っていると述べたことは一度もない。契約書は売春宿と売春婦の間で交わされた私文書である。現存する契約書があるとは思ってもいない。そうではなく、私は契約書を交わしたという情報から結論を導き出しているのであって、その種の史料はゴマンとあるのだ。

ほどなく、5人の日本史研究者（5人のうち2人はゴードンのかつての学生だった）が、30ページの攻撃論文を公表した。膨大な数の誤りを発見したと彼らはうそぶいた。実際には、彼らが見つけたと称する実質的な誤りは3件にすぎず、その中のどれ一つとして論旨に影響するものではなかった。それにも関わらず、彼らは私の論文がとてつもない学問的失態をおかしており、撤回すべきであると主張したのである。

5人の歴史家たちは、自分たちがしていることについて、極めてあけすけに語っていた。最も顕著な事実は、彼らが自分たちは慰安婦の歴史について何も知らない、と率直に自己採点していたということだ。そのうちの一人、サヤカ・チャタニ（Sayaka Chatani、シンガポール国立大学）は、直截《ちょくせつ》に次のことを認めていた（2021年2月18日）。「ちなみに私たち5人は〈慰安婦〉の歴史や議論の専門家では（元々）ありません。一介の研究者として史料の誤用が気になっただけです」。さらに、2021年6月には5人組の他の一人（アミー・スタンリー Amy Stanley、ノースウェスタン大学）は、ツイッターに本を積み重ねた写真を上げた。これは私の「夏休みの読書」計画である、と彼女はのたまわった（2021年6月16日）。写真には秦郁彦（1999年）と吉見義明（1995年）の慰安婦に関する古典的文献があった。私はこれを見て、あきれて口をあんぐりするほかなかったが、明らかなことは、彼女がこれらの基本文献すら読まずに、私の論文を攻撃する論文の共同執筆者になっていたということだ。

５人組が、政治的に保守系と見做《みな》される教授の評判を落とすことを「楽しみ」にしていたことは明白だった。「私が近世日本の歴史の研究者になろうと決心した時には、この分野がこれほどスリリングで、いちかばちかの要素があり、胸がときめく興奮とパニックに満ちたものだとは思ってもみなかった」とスタンリーは書き散らかした（２０２１年2月21日）。しかしその後、２０２１年の3月には、彼女は次のように書いた（２０２１年3月３日）。

いつも私は、意識の高いキャンセル・カルチャーの大衆行動に参加することは容易で楽しいことだろうと思ってきた。それが、歴史史料の膨大な読破と分析を要するものだとは知らなかった……。

テキサス大学の歴史学者マーク・ラヴィナが「皆さんは公的には学問的刺客の役目にある」（２０２１年2月23日）と宣言したのに対し、スタンリーはサングラスを着けた笑顔の絵文字を返した（同日）。

ハーバード・ロースクールの同僚、ジニー・ソク＝ガーセン（Jeannie Suk-Gersen）は、広範な読者のいる雑誌『ニューヨーカー』に私を攻撃する文章を載せた。彼女は韓国のテレビにも出演し、（英語で）私を攻撃した。それまで私は彼女を友人と思っていたが、私は明らかに間違っていた。彼女は私の批判者に接触し、連中が私を告発した言葉をオウム返しに語った。ゴードンの元学生、永原宣《ひろむ》（マサチューセッツ工科大学、ＭＩＴ）は、ジニーの論文を日本語に翻訳した。

乳房を「切り取られた」慰安婦？

奇妙奇天烈な攻撃をしてきたのは、コネチカット大学の歴史学者アレクシス・ダデン（Alexis Dudden）だった。彼女も韓国のテレビに出て（英語だけでしゃべり）、絶大な注目を集めた。以下は、ダデンの奇妙な三題噺だ。

第一に、ダデンは２０２１年４月韓国のテレビで、東京にいる友人たちが深刻な危険にさらされているとして次のように語った。〔２０２１年3月10日。次のサイトで視聴できる。https://news.v.daum.net/v/20210302133931702。爆発物テロ事件〔ダデン女史による狂言事件〕として東京でも知られている。https://dekabudou2.fc2.net/e/131【ここで韓国と日本のサイトが指示されているが、開かない―訳注】

彼らは脅迫の目標とされるだろう人々で、その脅迫は刑事告訴できるほどのものだ。例えば、東京にいる私の同僚のうちの3人は、事務所に爆弾を仕掛けられた。

読者の中に、２０２１年に東京で事務所爆破事件があったというニュースを見たことのある人はいないだろう。私も知らない。

第二に、ダデンは、ソク＝ガーセンに、慰安婦が日本兵によって乳房を「抉《えぐ》り取られた」という話をしている。『ニューヨーカー』誌の記事でソク＝ガーセンはこう書いている。

アレクシス・ダデンが教えてくれたのだが……彼女は２０００年に東京で開かれた日本軍性奴隷制を裁く女性国際戦犯法廷で元慰安婦たちに会った。「その中の一人は舌を切られ、他の一人は、ハンボク［朝鮮の民族衣装］をたくし上げて片方の乳房が抉り取られているのを実際に見せてくれた」とダデンは語った。

この件について、２００８年にダデンは次のように書いていた（アレクシス・ダデン『日韓米の間の謝罪をめぐる紛争93』ニューヨーク。コロンビア大学出版会）。

戦犯法廷の開廷中、元慰安婦の女性の一人が話している最中に通訳が止まり、彼女が下着をまくり上げ、ここが怒り狂った日本兵によって乳房が切り取られたあとだといって見せてくれる場面が時々あった。……舌のない女性もいた。抵抗しようとしたので日本の男が彼女の舌を切り落としたのだ。

読者はダデンが慰安婦というものを何だと心得ているのかと訝《いぶか》しがるだろうが、私も同感だ。戦時残虐行為の話として、女性の手足を切断したという話がよく言われるが、そのケースでは犠牲者はすでに死んでいる。それとは対照的に、乳房を「切り取られ」ても２０００年まで生きていたという女性に会ったのだとダデンは主張する。

ちょっぴりだけでいいから、このことをぜひ、真面目に考えてみていただきたい。慰安所の近くには、近代的な行き届いた病院などあるはずはなかった。だから、もし乳房を抉り取られた女性がいたら、間違いなく出血多量で死んでいただろう。仮に失血を生き延びたとしても、そこから起こる感染症で死んだに違いない。私は慰安婦問題を取材してきたある韓国人のジャーナリストとコンタクトを取った。彼は乳房を切除されて生き延びた慰安婦の話は耳にしたことがないといい、慰安婦運動の専門家たちにも訊いてくれたが、その中の誰一人としてそんな女性の話は聞いたことがないということだった。彼は2000年の「国際法廷」の記録を調べてくれたが、そんな女性の記録は見つけることができなかった。

第三に、ダデンは、女性が契約関係に入ることができたとラムザイヤーが言っていることがそもそもの間違いだとして、私を攻撃してきた。単純な話で、日本人は、第二次世界大戦前には契約行為なんてできなかったのだとダデンは強調する。日本人は「市民」ではなく「天皇の臣民《しんみん》」であり、それ故《ゆえ》に、独自に契約を結ぶことなどできなかった。ダデンの説明はこうだ（本書29ページの注記参照）。

［契約とは］法的、経済的、社会的合意のことで、それは本論の用語を使って言えば、自由に交渉することのできる平等な主体の存在を前提としている。……しかしながら、この用語

を国連とアムネスティ・インターナショナルが「人道に対する罪」であると決議した行為にあてがうなど、恥知らずと言うしかない。その上、その意味するところは、大日本帝国の期間（１８６８～１９４５）を通して論議の余地のあるところだったのである。その理由は、「自由に行動できる『市民』は存在しなかったからである。日本国民であれ植民地の人であれ、全ての個人は天皇の『臣民』だったのであり……」。

読者は、戦前の日本の裁判官たち――明けても暮れても諸々の契約紛争事案にいかなる判決を下すべきか頭を悩ませていた人々――がこの話を聞いたら、一体全体何と思うだろうか、といぶかしく思うはずである。私も同感だ。

学会の場を攻撃に使う

私の批判者たちは、各種学会の大会で私の論文についての討論会を開催した。２０２１年5月11日、スタンリーは来るべきアメリカ歴史協会で、そうした会合の開催を告知した（同日付ツイッター）。

ラウンドテーブル〈立ち上がる否定論との学際的協力による対決〉を「２０２２年1月アメリカ歴史協会、ニューオーリンズ、で」立ち上げます！　ぜひご参加の上、ラムザイヤーの謬論《びゅうろん》に対するわれわれの見解と今後の展望について聞いて下さい!!［ラウンドテーブルとは、

学会のテーマ別小会合のこと──訳注〕

お次は、アジア研究学会。パネルの紹介文にはこう書かれている。２０２１年という年は「アジアの女性に対する暴力をめぐる多くの論争が表面化した年であり、その中には第二次世界大戦中の日本軍の性奴隷制度に関する真理と正義をめぐる現在進行中の戦いが含まれる」（チャタニ、２０２２年６月４日、ツイッター。年次大会の日程については、https://www.asianstudies.org/wp-contennt/uoroads/AAS-AC-2022-Conference-Booklet-Web-FINAL-R1.pdf 参照）。

そして、ついに、私の批判者たちは、第三のパネルを、全米人類学会に向けて組織し、それを「ラムザイヤー論争」と名づけた（難局にある人類学的日本研究──ラムザイヤー論争と学界の反応、２０２１全米人類学会年次総会、２０２１年11月９日）。

ラムザイヤーの論文が今年、複数の同部門の専門家の査読を通ったという事態を引き起こしたのは、学界のどこに問題があったのか？　アメリカの学界、とりわけハーバードのようなエリート大学の力と影響力が、われわれ人類学者の真理の追求と偏見・性差別とのたたかいを妨害するなどということがいかにして可能になったのか？　……論争が提示したのは、日本研究における人種差別と性差別に関する重要な問題のみならず、米国の内外で繰り広げられている批判的人種理論とフェミニズム研究への現在進行形の攻撃である。……だから、われわれは、右翼の政治潮流が台頭するなかで、日本についての人類学的研究が困難に直面しているという大きなテーマについて議論することとした……。

パネルの企画者は次の約束をする。

このラウンドテーブルは、日本研究・人類学的日本研究が、集団思考と討論によって、歴史修正主義、人種主義、性差別とたたかい、弱者に対する社会正義を実現するために取り得る戦略を見いだす機会を提供するものである。

敬虔な手紙の裏側で

私に対する最も奇妙な批判者の一人は、東イリノイ大学で日本史の教授をしているジニー・リー(Jinhee Lee)である。2021年2月16日、彼女は私に次の手紙を書いて寄越した。

「私たちは」ずっとあなたのために祈り続けてきました。神があなたに「出口」を示し賜らんことを願い、神の善なるかつ完全なる意志が万物を見事に調和させ、この混乱の中にあってさえ、神の栄光のためにその意志を完遂されんことを願ってのことです。……私はとりわけ、私の祈りをあなたのために、あなたの平安と知恵のために振り向けました。……あなたに知っていただきたいのです。あなたも出会って知っている、イエス・キリストの前で兄弟姉妹である私たち「キリスト教教授団」は、主のもとであなたを私たちの兄弟として気遣っています。それは神自身があなたを、深く、無条件に、そして永遠に、気遣って下さるのと同じなのです。そのことが、神の御心に従って私があなたに以下のメッセージを送る理由です。私はそのメッセージを短くするように心がけます。そうすればあなたは、今夜が来る前に、主のもとでしばし、じっとして静かに安息の時を過ごすことができるでしょう。……

そして、そこには次のメッセージが添えられていた。

あなたの天国におられるお母様、あるいはサマーヴィルに住むお嬢様は、［あなたのIRLE論文を］将来にわたって喜ばれるでしょうか？　私たちの命をつかさどるわれらの主なるイエスは、今起こっていることをお慶びになるでしょうか？……。

結局のところ、私たちはわれらが誰の身許にあるかを選ばなくてはならず、それで全く十分なのです。それ以外のことは全てにおいて、全てに優越するわれらの神が面倒を見て下さるでしょう。……元気を出して、今の俗世の混乱から足を洗う「勇気」を持って下さい。キリストの許において、あなたが何者であるかを宣言なさって下さい。そして、精霊があなたに歩き続けるように願っている道に踏み出すだけでいいのです。

このような敬虔な手紙を私に送り続ける裏側で、リーはインターネットで私に関する情報を集めていた。彼女はやがて、私が2019年にアカデミックな会合で行った講演を見つけた。彼女は即座に会合の主催団体の幹部に苦情を書き送った（Jinhee Lee から G Zanarone と Jens Prufer への手紙、2021年3月26日）。

この論文は、日本におけるこれらマイノリティ・グループの歴史に関する記録として残され証明されている多くの歴史的事実を歪めているだけでなく、この主題に関する歴史史料と何十年もかけて確立された学問的成果を詐欺的に悪用してさえいることを自ら暴露している。特に私は、この論文のなかで日本における朝鮮人の歴史を歪曲していること、「そして論文が」現代日本に於《お》いて正に進行中の人種的マイノリティ・グループに対するヘイト・スピーチ、ヘイト・クライム、人権侵害を助長していることを深く憂慮している。……私は歴史的事実の扱いの欠陥と歪曲に関するこの警告を先送りしたり無視したりすることによって、あなた方自身の手を血で汚すことのないように望んでいる。

同様な手紙をリーはＩＲＬＥの編集者にも書き送った。覚えておいていただきたいのだが、……これが、私に対しては彼女と彼女の仲間のキリスト教徒が「あなたを私たちの兄弟として気遣っています。それは神自身があなたを、深く、無条件に、そして永遠に、気遣って下さるのと同じなのです」と書いてきた同じ女性なのだ。ＩＲＬＥの編集者に向けて、彼女は書く（Jinhee Lee から Eric Helland への手紙、２０２１年8月19日）。

私は、性奴隷制度の生き残りの被害者を再び中傷することで人道に対する罪を犯し続けていることの道義的責任と過失責任を免れる手段は、この雑誌とその編集者にはもはや残されていないことを明確に認識するに至りました。私にはハッキリと見えています。一方に論文の著者と彼の仲間である歴史の偽造者たちがまき散らしている残虐行為否定論のプロパガンダがあり、そして、他方に今まさにアフガニスタンで起こっている女性に対する暴力を正当化するレトリック［詭弁］があるのだが、この両者の間には直接のつながりがあるということを。

日本はアジアではない？

アジア研究学会の朝鮮研究部会は、私をアトランタのマッサージ店における韓国人女性殺人事件と結びつけた。殺人事件への「深い悲しみ」を表明したあとで、部会は次のように宣言した（アジア研究学会朝鮮研究部会北東アジア研究班、反アジア的な人種差別主義と歴史研究、日付は不明）。

［朝鮮研究部会は］合衆国、カナダおよびヨーロッパにおいて、アジア人への憎悪と暴力の波が広がっていることに反対し、また、白人優越主義のイデオロギーに反対する。そのイデオロギーは、歴史を超えて反復され現代的に強化されるのが見逃されてきたのである。……この点で、ラムザイヤー論文事件は、北米大陸における反アジア・反朝鮮の憎悪感情に関わってわれわれが直面している問題とつながっている。ハーバード・ロースクールの教授であるマーク・ラムザイヤーの論文は査読者の審査を通ったが、その論文は戦前日本の強制された

軍用性労働が実際は任意の、契約にもとづく売春制度であったと論じるものであった。……ラムザイヤー事件は、北米大陸、ヨーロッパ、そしてアジアにおいて、人種や性差別による暴力が、ヘイト・スピーチとかヘイト・クライムなどと分類できる形で現れるだけでなく、学問知の形式をとって発言することがあるということを示す事例である。

朝鮮研究部会は「反アジア的」憎悪という言葉を使った。ほら、読者も気付いたように、私も、アジア研究学会は日本はアジアの一部であることを忘れたのかしらん、と困惑した次第である。

吉田清治のつくり話

この私の論集の読者の多くは、すでに慰安婦論争の歴史を理解しているのではないかと思う。1983年、吉田清治という無名の共産主義者が一冊の本を出版し、その中で、自分は軍から命令を受け、済州島に仲間を引き連れて上陸し、銃剣で脅して若い女性を集めたと述べたのである。実のところ、1976年に彼はすでにこのテーマについて一冊の本を書いていた。その本の中で彼が述べていたのは、軍から命令を受けて女性を募集したが、仕事の中身について嘘をついて集めたということだった。1983年の本では、彼の部下が銃剣で威圧して女性を屈服させ、強姦し、縄で女性たちを一緒にして縛《しば》り上げ、売春宿に送り込んで莫大な金を稼いだ、というものだった。実は、彼はその本で名前を知られるようになった。

吉田が1983年に本を出版する以前は、日本と韓国の新聞・雑誌は、日本軍の基地に隣接して働いた売春婦のことなどほとんど注目しなかった。でも、どうして新聞雑誌は注目しなかったのだろうか。それは、なんらニュースではなかったからだ。軍事基地はどこでも、金で性を売ろうとする若い女性たちが取り巻いているものなのだ。第二次世界大戦中に日本軍の基地に近接して働く売春婦は「慰安婦」とよばれた。こうした仕組みに尋常でないところなど何もなかった。

しかし、吉田は日本軍が強制的に朝鮮人女性を募集して性産業に放り込んだと主張した。朝日新聞は吉田の話に巨大なスペースを割いてそれを周知させた。次から次へと記事を載せ、日本軍が女性たちを力尽くで屈服させたという吉田の話を伝えた。ほどなくして、慰安婦の話は国際的ニュースになった。

1989年、吉田は彼の本の韓国語訳を出版した。北朝鮮と共同して韓国の左翼の数人のリーダーが、のちに韓国挺身隊問題対策協議会（Korean Council 略称「挺対協」）と呼ばれるようになる組織をつくった。彼らは元慰安婦の女性を「運動」に引き入れ、日韓両政府に圧力をかけた。やがて彼らが世論を制するようになった。

1990年代の終わりまでには、真面目な学者たちにとって吉田が嘘の話をデッチ上げたにすぎないことは明白になっていた。単なる作り話だったのだ。しかし、挺対協は作り話のおおもとがどこから来たのかを無視した。アメリカの日本史研究者たち（ハーバードのアンドリュー・ゴードンのやから）は、作り話に関するニュースを完全に黙殺したように思えるのだが、それは、とんでもない学問的不正行為を驚くほど露呈させるものとなった。

「年季奉公契約」への着目

性奉仕産業に関する私自身の関心は、数十年前に始まっていた。私は長い間、型破りの契約行為（unusual contracts）に興味をもっていた。実際に、2023年の初めに私は『Contracting in Japan』（Cambridge UP）という本を上梓した。これは日本における型破りの契約行為について書いたものである。しかし、1980年代の末に時計の針を戻すと、当時私は戦前の日本における売春婦と芸者が「年季奉公契約」のもとで働いていたことに気付いた。こうした契約は歴史を貫通するありふれた事象であり、その文脈は多様であった。例えば、多くのヨーロッパ人の若者が、年季奉公契約のもとで北アメリカに渡って来た。彼らには労働意欲はあったが、大西洋を渡る金はなかった。船主（または仲介業者）は、運賃相当額を前金で渡すことに同意し、若者たちはアメリカに到着してから数年間働くことに同意したのであった。

戦前の日本の売春婦や芸者は、同じような立て付けのもとで働いた。例えば、売春婦はかなりの金額——典型例では1000円～1200円——を前払いで受け取っていた。一般的に言うと、彼女らが同意した労働期間は最長が6年であった。十分な稼ぎを生み出すことができた場合は、早期に退職することもできた。実際にも多くの売春婦は、早期に借金を払い終わって、約3年後には足をあらったように見える。私はこの産業を研究し、それについて一つの論文を書いた。それが、マーク・ラムザイヤー著：戦前日本の年季奉公による売春制度―性産業における「信用できるコミットメント」［本書第1論文］である（The Journal of Law, economics, and Organization, Vol.7, Issue 1, Spring 1991）。

戦時以来の記録を検討することによって、私は今では、慰安婦は東京の売春宿が用いていたのと極めてよく似た契約のもとで働いていたことに気付いている。注目すべき違いもあった（慰安婦の契約は典型的には、最長6年ではなく最長2年契約だった）。私がこの歴史論争に巻き込まれたのは、私が内地の売春契約と戦地慰安所の契約とを探究し比較する論文を書こうと決断した時以来である。

日本の学者、著述家、知識人、そして一般の国民からなるメンバーが私を支援して下さったことで、どんなに勇気づけられたことか、計り知れない。私がアメリカで、ヘイト・メールの泥沼の中で悪戦苦闘していた数ヶ月の間に、日本では藤岡信勝教授と彼の同僚たちがこの主題についてのシンポジウムを企画して下さり、国際歴史論戦研究所の主催、産経新聞社の後援で開催された（2021年4月）。地獄で仏に会うような心境でシンポの発表を読んだり聞いたりした。

人文系学部の衰退

アメリカの日本研究者たちが私の論文に対して示したまことに異常な対応は、より広く、アメリカの大学の（文学、歴史などのような）人文科学系学部の衰退を反映したものである。1970年代および1980年代に起源をもつのだが、人文科学系の学者たちはヨーロッパのゴリゴリの左翼学者たちの学説に目を向けるようになった。バルト、フーコー、デリダなどの人々だ。そうなってくるにつれて、大学の学部生は学問への興味を失っていった。学部生が、シェイクスピア、ジェーン・オースティン、川端などではなく、大げさなフランスの哲学者のものを読まなければならないとしたら、何で文学を専攻したんだろうと後悔を口にするのではないか。アメリカの大学生は、入学後に専門分野を選択することができる。だから彼らは、選択した分野の内容を知ると、専攻分野を変えることができるのだ。学生には良識がある。フーコーだの、デリダだの、その他ヨーロッパ大陸の哲学者に興味を持つ学生など、滅多にいるものではない。おびただしい数の学生が、文学や歴史を捨て始めたのである。

学部生が人文系の学部から姿を消し始めるにつれて、大学は教授のポストを削減し始めた。ポストの数が少なくなるにつれ、優秀な学生ほど人文科学分野で博士号を取得しようとしなくなる。大陸系の哲学者の左翼偏向が前提にあるので、中道右派の学生は人文科学を意図的に避けるようになった。

そして、衰退が始まると、イデオロギー的、政治的な不寛容がますます厳格になって行った。もちろん、アメリカ人全体を取れば、民主党と共和党の支持者は五分五分である。何十年もの間、こんな具合だった。だが、アメリカの大学は伝統的に左にひん曲がっている。これまた何十年も続いてきた傾向だ。

しかしながら、決定的に重要なことは、アメリカの大学には幅広い見解を許容する寛容な伝統があったという事実である。教授陣は左に傾いていたとしても、彼らは異なる見解をもつ同僚の存在を寛大に認めて（時には歓迎さえして）きたのだった。教授の中には共産主義者もいたし、共和党員もいたのである。

近年、中道右派の見解（ということはアメリカ人の半数が抱いている見解）に対する寛容な姿勢というものが人文科学系の学部から消えてしまったのである。アメリカの大学の教授団の政治的構成を検討した研究はいくつも存在する。工学や自然科学の分野では、まだ共和党系の教授が存在する。その数は半数に満たないが、確かに存在するのである。対照的に、人文系の教授団はほとんど中道左派によって排他的に占められている。不幸なことに極端なケースでは、彼らはもはや自分たちに異をとなえる人物を許すことができないのだ。

イデオロギーの多様性が認められないところでは、批判的思考を育むことは困難になる。その結果、学部はますます「左に」ねじ曲がる一方になる。彼らは今や、とりわけ悪意に満ちた、反知性的な「ゴリゴリ左翼」に傾斜しつつある。私の考えでは、これと一番近い同類を探すなら、戦後日本の経済学部が何十年もの間、ほとんど完全にマルクス主義経済学（マル経）で占められていたことが思い当たる。

異論への寛容の消滅

カリフォルニアの異論派のグループの学者たち――カリフォルニア学者連合――が次の点を指摘している（California Association of Scholars, A Crisis of Compitence: The Corruption Effect of Political Activism in the University of California, April 2012, 18ページ）。

A「左翼偏向の度合いが大きくなり、もはや過去に例を見ない規模に到達している。研究分野によっては、中道左派の教授以外は事実上一切排除されるというほど極端な場合もある」

B「一種の左翼主義がかなり、いっそう極端になっている」

C「若手の教授たちが古株の教授たちよりも強固な左翼志向をもっている。その意味するところは、古株の教授が引退しその穴を埋める新たな人事が行われるにつれてバランスの崩れが大きくなり、偏向の度合いが増大し続けるということである」

ポイントAの説明として、右記グループは、カリフォルニア大学バークレイ校の教授団の中での、選挙における投票者登録のデータを元にした2004年の研究を引用している（州によっては、支持政党を選ばせているところがある。必然的にこれらの数字は好みの政党を登録しなかった教授団を除外することになる）。いくつかあるプロフェッショナル・スクールの教授団については民主党支持者と共和党支持者の比率は、4・3対1であった。同様に、数学・自然科学分野では、9・9対1、人文科学では、17・2対1、社会科学では、21対1、という比率であった。

ポイントBの例証として右記グループは、2004年の研究により、民主党対共和党の比率が大学全体としては8対1になることを見いだしている。しかしながら、助教と准教授層では、比率は49対1となった（California Association of Scholars, 22ページ）。

歴史学分野の圧倒的な左翼偏向は、何もバークレイ校に限った現象ではない。カリフォルニア学者連合は、カリフォルニア大学の四つのキャンパスの歴史関連学部を対象に含まれている二つの研究結果を要約している。それによれば、民主党対共和党の比率は次の通りであった。バークレイ校：31－1、UCLA：53－3、サンディエゴ校：26－1、サンタバーバラ校：28－1（前掲、22ページ）。

経営学部は歴史学部ほど極左的でないとはいえ、そこでも左翼偏向は著しく、しかもますますそうなりつつある。上位20の経営学部を対象とした2021年の研究を見てみよう。民主党対共和党の比率は、正教授では4・0対1、准教授では5・3対1、助教では10・5対1、であった（Emre Kuvvet, Even Finance Professors Lean Left, Academic Questions, Summer 2021）。

最後に、トップクラスの「教養学部」について、所属政党の調査をした2018年の研究を検討してみよう（Mitchell Langbert, Homogenous: The Political Affiliations of Elite Liberal Arts colleges, Academic Questions, Summer 2018）。

アメリカには、非常に入学競争率が高く規模の小さい一連の大学がある。これらの大学の教授陣は、もっとも優れた博士号取得課程を経てきた者が多いが、研究よりは教育に焦点をあてる傾向がある。前述の2018年の研究では、上位66の教養学部（ランク付けはUSニュースによる）から51の学部について調査したものである。その研究は教授団の59・8％について、所属政党を確認した。全体で民主党対共和党の比率は、10・4対1となった。

他の研究とも符合するのだが、政治的偏りは人文科学系（および社会学）で際立っていた。民主党対共和党の比率は、工学で1・6対1、数学で5・6対1、物理学で6・2対1、歴史学で17・4対1、社会学で43・8対1、英語学で48・3対1、という結果だった。

アメリカの大学教授たちが、慰安婦の歴史に対して示した反応を理解するという目的にとって、このように圧倒的な政治的偏向を知ることが決定的な鍵となる。アメリカの歴史研究者たちは、事実上、いかなる真剣なイデオロギー的多様性も存在しないという学部の環境のなかで仕事をしているのである。多様性どころか、彼らは政治的見解——多くの場合、それは極度に左翼に偏っている——を同じくする人々とのみ交流する。中道右派の傾向の学者が消え去るにつれ、今いる学者たちはますます、異説に対する寛容さを失って行く。その結果、これらの学者たちが働く学部では、事実上あらゆる論争が禁じられており、論争としてあるといえば、左翼と極左の間の論争だけなのである。

これが、アメリカの大学における「日本研究」の世界の現状である。そして、そういう世界に、慰安婦の契約についての経済学的分析を行った私の論文が投げ入れられたという次第なのである。

第1論文（1991年）

戦前日本の年季奉公契約による売春制度

——性産業における「信用できるコミットメント」

Indentured Prostitution in Imperial Japan: Credible Commitments in the Commercial Sex Industry

Source: Journal of Law, Economics & Organization, Spring, 1991, Vol. 7, No. 1 (Spring, 1991), pp. 89-116　https://www.jstor.org/stable/764879

Ⅰ 序論

かって　うれしい
花いちもんめ
まけて　くやしい
花いちもんめ

——日本のわらべ歌

このように英訳してしまうと、この歌には英語のもつ意味以上の特別の意味は、日本語の元歌（原注1）にもないかのようである。【訳注1】だが、はじめの2行には、二つの掛けことばが含まれている。「かって」は、「勝って」（win）でもあり、「買って」（buy）でもある。「花」（flower）は「少女」（girl）の意味にもなり得る。だから、冒頭のわらべうたは、「1文目《もんめ》（a dollar）で少女を買った」という意味にもなるのである。マザー・グースと同じで【訳注2】、この哀しい話には歴史的な背景がある。19世紀までの日本の農家は、中世ヨーロッパの農家もそうだったように(Engerman, 1973: 44)、子供の売り買いをしたのである。「かって　うれしい　花いちもんめ」と子供はうたう。【訳注3】

(1)"Katte ureshii/hana ichimonme/makete kuyashii/hana ichimonme."

【訳注1】著者は英語で論文を書いているから、日本語の掛けことばの持つ二重の意味は英語に訳してしまうと消えてしまうという指摘である。冒頭のわらべ歌の英訳は、次のようになっている。

I'm glad we won
a flower for a dollar
I'm mad we lost
a flower for a dollar
——Japanese children's song

【訳注2】マザー・グースはイギリスの子どものための伝承歌謡の総称。1765年にロンドンで『Mother Goose's Melody（がちょうおばさんの歌）』という本が出版され、その後、伝承童謡がこの名で呼ばれるようになった。英語圏では幼いときから親しまれ、文学、映画、新聞雑誌などにも引用される。遊び歌、数え歌、早口ことばなどさまざまな形があり、脚韻を踏んでいる。その中に、残酷な怖い話が含まれており、中世以来の歴史的背景があるとされる。著者は冒頭の日本のわらべ歌に同じ文化現象を見たのである。

【訳注3】原文には続けて、"I'm glad my parents bought for me," the child sings, "a sister for a dollar." とある。女衒《ぜげん》と親との売買を暗示するような歌詞であるが、もとの日本語の歌詞は不明であり、直訳しても意味をなさないので、著者の了解の上、訳出はさしひかえた。

前近代の日本の農家には子供を売る親もいたが、娘を売春宿に年季奉公に出す親もいたといわれている。同時に、多数の女性がみずから進んで売春婦になるための契約を結び、しかもそれは長期の雇用契約であるという場合があった。本論文で、私は、苦界にかかわる多様な契約形態のうち、より近代的なタイプの一形態を吟味してみたいと思う。それはすなわち、20世紀初頭の日本における性サービスの市場における、親、売春婦、売春業者の三者の間の雇用をめぐるやり取りである。さらに限定していえば、私が検討しようとするのは、年季奉公による売春についての合意という形式がどのように活用されたのかという問題である。この形式の取引においては、売春婦は彼女が将来稼ぐであろう金額のなかのかなり大きな部分を前払いされ、それと引き換えに売春宿で5~6年間（several years）働くことに合意するのである。売春婦と売春業者の間のこうした年季奉公契約は、さまざまな社会で見られるものであるが、私は日本のデータを用いて、なぜこれが可能になるのかという問いに答えを与えたいと思う。

第二次世界大戦より前の日本の売春業は規制産業であり、また問題にされることの多い産業でもあった。まさにそれゆえに、政府の公式記録と民間の研究が相俟《あいま》って、驚くほどあからさまで実証的な記録の山が残されている。従って、私はまず第一に、それらの記録を用いて契約行為そのものの様態を復元し再構成する。それによって、当事者が行った値切り交渉とともに、その取引をどのようにして相手方に認めさせようとしたかを記述する。

第二に、私は、年季奉公契約に関する最もありふれた仮説、すなわち、売春業者がこれらの契約を提示したのは、彼らが契約を操作して、売春婦たちを契約期間を超えて売春宿に縛《しば》り付けておくことができた（簡単にいえば、業者は年季奉公を深刻な債務奴隷にスリ変えることができた）からだ、とする仮説を検討する。私はこの仮説を支持するいかなる証拠も見つけることはできなかった。むしろ多くの売春婦たちは、契約期間が満了するよりもかなり前に、前借金を完済し、早期に廃業していたのである。年季奉公に基づく売春という仕事は過酷なものではあったが、それは女性が数年たずさわれば終わるという仕事でもあったのである。

第三に、私は、さらにこの種の契約に関する次の二つの仮説を検討する。

1．この契約形態では、売春業者が売春婦を支配することができた。

2．この契約形態は、何千人ものヨーロッパ人を北アメリカ大陸にもたらした年季奉公契約と同様に、困窮した農民に信用を供与した。

これらの仮説は、日本の売春婦年季奉公のいくつかの側面をとらえているかも知れないとはいえ、私はなぜそれらが十分な説明とはならないかを説明する。

そうではなく、私が主張したいのは次のことである。すなわち、売春婦と売春業者は、別の理由があって、年季奉公制度を活用したのである。

第一に、その種の契約は売春業者をして、当該の女性たちに将来の稼ぎについての自分の約束を信じてもらうことが可能になった（Williamson,1983,1985）。売春業者がこうした約束をすることを有利であると感じたのは、新しく売春婦となる娘たちは、確実に、かつ大きな評判上の損失を被らなければならない産業に参入しようとしているにもかかわらず、そこで得ることのできる収入についての信頼できる情報をほとんどもたないという事情があったからである。

第二に、この種の契約は、売春業者と売春婦の両者にとって、法的手段に訴えるコストを、訴訟を最も安上がりに行使できる当事者［売春業者］に配分するということが可能になったのである。売春業者と売春婦がそのような取り決めをするということが示唆することは何だろうか。それは、究極的には、学者が売春の残酷さに目をくらまされて、農村の男女が厳しい境遇のなかでもなるべくその境遇を最大限に効率よく利用しようとしていることに目をふさいではならない、ということなのだ。（原注2）

（2）19世紀のイングランドとアメリカ合衆国における、売春婦自らがおこなった合理的な自己主張の証拠については、Judith Walkowitz と Barbara Hobson の著書（第4章）を参照。

売春と年季奉公が政治的に問題化するという性質をもっていることを踏まえるなら、ここで特に本論の存在根拠を補っておくのが順序というものであろう。

第一に、自明なことだが、この論文は、ある産業が組織化される歴史を研究するものであって、どのようにあるべきかという規範を述べるものではないということである。私は、売春を合法化すべきかどうかという点に関して、いかなる立場もとるものではない。(原注3)

(3) 例えば、Shrage and Pateman (売春は禁止されるべき) と Okin and Radin (売春の形態によっては認められるべき) の議論を比較せよ。

第二に、データ不足のため、本稿は一つの基本的で実証的な問いに答えていない。その問いとは、日本の女性がどの程度の割合で売春婦になることを自ら選択し、またどの程度の割合で家族の圧力によりそうせざるを得なかったのか、という問いである。一方で売春婦はそれなりの高給取りであるが、世の多くの女性は貧しかった。だから、女性のなかには、その仕事が高給であるという、ただそれだけの理由で売春婦になることを自ら選択するというケースも存在した。しかし他方では、親の圧力のもとにこの職業についた者もいたのである。親の圧力は、想像されているほどのものではなかったという証拠も私は持っているが、その証拠はあくまで暫定的《ざんてい》なものであって、そこからいかなる結論を導き出すことも正当化することはできない性質のものである。(原注4) 他の研究では、複数の農家が互いに収入をプールすることでリスクを共有していたことが強く示唆されているが (Popkin: 18-22, Rosenzweig and Stark)、おそらく娘たちの中には、そのような家族保険制度の一環として売春宿に勤めた者もいたはずで、それはいっそう痛ましいことではあった。親や裕福な隣人は、しばしば、売春婦の債務の保証人になった（もっとも、女性たちが自らの意思で売春婦になった場合でも、彼らは同じように保証人になったではあろうけれども）。（原注5）以下では説明を簡単にするために、そして専らその目的の故《ゆえ》に、雇用の取り決めは、それに関与する女性が自ら選択したものであるかのように記述することとする。

（4）売春婦は法的には自ら希望するときに廃業することができたが（後述のⅢの2を参照）、多くの売春婦は借金の返済が完了するか、契約期間の満期に達するまで働いたことに注意すべきだ。例えば、1927年から1929年の期間に、売春業者の同意なくして廃業した者は、公娼全体の1％に過ぎなかった（Itō: 213-4）。それでも、親が（大抵の場合がそうだったのだが）年季奉公契約を業者と結んでいたなら、廃業のコストは、自分や親が契約書の取り決めに責任を負うことになるという点だけであった。そして、もし親が娘を強制的に慰安婦にしたのなら、親は前金をすでに受け取っていたのであり、その娘である売春婦自身を［業者が］法的に訴えることは無益なことだった。かくして、実際に売春婦にとって真のリスクは、業者が親の財産を差し押さえるかもしれないということだけであった。その結果、親が娘を虐待し無理に売春婦にしたという場合は、娘たちは仕事をやめ、親に借金を返済させ、東京という大都会の中に名もなく消えていくという道を選ぶことができた。そのような娘の将来は、しばしば絶望的なほど厳しいものであったであろうことは想像にかたくない。しかし、多数の親が娘をその意思に反して売春婦になるよう強要したのなら、このようにして廃業する売春婦は一貫して膨大な数にのぼったはずである。なにしろ、売春業は軽蔑すべき職業であるとされ、親はその業界に自分を売り飛ばしたのだから、そのくびきを断ち切って都会の非常な闇のなかに身を沈めるという選択をするはずだ、と考えられる。しかしながら、実際はそういうケースはほぼ皆無であった。

［廃娼運動を展開した］救世軍によれば、１９３０（昭和５）年に救世軍が年季奉公契約による売春の仕事から「救出した」女性の31％は、その仕事につくことを親から勧められた（induced）と述べている（Kakusei,1931b）。

（５）戦前の民法では、20歳以上の男子と未婚の女子は、自らの意思で契約を結ぶことができた。［明治民法第３条―原注］20歳未満の男女は法定代理人の承諾なしには契約を結べなかった。（民法第４条）

第三に、私は日本の売春の実態についての同時代の生々しい記述は、意図的に無視する。今に至るまで、売春産業について書かれた歴史のほとんど全ては、社会改革派のジャーナリスト、廃娼論者、そしてその廃娼論者によって救い出された元娼婦たちの体験談に基づく説明に依拠してきた。だからして必然的に、廃娼論者に接触した娼婦は最も不満を抱いていた娼婦であり、他方、大過なく年季を終えた娼婦は、著書、論文、あるいは日記すら、ほとんど書いていないのである。その結果、現存する実態描写は標本抽出に偏りがあるというとてつもない問題を抱えている。バランスの問題は量的な記録をも汚染していることは間違いのないところである。それでも、戦前の日本の売春産業は規制産業であるとともに論争テーマでもあったから、政府機関と廃娼論者がともに膨大な資源を投下して、業界のヒトとカネの統計を残した。そして、おそらくは驚嘆すべきことなのだろうが、両者が残した量的記録は、ほとんど全ての重要なポイントについて、一致するのである。そこで、以下では、両者の記録が一致する場合はその記録を用い、一致しない場合はその違いを指摘することとする。

本稿の論述は以下の順序で進める。

Ⅱでは、戦前日本の売春産業についての伝統的な説明と、この産業の基本的な輪郭を概観する。Ⅲでは、関連する規制の枠組みの発展過程をたどる。Ⅳの1から3では、年季奉公契約が実際にはどのように機能したのかを問い、そして、4と5では、その種の契約がなぜそれほど一般的に行われていたのか、その理由を探究する。しかしながら、規制産業としての売春業は1950年代いっぱいを生き延びることはできなかったが、その崩壊過程はⅤでたどることとしよう。

Ⅱ　学者と売春婦

ほとんどの学者は、戦前日本の売春産業を、「搾取」による経済成長と彼らがみなしたものによって説明する。例えば、社会史学者のMikiso Haneである。ジャーナリスティックな文献に強く依存しつつ、Haneは「拡大する亀裂」が戦前日本の富裕層と貧困層を分断したと主張する

(Hane：34)。「ブルジョワ資本家がますます豊かになって行くのと対照的に、農民の状態は痛ましいままであり」、かくて農民は「生き残りをかけた苦闘」を余儀なくされた（31，27）。この困窮した世界の中の「最も哀れな犠牲者」の中に、「売春宿に売られた若い農村出の女性たち」がいた（207）。

人類学者 Liza Dalby は、免許を持った芸人にして娼婦である「芸者」の研究をして同様のストーリーを語る。芸者はまともな生活をしていたと言えるだろうが、それは免許をもった売春婦である公娼（「娼妓」）の生活と比較する限りにおいてである、と彼女（Dalby）は言う。「［芸者の］生活はひどいものであったが、それでも、置屋《おきや》ではなく売春宿に送られた女性に比べれば、その生活はましだった」（Dalby：222）。その酷い生活の一つの要因は、置屋が年季奉公契約によって女性をそこに縛り付けておくというやり方をしたことであった。日本以外の地域の売春を研究する学者の多くと同様に（原注6）、Dalby は、日本の置屋の主が売春婦を債務奴隷にするために契約を操作し、当初の契約期間を超えて女性を働かせ続けた、と指摘する。「住み込みの芸者に法外な部屋代と食費を請求し、意図的に女性たちを依存状態に留めおく悪徳楼主《ろうしゅ》」の罠《わな》にかかり、芸者は「事実上の囚人」として働かねばならなかった（221）。（原注7）

（6）たとえば、Corbin（78）〔フランス〕、Harsin（293）〔フランス〕、O'Callaghan（13）〔中国〕、Rosen

（130）〔アメリア〕参照。
（7）しかし、多くの女性にとって、部屋代と食費は無料であったことに注意。後出のⅣを参照のこと。

事実であれフィクションであれ、その種の記事は新聞や雑誌の売り上げを伸ばし、同時代の物書きはそれを最大限に利用した。ジャーナリストは純真な女性が強欲な業者にだまされて悪の道に引き込まれ、月ごとに増え続ける借金に縛られていると書いた。これはほとんど剥き出しの奴隷制といえるものなのだから、政府はこれを禁止すべきである、とジャーナリストたちは論じた。今の学者も、ほとんどが、こうした説明をただ繰り返している。日本の著名な法社会学者、川島武宜さえも、娼婦とは「家父長制の権力」によって「奴隷状態」に落し入れられた人々である、と結論づけるのである（kawashima 1950：89,1955）。

もちろん、全てがフィクションだったというわけではない。戦前の日本では、多くの家庭が貧しかった。世界的な不況はたちまち、したたかに国中を襲い、なかでも農村部はその打撃が最も烈しかったようである。（原注8）他の選択肢もあったのかもしれないが、それでも農家の女性のなかには売春婦になる道を選んだ者がいた。彼女らの多くは、5～6年間、売春宿に住み込みで働く契約をした。それと引き換えに、彼女らはその賃金の多くを前払いされたのだった。

（8）表1（64頁）の農家の収入の推移を参照。学者たちはこの貧困を誇張するきらいがあることを、Smethurst が彼の優れた著書の中で指摘している。

美徳に欠けていたかもしれないが、売春という悪徳は一大産業であった。1924（大正13）年、日本には認可された赤線地帯が550ヶ所、公娼が5万100人、認可された売春宿が1万1500軒、存在した。これらの売春宿は実績のある事業体であり、街角のポン引きとは異なっていた。典型的な売春宿は、セックスのほかに食事と飲み物を提供し、15～16部屋のある建物に4～7人の娼婦を抱え、6～10人の雇い人を置いていた。それに加え、日本には7万7100人の認可された芸者がいた。非認可（つまりは非合法）の売春婦が何人いたかは定かではないが、他の方面の報道では信用できる、ある観察者の見立てによれば、その数はざっと5万である。当時の日本の人口は5970万人だから、350人に1人の売春婦がいたことになる。京都では150人に1人の割合となる。（原注9）ちなみに、近代のアメリカでは、650～900人に1人の売春婦がいたと学者は推計している（Symanski : 10）。

（9）数字は Fukumi（26-28,32,50-56,178）による。Fukumi は1920年代半ばの公娼と私娼を合わせた総数を17万4000人と推定している。Nakamura（222-23）は27万6000人とする。Kusama（14-26）参照。

売春は過酷な仕事であったとしても、売春婦になった女性は他の魅力的な資質をたくさん持っていたわけではなかった。公娼の大半は教育を受けていなかった。公娼は18歳以上と定められていたのだが、彼女らの半数は4年以下の教育しか受けておらず、16％は一度も学校に通ったことがなかった。（原注10）これは小学校（1～6学年）の学齢期の児童の99％が小学校に通っていた時代の話である（Minami : 19）。

戦前の日本には、こうした、手に技術もなく、教育も受けていない労働者にとって魅力のある職業などほとんどなかったが、それは国が貧しかったからだ。12～18歳の夜学の生徒たちを対象とした調査を見てみよう。工場労働に従事する労働者の最頻値は1日10時間、商業に従事する生徒の労働時間の最頻値は12時間であった（そして、これらの労働者が学校に通う時間を見つけることができたという事実は、他の多くの者はそれ以上働いていたことを示唆する）。全生徒の中で、1ヶ月の労働日数が28日未満の者は13％に過ぎない。（原注11）1924（大正13）年に、娼婦は平均して1晩に2・57人の客をとり（原注12）、同様に1ヶ月に約28晩働いた。（原注13）売春は卑しい仕事ではあった。しかし、他の職業も決して楽なものではなかったのだ。

（10）Fukumi（66-68）〔東京のデータ〕、Itō（204）、Kusama（100-03）参照。公娼は法律で18歳以上とさ

れていた。〔Naimushōrei 内務省令 第44号第1条、1900（明治33）年10月―原注〕
（11）月に3日以上の休みを取っていた者は13％に過ぎなかった（Shakai 社會事業研究所、1936:23-25）。この数字は、Ohsato の全国規模のデータとほぼ一致する。すなわち、1926年の製造業における労働者の労働時間は、1日当たり10・32時間、ひと月当たり27・1日であった。Ohsato（58-61）参照。また、Naikakutōkei 内閣統計局（109,122）〔類似の数値〕も参照のこと。
（12）1922年から1932年の期間、各年の一夜当たりの客数の平均（mean）は、1930年の1・71人を最低として、1923年（この年は関東大震災のために記録の一部が失われている）の3・04人を最高とする形で分散している。11年間を通しての平均は、2・10人である〔Keishi chō 警視庁（1933：96）〕。他の推計値もこれらの数字を裏付けている〔Maeda v. Yamadani,【訳注】法律新聞841号21.22（東京高裁1912年11月14日）〔ひと月あたり70～100人〕、Uemura（1929）：492-501〔都市の娼婦につき類似の数字〕、Kusama（220-1）〔1924年の東京で1夜当たり2・54人〕〕。他方、1913から1915年の大阪では、0・72人から0・78人の間に収まっている〔Uemura（1918:33-4）参照〕。これとは対照的に、Corbin（81）は1夜当たり4人から8人、あるいはそれ以上の客を取ったとするフランスの売春許可地域の数字を引用している。Harsin（283）はフランスについて、さらにそれ以上の数値を示唆しているので参照のこと。
【訳注】原告 Maeda、被告 Yamadani の民事訴訟案件。v. は versus の略で法的文書に使われる。
（13）1924年の東京で、4989人の公娼に420万回の入客があった。同年に1夜1娼婦につき、2・54人の客がいたので、娼婦の就業日数は年間331日だったことになる〔警視庁（1933:96-8）〕。

しかも、売春は実入りのいい仕事だった。【表1】をご覧いただきたい。1926（昭和元）

表１.　女工・農家・東京の公娼の平均年収(円)

年度	A女工	B農家	C公娼	C欄/A欄	C欄/B欄
1926(昭１)	312	1,433	641	2.05	0.447
1927(昭２)	320	1,183	658	2.06	0.556
1928(昭３)	322	1,361	660	2.05	0.484
1929(昭４)	320	1,201	554	1.73	0.461
1930(昭５)	289	810	430	1.49	0.531
1931(昭６)	260	552	406	1.56	0.736
1932(昭７)	245	644	388	1.58	0.602

注意：公娼は部屋と食事を無料で与えられたが、工員の多くはそうではなかった。

資料：Ａ欄―１日当たりの賃金につき労働省婦人少年局『明治以降本邦主要経済統計』（日本銀行、1966）60頁。

Ｂ欄―総務庁統計局監修・日本統計協会編『日本長期統計総覧第４巻』（日本統計協会、1987）統計表18-5～ａ。

Ｃ欄―總監官房文書課統計係『昭和七年警視庁統計一班』(1933) 96頁。

年から１９３２（昭和７）年の間の娼婦の平均収入は、女工の平均賃金の１７９％（原注14）、（地主と小作を併せた）総農家の平均収入の53％に及んだ。（原注15）

Oliver Williamson（1985：35-8）と Price Fishback（1986a, 1986b, 1989）は最近の論文で、アメリカの坑夫が、衛生と安全に欠ける労働条件のもとで働きつつ、いかにして高賃金を得ていたかを論じた。Clark Nardinelli は、イギリスの親が、体罰を用いる工場で子供を働かせて、高賃金を得ていたことを示した。

同じ論理の多くは日本にも当てはまる。日本の農家の女性にはさまざまな選択肢があったが、そのうち売春婦の仕事は、最もよごれた不名誉なものの一つであった。その仕事に就く代償として、彼女らは高収入を要求し、それを得たのである。東北地方のある県から働きに出た女性労働者の1934（昭和9）年のデータによれば、家を離れて働きに出た若い女性の平均年収は、部屋と食事がついて、公娼が884円、芸者が575円、酌婦（多くの場合売春を伴なう職種）が518円、女給（これもいくばくかの売春を伴う職種）で210円、他の職種は130円であった。（原注16）

つまるところ、公娼になろうとする女性のほうが、公娼になり得た女性よりも数は多かったのである。1920年から1927年の間に、東京で公娼として働くことに応募した女性のうち62％しか職を得ることが出来なかった（Chūō shokugyō Shōkai jimukyoku 中央職業紹介事務局［以下、文献名の指示は便宜的に日本語で表記する］：381-2, Kusama:27-30, 36）。

（14）この期間に工場労働者全体の平均年間賃金は、1926年554円、1927年632円、1928年657円、1929年666円、1930年650円、1931年605円、1932年580円であった（Ohsato：60, 69 参照。女工の賃金は男性の賃金の30から40％であったとされているが、年齢、経験、勤続年数による調整を経たあとでは、それらの男女差の多くは消失したと観察する者もいる［労働省（1952：14-7)］

表1における売春婦の収入の数値は、政府が業者に提出を求めたデータに基づくものであり、その資料の信頼性について議論の余地があることは明白だ。しかしながら、そのデータは戦前から当該産業のデータ

として広く知られていたものであるにもかかわらず、数値が不正確だと文句を言った廃娼論者は、私の知る限り一人もいない。それどころか、廃娼論者たち自身も、極めて近い数値を使っていたのである。例として、Itō（229-30）参照。彼らの不満は、収入の額にあったのではなく、娼婦がその収入の範囲内で生活することができたのか、という点にあった。本論Ⅳの4以下の議論を参照のこと。これらの数値は、前借金の元本返済に充当される以前の売春婦の収入を表すものである。

（15）もちろん、売春婦の出自は収入が平均以下の家庭がほとんどである。１９２６年から１９２７年にかけて、農家の平均月収は96・２円、地主の平均月収は１１２・５円、小作農家の平均月収は79・２円であった。内閣統計局（352）参照。

（16）秋田県の数値である。宮城県では、公娼３１５円、芸者３３７円、酌婦１８７円、女給１３２円、女工１０７円、女中または子守78円であった。彼女らの雇い主は、ほとんどの場合、賃金のほかに部屋と食事を与えていたものと想定される。[Shakai kyoku 社曾局庶務課調査係（1935 : 160-1）]。これらの資料のサンプリングの方法が判然としないので、表１に掲載された合算された数値よりももっと慎重に取り扱われるべきである。この論点は、秋田県と宮城県の数値の開きからも裏付けられる。西洋における売春婦の高収入の証拠としては、Rosen（147-8）とMustangを参照のこと。

許認可制度によって、政府は売春産業の中に、相互に重なり合う三つの階層をつくり出すことに成功した。三つの階層とは、芸者、公娼、私娼である。芸者はエンターテイナー（芸人）として認可されたものであり、性的サービスを合法的に売ることはできなかった。芸者は公娼よりもより高い教育的背景をもつ産業に入ったのであり、（理論上は）唄、踊り、そして機知に富んだ会話ができる技術といった広範な訓練を受けた。（原注17）芸者は確かに、唄い、踊り、そして客と会話をしてお金をもらっていたのではあるが、その多く（1930年のある研究によれば80％）は、お金と引き換えに性的サービスをしていた（Kusama : 5,20, Fukumi : 234）。

（17）Dalby 参照。ある研究によれば、芸者の92％は少なくとも小学校を卒業しているが、公娼では、5年以上小学校に通った者は42％に過ぎず、16％は全く就学の経験がなかった。

最高級の芸者のずっと下にいたのが公娼と私娼であり、彼女らは性的サービス以外にはセールスポイントがなかった。遊客はいくつかの理由から、私娼よりも公娼を好んだ。第一に、公娼は質の高いサービスを提供してくれるという評判を取るために金を使っていたようだ。彼女らは性を合法的に売ることができたのであり、彼女らのサービスを合法的に市場に出すことのできる企業で働いていたのである。従って、彼女らは安全にお金をつぎ込むことができた。これとは対照的に、私娼の場合はいつ何時《なんどき》、警察が踏み込んできて仕事を辞めさせられたり、雇い主の家が閉鎖されるかも知れないという絶え間ない恐れのもとで働かなければならなかった。（原注18）

（18）Klein and Leffler 参照。私娼の禁止については、行政執行法（法律84号、1900年6月1日）第3条、内務省令第16号（1908年9月29日）第1条参照。

第二に、公娼のほうがより健康的であった。許可を取っている売春宿は、少なくとも新しい娼婦を雇う場合は伝染病にかかっていないかをチェックしたし、週ごとに健康診断を受けさせ、指定された診療所と契約関係を維持していた。医療記録には問題があるとはいえ、当時の調査は一貫して、私娼よりも公娼のほうが遙かに低い性病罹患率を示していた。（原注19）

（19）警視庁（1933：143）、およびUemura（1918：47）参照。1932年に東京の公娼を対象とした検査で疾病が判明したのは、3・22％であった。［警視庁（1933：143）］陽性と診断された者のうち、淋病41・7％、軟性下疳26・2％、梅毒7・6％であった［警視庁（1933：144）］。私娼を対象とする検査では、疾病が9・7％であった［警視庁（1933：144）］。他の統計によっても、公娼と私娼の間のこの罹患率の差を確認出来る。例えば、1927年の政府の調査によれば、私娼の32％が性病にかかっていたのに対し、公娼で性病にかかっていたのはわずか2・1％であった（Kusama：288,291）。さらに別の調査によれば、差はもっと大きくなる。すなわち、公娼の2・8％が性病や他の伝染病にかかっていた（1924年）が、私娼では（1925～26年に）40％を超えていた（Fukumi：93,168-9）。中央職業紹介事務局（433-35）も類似の統計数字を示すので参照のこと。廃娼論者たちも、公娼については、これらの低い性病罹患率を報告していることに注意されたい。Kakusei（1931a）（罹患率1・82％）参照。

最後に、遊客は明らかに公娼のほうが肉体的にも魅力的であると思ったはずだ。その一つは、私娼の多くは許可を得た売春宿には雇ってもらえないような女性であったことだ（Kusama：37）。

二つ目は、多くの私娼が年齢が高かったことだ。遊客は、10代後半から20代前半の女性を好んだと思われるが、20代後半から30代前半の女性が占める割合は、公娼よりも私娼のほうが高かったのである（Fukumi : 59, 144）。

理由が何であれ、価格というものは消費者選好を反映するので、私娼より公娼がより高い価格で営業できたのである。1920年代の終わりには、東京の吉原地域における「特等」（最上級）の公娼は、一泊する場合の玉代は14～17円であったが、五等（最下級）の公娼は一泊6円であった。これと対照的に、玉の井や亀戸地域の私娼の価格は、一泊3～5円であった（Kusama : 230-1, 242）。

III　性に関する規制

1　各種法令

売春婦が用いた年季奉公の取り決めは、19世紀の規制の枠組みに服するものであった。

1853年、アメリカのマシュー・ペリー（Matthew Perry）提督が日本の開港を強要し、西洋諸国は混乱する日本政府にさまざまな「不平等」条約を押しつけた。このような協定を撤廃する事を決意し、政府首脳は少なくとも外面だけでも西洋の文化や法律を取り入れた。

1872（明治5）年、彼らに好機が訪れた。マリア・ルス（Maria Luz）号という名のペルー船が、8年間の年季奉公契約で雇われた231人の中国（清国）人のクーリー（苦力）を乗せて、修理のために横浜港に入港したのだ。（原注20）そのうちの一人が海に飛び込み、近くのイギリス軍艦に泳ぎ着いた。対応に苦慮したイギリス船の船長は、彼を地元のイギリス領事館に送った。領事館は日本の外務省に連絡し、外務省は現地の裁判官に連絡を取った。【訳注】

（20）より詳細な説明と、大審院および下級審の判決全文は、Itō（107-32）を参照。Stewart（Chapters 7 and 8）、Gardiner（Chapter1）も参照のこと。

【訳注】マリア・ルス号事件と呼ばれる。明治新政府（留守政府）は、最終的に苦力を解放したことで国際的評価を高めたとされるが、他方、以下の本文に記述されているような経過で、奴隷であるとの批判をおそれて年季奉公による芸者や娼婦（芸娼妓）を解放してしまった。しかし、これは実情に合わず、日本の法制度の在り方に混乱をもたらしたことは以下の叙述で経過をたどっている。

日本の高度な成熟度を証明するには、絶好の機会に見えた。裁判官は最善を尽くし、国境をまたぐ人身売買は国際公法に違反すると宣言した。ペルーが異議を唱えると、帝政ロシアの裁判所が仲裁に入り、日本側を支持した。しかし、この駆け引きは裏目に出た。審理の途中で、ペルー船の弁護士が日本人も奴隷を抱えていると言い出したのだ。日本の売春宿は、自由の無さでは苦力と何ら変わらない、年季奉公の女性でいっぱいだと彼は主張した。困惑した日本政府は、即座に全ての年季奉公の娼婦を解放した。女性たちは故郷に帰ることができ、裁判所は彼女らの借金の取立訴訟を取り上げることはなかった。(原注21) この布告を実施するために、司法省は独自の通達を発した。

年季奉公契約は人の権利を奪い、馬や家畜のように貶めるものである。馬や牛に借金の返済を求めることができないように、売春婦や芸者に年季奉公の返済を求めることはできない(『司法省通達』第22号2項 1872〔明治5〕年10月9日)。【訳注】

【訳注】 日本語原文は以下の通り。「娼妓芸妓ハ人身ノ権利ヲ失フ者ニテ牛馬ニ異ナラス人ヨリ牛馬ニ物ノ返弁ヲ求ムルノ理ナシ故に従来同上ノ娼妓芸妓へ借ス所ノ金銀並ニ売掛滞金等ハ一切償ルヘカラサル事」(明治5年10月9日司法省通達第22号第2項)

(21) 1872(明治5)年10月2日、大政官布告第295号第4項。売春に関する主な法令が Yamamoto (747-67) の法律関係の付録として転載されている。

この規制はその比喩で悪名高いものとなったが、少なくとも要点は明確であった。すなわち、女性は売春宿を出て、売春宿の主人から前借りしたお金を持ち続けることができるというものだった。新聞は、売春婦たちが荷車や人力車に荷物を積み、大挙して売春宿を出て行く様子を伝えている（Nakamura: 174）。

しかし、１８７２（明治５）年の法令は、売春を禁止したわけではなかった。それは単に年季奉公契約を無効にしただけであった。この年の暮れまでには、大阪府は「貸部屋」免許制度を採用し、売春が依然として合法であることを明らかにし、他の府県もすぐにこれに続いた。この制度では、売春婦は許可を受けた「個人事業主」であり、遊郭は「貸部屋業」であった。

１８７５（明治８）年になると、中央政府は再び年季奉公を許可することとさえした。人身売買は違法であり、人間に抵当権を設定することも同様であると説明された。しかしながら、この禁止令には一つの暗黙の区別がもうけられた。すなわち、債務者が一定期間の労働契約によって債務を返済する取り決めは合法である、という区別であった。（原注22）再び、年季奉公契約は有効となった。

（22）太政官布告第１２８号、１８７５（明治８）年８月14日　Nakamura と Yamamoto（171-8）参照。１９００（明治33）年、政府は「部屋貸」の許可制度を全国規模で採用した。内務省令第44号（１９００

年10月2日）、警察庁令第37号（１９００〔明治33〕年9月6日）、Yamamoto（372-80）参照。

2　裁判所

過去にこのような混乱があったので、世紀の変わり目までに裁判所は年季奉公契約の法的地位を明確にした。（原注23）　１８９６（明治29）年、大審院は年季奉公契約の法的地位に関してその一部をなす稼働契約（personal service contract）【訳注】についてこれを無効とした。Iki Kushi（櫛イキ）は売春婦として数年間働くことに同意していたが、当時は辞めることを望んだ。裁判所は彼女が辞めることを認め、当事者間の金銭的関係がどうであれ、稼働契約自体はそれとは別な取り決めである、としたのである。そして、１８７２（明治5）年に制定された年季奉公を禁止する判決――これは１８７５（明治8）年に制定された年季奉公を認める判決ではないことに注意されたい――を引用し、次のように判示した。

（23）年季奉公をめぐる判例法については、Nishimura・Nōmi・Kawashima（1955）、Wagatsuma（1923,1955）、Yonekura（1985）、世紀転換期の裁判制度については、Ramseyer を参照。

【訳注】personal service contract は「稼働契約」を著者（Ramseyer）が英訳したもので、「稼働契約」の

語は次の判決文として使われている。最高裁判決 昭和30年10月7日「酌婦としての稼働契約が公序良俗に反し無効である場合にはこれに伴い消費貸借名義で交付された金員の返還請求は許されない」。

承諾した者（promisor）［売春婦］が自らの身体の自由を放棄するつもりであったという証拠は見当たらない。たとえそのつもりでいたとしても、彼女にはそのような拘束力のある契約を結ぶ権能（capacity）はなかった。したがって、承諾を得た者（promisee）［売春業者］が年季奉公契約を行使できるのは、他のあらゆる契約と同様に承諾した者の身体を拘束せずに執行する場合だけである。［Musashino v. Kushi 第2輯3巻大判民録50、52ページ（大審院1896〔明治29〕年3月11日）］

4年後、大審院は、不満をもつ娼婦がどうすれば廃業できるかを示した。すなわち、娼婦が公娼登録の抹消を求めても業者が判を押さない限り彼女は売春宿を抜け出せないという取り決めになっていたとする。こういう場合でも、娼婦は業者に判を押すことを強制できると大審院は判示したのである。（原注24） 板井フタは30か月働くことに同意していたが、早期に辞めたいと考えた。大審院は1872（明治5）年の布告に言及しつつ、1896（明治29）年の大審院見解に注意を向けるよう求めた。このような長期労働契約はすでに法的強制力がないと大審院は宣言した。

女性が売春宿を辞めるために業者の印鑑が必要な場合、彼女は業者に印鑑を押すことを強制することができるとしたのである。（Itai v. Yamada、大判民録 第6輯第2巻 83-84ページ）

（24）Itai v. Yamada、民録6輯2巻81ページ（大審院1900〔明治33〕年2月23日）。Fujiihara v. Kondo の和解判決（accord）、Murphy（140）に翻訳を掲載（名古屋地裁1900年5月21日）。Ōhashi v. Suzuki, Murphy（143）に翻訳を掲載（名古屋地裁1900年6月11日）。

大審院は、稼働契約の強制を無効にするために、この合意に付随する貸借契約を稼働契約から切り離した。大審院は、貸借契約（loan）に関して、法的拘束力がないと明示した1872（明治5）年の法令を引用して、稼働契約を無効にした。これは矛盾した話だったが、それには目をつぶれと言うわけだ。裁判所は年季奉公契約を、［身体拘束に関わる］雇用契約と貸借契約という二つの可分契約［一部を分離しても残りの部分の有効性を失わない契約］に転換することによってこの判決を効果あらしめた。すなわち前者は無効であり、後者は有効であるというのだ。

たとえば、内海ラクは前借金300円で温泉街の芸者として見習い奉公を始めた。温泉旅館が彼女を660円で別の旅館に移籍させたとき、［移籍後］彼女は明らかにこの交渉が自分にとって不利な取引だったと判断しそこを辞めようとした。高等裁判所は、［移籍後の］５年５カ月の勤務契約は無効としたが、貸借契約は有効であることを示唆した。［Uchiumi v. Takeda, 法律新聞29号12ページ（広島高判１９００〔明治33〕年10月30日〕）。大審院はこれを支持して次の判決を下した。

ある人が他人と同居し、役務を提供する契約を結んだとしても、その契約は必ずしも個人の自由を制限するから無効だということにはならない。結局のところ、労働に同意する者は常に何らかの拘束を受ける。しかし、酒席で奉仕するこの種の契約は、契約を承諾した者（promisor）を5年5カ月にわたって拘束するものであり、公序良俗に反するものである。対照的に、［前借金を返済するという―原注］約束は無効ではない。無理やり前借金の返済を執行することは当事者の身体を拘束することになる。だから、法律上も事実上もその業者が直接には［前借金の取り立てを］執行できないとしても、その約束自体は無効ではない。［Uchiumi v. Takeda、法律新聞59号9、10ページ（大審院１９０１〔明治34〕年10月10日）］

大審院は2年後、この稼働契約と貸借契約を区別する論理を繰り返した。売春は建前上は（in the sutras）祝福された仕事ではないが、法律で認可された仕事だと説明した。（原注25）従って、売春婦は仕事を辞めたければ辞めることはできるが、借りたものは法律的には返す義務がある。

（25） Ōkuma v. Watanabe, 大判民録8輯2集巻 18、21ページ（大審院1902〔明治35〕年2月6日）Hama v. Watanabe。法律新聞116号10ページ（東京地裁1902年11月21日）も参照のこと。

ところが、裁判所はときとして、これとは違う判断を下すことがあった。稼働契約の履行を強制する裁判所もあったのだ。たとえば、ある地方裁判所は、芸者置屋に6年間奉公する契約をした16歳の少女の廃業を認めなかった。「芸者の芸を学ばなければならない16歳にとって、6年間は必ずしも長いとはいえない」と判決文にある。契約期間その他の条件は妥当であったので、置屋は契約を執行することができた。［Itō v. Yoshida, 法律新聞2115号5、6ページ（横浜地裁1923〔大正12〕年2月7日）］

一方、貸借契約さえ無効とした裁判所もある。一般的には、貸借契約と稼働契約は相互に分離可能であるとしたが、常にそうであったわけではない。基本的には、分離できるかどうかは実態によって決まった。例えば、村上ヨシヱは10年間の契約で芸者置屋に入った。契約期間の途中で彼女は辞めてしまったが、それは明らかに芸者置屋が彼女をまともに教育しようとしないからであった。芸者置屋が借用書について彼女を訴えたとき、裁判所は彼女に味方した。彼女の貸借契約と稼働契約は不可分である、と大審院は判示した。稼働契約が無効である以上、貸借契約も無効だというのである。（原注26）そして、下級裁判所が（今回のように）二つの契約は切り離せないと判示した場合、大審院はしばしばこれを追認した。（原注27）

（26）Murakami v. Izumi, 法律新聞1986号7ページ（宮城地裁、1922〔大正11〕年4月22日）また、Itō v. Itō, 21 大判民録21輯1718、1726ページ（大正4年10月18日）、Sanjō v. Ōki, 法律新聞852号19ページ（大正元年10月11日東京高裁）、Yamashita v. Rōka 法律新聞947号26、27ページ（日大阪地裁日付なし、雑誌掲載大正3年6月30日）、Ono v. Ueda, 法律新聞408号7、8ページ（大阪高裁、1906〔明治39〕年10月20日）。

（27）Yamashita v. Rōka、大判民録21輯905ページ（大審院1915〔大正4〕年6月7日）。Murakami v. Izumi、大判民録27輯1774ページ（大審院 1921〔大正10〕年9月29日）

それにもかかわらず、当時契約書を作る人は、裁判所がどの貸借契約を執行し、どの契約を執行しないかを知っていたことは明らかだ。というのも、ほとんどの年季奉公契約には、裁判所が執行する貸借契約が含まれていたからである。梅津をすみ事件を考えてみよう。（原注28）彼女は公娼として働く契約をし、650円の前借金を受け取っていた。前借金を返済する前に、彼女は中途廃業することにした。裁判所はそれを容認した。長期の稼働契約は無効であり、をすみが辞めたければ辞めることができた。しかし、彼女の貸借契約は有効だった。もし辞めたとしても、彼女と保証人は借りた金額を返済しなければならないというものであった。

(28) Umezu v. Abe, 法律新聞2884号5、6ページ（大審院1928〔昭和3〕年5月12日）。その他、Shibuya v. Yokoyama, 法律新聞4355号7、9ページ（大審院1938〔昭和13〕年11月22日）、Haneda v. Matsumoto, 法律新聞2772号19ページ（大審院1924〔昭和17〕年4月1日）、Mori v. Ōshita. 法律新聞1808号11ページ（大審院1920〔大正9〕年10月30日）、Watamaki v. Haneda、大判民録10輯1687、1691ページ（大審院1904〔明治37〕年12月26日）、Maeda v. Yanadani, 法律新聞841号21ページ（東京地裁控　訴審審1912〔明治45〕年11月14日）など、裁判で同様の判決がある。

同様に、清水ハルは芸者として働くことに同意し、前借金2300円を受け取っていたが、契約期間完了以前に死亡した。置屋が保証人の父親を訴えたところ、裁判所は置屋を勝訴させた。「清水ハルが亡くなると、彼女の稼ぎによって債務を返済することはもはやできなくなる。それでも、契約上の責任は継続する」。契約は二つの要素に分離可能であり、たとえ彼女が亡くなっても貸借契約書・保証金は有効であるとした。（Kiyomizu v. Takeuchi, 法律新聞3336号 大審院判決1931〔昭和6〕年10月23日）

Ⅳ　年季奉公契約

現代の学者たちが戦前の日本の売春を誤解しているのは、戦前の年季奉公契約を誤解しているからである。(原注29)　大多数の学者は年季奉公契約を債務奴隷であるとする。［言わく］年季奉公契約のもとで、売春婦たちは借金を返済するまで売春宿で働いた。売春宿業者や女衒《ぜげん》は、返済がすぐに終わると言って女性をこの業界に引き入れた。実は、彼らの言うことは嘘で、ひとたび女性が働き始めると、彼らは彼女に法外な貸付利率と必需品の法外な価格を請求した。この詐欺で永久に借金を背負わせ、稼げる間は売春宿に閉じ込めた。ある歴史家の言葉を借りると、事実上、「売春婦は、性奴隷として一生を終えた」というのである。(原注30)

(29) 実際の契約についてはItō (220-8), Saitō, Kusama (170-204), 中央職業紹介事務局 (392-400) 参照。

(30) Murakami (50) 参照。同様の説明の例はYamamoto (391-2), Yonekura (59: 41), Yoshimi (31-36) にもみられる。廃娼論者らはこの説明を「証明」するために、無作為抽出した例ではなく、契約違反で辞めた売春婦の調査結果に依拠した。例としてItō (301-7)。

契約条件を誤魔化した売春業者がいたのは疑いない。売春婦が客をとれる間は彼女らを売春宿に縛り付けた業者がいたことも疑いない。（原注31）しかし、業界全体の記録は、売春宿業者が売春婦を売春宿に縛り付けておくケースは例外的であることを示している。まず芸者の年季奉公、次に公娼について考えてみよう。

（31）女性が借金を完済するまで働いた契約の例として、Itō（227）とKusama（170-78）参照。また、次のも参照。Ōkuma v. Watanabe, 大判民録21輯2巻、18、20ページ（大審院１９０２〔明治35〕年2月6日）；Itō（230-1）［〔支払い不能の売春婦の4か月間の収入と支出〕；Itō（230-1）〔売春婦の借金が増えた例を挙げた廃娼論者のデータ〕：中央職業紹介事務局（428-32）〔多額の支出〕］

1　芸者の年季奉公

芸者の年季奉公は一般に、決められた年数のみ働く契約で、最頻値は3年だった。（原注32）年季奉公をする、彼女たちは若いことが多かったため［4分の1は18歳未満であった（Fukumi：208-9）―原注］、両親は、娘が稼ぐと見込まれる金額を最初に受け取ることを要求するのが常であった。

その平均額は1925（大正14）年においては959円であった。（原注33）その代わり、置屋は女性らに唄と踊りを教え、彼女らの費用を肩代わりし、いくらかの小遣い（普通は彼女らの収入の10～20％）を与えつつ、他の収益は全て置屋の取り分にした。

（32）1923（大正12）年の調査では、年季奉公の芸者6603人のうち、1・5％は1年契約、4・6％は2年契約、29・0％は3年契約、28・5％は4年契約、13・9％は5年契約、22・5％は6年またはそれ以上の契約であった。中央職業紹介事務局（414）とKusama（214-5）参照。

（33）中央職業紹介事務局（412-3）参照（別の調査でも平均955円）；Kusama（205-6）参照。最頻値は1000から1200円［Kusama（215）］。

その結果、年季奉公芸者の経済学は単純なものとなった。年季奉公の期間中、女性の稼ぎが前借金と部屋代、食費、小遣いの収入に満たない場合は、業者がその損失を負担し、稼ぎがそれより多い場合は、置家がその余剰分を手にするというものであった。実際にもこの契約は、（a）〔業者を含む〕誰も女性の稼ぎを詐取しないこと、（b）どんなに質素でも衣食住が保障されること、（c）最初の契約期間が満了したら自由に廃業できることを保証していた。（原注34）娘を独りで数年間都会に送り出す両親にとって、このように安心できる仕組みがあることは重要な意味を持つものであった。

（34）この契約は「丸抱え」といって、性を売る芸者の間では最も一般的な契約であった（Kusama：5）。東京の全芸者の約60％がこの形式の契約であった（Kusama：5）。この契約もしくは他の形式の契約についてはFukumi（237-45）、Higuchi（45-50）、Kusama（2-5）参照。時として、両親への支払いと引き換えに娘が置屋に「養子」になることもあった。裁判所はこのような養子縁組を常に無効とした。例としてTakayama v. Takayama, 法律新聞９０７号24ページ（東京控判１９１３〔大正２〕年10月９日）；Katō v. Katō 法律新聞５１４号11ページ（東京控判１９０８〔明治41〕年７月７日）；Itō v. Itō 法律新聞８０２号17ページ（１９１２〔明治45〕年７月５日東京地判）

2　売春婦の年季奉公

公娼は年齢が高かったため（法律では18歳以上［内務省令１９００〔明治33〕年10月２日第44号§《節》1］）、彼女らは芸者とは異なる契約の交渉を行った。彼女らは働ける限り長期間働くことに同意したが、収入額を把握し、大いに稼ぐことができれば早期に辞める権利を保持した。１９２０年代半ばには、彼女たちが働くことに同意した最長期間は通常６年であった。（原注35）その代わり、彼女たちも［経費を差し引いた］純収入（net earnings）に相当する前渡金を受け取っており、長期契約を結んだ女性ほど多額の前渡金を受け取っていた（Kuksama：208-9）。１９２０年代半ばの前渡金の平均額は１１９４円であった。（原注36）

(35) 中央職業紹介事務局 (414-15) 〔公娼の79・4%は6年間の年季奉公契約〕と Kusama (211) 〔公娼の73%は6年間の年季奉公契約〕参照。6年契約が最長であったようだ。Itō (220) 参照。

(36) Fukumi (70) 参照。最頻値は1000~1200円。中央職業紹介事務局 (412-5) 〔1925(大正14)年の二つの調査、平均1222円と1018円、を引用〕と Kusama (206) 〔同内容〕参照。この業界では、ところによっては、当初、衣類、寝具、生活必需品の費用や斡旋手数料として200~300円を差し引くという慣例があった。しかしそこでは、次第に慣例が変化し、両親または娘が〔費用を差し引かずに〕収入の全額を受け取り、前述の費用を賄うために業者から追加で借りるというシステムに移行した (Kusama : 213)。売春婦が支度した物の費用は Kusama (206-3) 参照。女衒の1926年の平均的な斡旋料は前借金の8・5%だった〔中央職業紹介事務局 (400)〕。

娼婦の給料の計算〔玉割《ぎょくわり》〕をする際には、まず業者の手数料が差し引かれた。一般的に、その手数料は娼婦の総売上額の67~75%であった。娼婦は総額の残りの25~33%を受け取った。彼女は通常、この金額の60%を前借金の元金の返済に充当し、残りを当座の支出にあてた。たいていの契約には利息が含まれていなかったため、娼婦はハッキリとした形では利息を支払うことはなかった。その代わり、業者は彼女の総収入の取り分を計算する際に、暗黙の金利を前借金に適用していたようだ。

公娼の標準的な契約では、売春婦は元金を返済するか、最長契約期間を務め上げるかのどちらかによって、彼女の契約上の義務を履行することができた。もし（元金の返済に60％を充てることによって）期間満了以前に元金を返済すれば、娼婦を辞めることができた。期間満了時にまだ返済していなくても、辞めることができた。その間、ほとんどの業者は彼女に追加の部屋代と食事代を請求しなかった。（原注37）

（37）警視庁（1933-96）〔収入総計データ〕、Fukumi（97-9, 220）〔契約期間〕、Ōkubo（246-7）〔同〕、Kusama（283）〔同〕、Itō（229）〔稼ぎ高の割り当て〕、Fukumi（115-6）〔費用〕参照。

3　契約の履行（Contractual Enforcement）

このようなことは、当事者が通常に契約を作成する方法だけでなく、通常に契約を履行する方法でもあった。現代の違法な性風俗市場から引き出された思い込みをもとに、研究者たちは一般に、合法的な性風俗市場の経営者は暴力と恫喝を用い、契約のきれいごとを無視すると思っている。そして、一部の廃娼論者は、ならず者や腐敗した業者の逸話を語っている。（原注38）しかし、業界全体のデータは、業者が定期的に契約の一部を守っていることを示唆している。

（38）例としてMurphyとBecker（186-8）〔不正帳簿〕参照。しかし、１９２８（昭和３）年に廃娼論者でも、公娼は契約期間も返済も終えてなくても簡単に廃業することができたと書いていることに留意せよ。廃娼論者といえども、ならず者の危険性は私娼に限られていたとしている。Ishijima参照。

まずは単純な計算をしてみよう。（原注39）　１９２５（大正14）年、消費者は東京の認可を受けた５１５９軒の娼館に３７４万人訪れた。飲食代を除けば、消費額は１１１０万円。このうち娼婦の取り分は31％の３４０万円で、娼婦一人あたり６５５円だった。通常の取り決めであれば、娼婦たちはこのうち60％（３９３円）を前借金の元金に充て、残り（２６２円）を個人的な出費に充てたであろう。平均的な娼婦は、最初に１１９４円を借りた場合、３・３年で元金を返済したことになる。年間２６２円（月21・８円）で生活するのは難しくはなかったはずだ。何しろ、部屋代と食事代は無料だったのだから。若い産業労働者の月給は、部屋代と食事代も支給される場合は2円未満、支給されない場合は月15～16円が相場であった。（原注40）　成人の工場労働者（一般的には部屋も食事もついていない）の１９２５年の平均月収は27円だった。（原注41）

（39）数字は全て警視庁總監官房文書課（1933: 96, 98）による。Kusama（227-8）〔同〕参照。
（40）Shakai jigyō kenkyūjo 社會事業研究所（1936: 53）参照。数字は１９３５（昭和10）年12～18歳対

象のもの。比較として1925（大正14）年の工場労働者（成人、男女とも）の賃金は一日当たり平均1・75円、1935年は1・88円。Ohsato（68）参照。

（41）Ohsato（60,68）〔一日1・746円で27日：1925年〕参照。1926～27年、日本の労働者階級の家庭の支出は、食費40％、住居費16％であった。Naikaku tōkei kyoku 内閣統計局（353）、Seiji keizai kenkyūsho 政治経済研究所（7）〔1930年代半ばの類似データ〕参照。1926（大正15）年、男性工場労働者の賃金は一日当たり2・35円、女性は0・96円。Rōdōshōfujin shōnen kyoku 労働省婦人少年局（1952: 14）、内閣統計局（130）〔1924（大正13）年、男性2・10円、女性0・88円〕参照。

第二に、娼婦の追借金（after-acquired debt）の発生率について考えてみよう。（原注42）今日《こんにち》の研究者たちは、売春業者が借金を増やすことによって売春婦を売春宿に縛り付けていた、というのを決まり文句にしている。実際、1925（大正14）年の時点で、東京の5000人ほどの公娼の92％は、最初の前借金以外に業者に対していくらかの追借金があった。しかし、娼婦の37％は追借金が200円未満で、200円から400円の追借金は娼婦の19％に過ぎなかった。娼婦たちが最初に借りたのは約1200円だったということを思い出していただきたい。たかだかその3分の1以上の借金を抱えていたのは半数、1000円以上の追加の借金を抱えていたのはわずか5％に過ぎなかった。

（42）Fukumi（122-3）のデータによる。中央職業紹介事務局（433）とKusama（280）も参照。芸者についてもほぼ同じであった。１９２６（大正15）年、東京における追借金のある芸者２５５４人の調査によれば、63％は追借金が２００円以下、22％は２００～４００円であった。１０００円以上はわずか７％であった。Kusama（258-9）参照。

さらに言えば、売春婦が売春宿で働いていた期間が長ければ長いほど、追借金が残っている可能性は低くなる。東京の公娼５０００人ほどについてもう一度考えてみよう。契約１年目の売春婦のうち、１４８４人に若干の追借金があった。３年目では７０３人、６年目では84人に過ぎなかった。つまり、新しい仕事に慣れると、彼らは貯蓄を覚え、借金を返済したのである。大半は当初の前借金以外にお金を借りたが、職歴の初期に借り、すぐに返済した。

表２　1925年（大正14年）東京における公娼

年 齢（歳）	人 数（人）
18－20	1,104
21	737
22	632
23	631
24	515
25	423
26	330
27	254
28－29	306
30－34	185
35－39	29
40－	6

出典：副見喬雄『帝都に於ける賣淫の研究』博文館（1928年）58-59頁

第三に、【表２】に掲げた東京の公娼の年齢分布をご覧いただきたい。法律で女性は18歳になるまでは公娼になることができなかった。売春婦は（全員でないにしろ）そのほとんどが18歳から21歳の間に働き始めた。〔原注43〕 21歳以上になると、売春婦として働く者の数は着実に減っていく。業者が、借した金を誤魔化して売春婦を契約期間の6年以上働かせたとしたら、それぞれの年齢層の公娼の数は20代後半になっても一定のはずだ。ところが、表２ではその数は着実に減っている。〔原注44〕 この表はある同一年齢層（cohort）の数の変化ではなく、１９２５（大正14）年時点の異なる年齢層からなる女性の数を表している。だから、東京における公娼の数は比較的安定していたといえる（１９１６年５１８８人、１９２５年５１４４人）。これらの数字は同一年齢層の女性が時を経るにつれて減少していることを表していると言えよう。（Fukumi: 45）

(43) １９００〔明治33〕年10月2日内務省令第44号§《節》１（最低年齢）。表２はFukumiを典拠としたが、18～20歳の年齢分布は示していない。１９２５～26年のある10か月間に東京の新吉原で働く公娼４９４人の内訳は、18歳が24％、19歳が17％、20歳が13％、21歳が14％、22歳が７％、23歳が６％、24歳が５％、25歳が５％、25歳より上が10％であった[Uemura (1929: 545-6) ; Kusama : 122-3 参照]。これらの数字を使って20歳前に廃業した売春婦が無いと仮定すれば、（非常に大雑把ではあるが）表２の18～20歳の１１０４人のうち、18歳が２２３人、19歳が３８０人、20歳が５０１人と推計することができる。

(44) このデータは他の資料によっても裏付けられる。Kusama（136-8）参照。売春は20代初めの数年間のみ女性が就ける職業であるという点は、他の社会における売春業の研究と合致する。Walkowitz（19）とHobson（86-7）参照。また、他の職業の日本人女性の経験とも合致するものだ。例えばSaxonhouse（98）によると、戦前の日本では繊維工場で女性が働いた期間の平均はわずか2年間だったという。

もっと直接的なデータもある。1920年代初頭に調査された4万2400人の公娼のうち、1万1400人（27％）が1年未満、1万6200人（38％）が2年目か3年目、1万400人（25％）が4年目か5年目、3100人（7％）が6年目か7年目、1300人（3％）が7年以上働いていた。つまり、4～5年目の娼婦の平均数（5200人）は、1年目の娼婦の平均数（1万1400人）の半分以下だったのである。（原注45）同様に、業界への参入と退出について考えてみよう。1922年には、1万8800人の女性が娼婦として登録し、1万8300人の女性が登録を抹消した。約5万人の労働力のうち約3分の1が毎年入れ替わっていた。（原注46）

（45）Itō（208-11）参照。他の調査では、公娼5734人のうち、1年目は29％、2～3年目は36％、4～5年目は26％、6～7年目は8％、7年以上働いたのは2％であった（Kusama : 281）。

（46）Yamamoto（388）参照。Itō（211-3）は主に1923年のデータを使っているが、別の年のデータも混ぜているため、信用に欠けるところがある。彼によると1万3500人が登録し、1万1000人が登録を止めたという。Uemura（62, 184-7）によると、とりわけ大阪では新規登録者の3分の1は本当の意味での新規登録ではなく他の街から来たもの、新たな年季奉公契約で再登録したものであった。Uemura の説に従えば、Yamamoto の言う登録者1万8800人のうち3分の1は本当の意味での新規登録者ではないということになる。そうだとすれば、この産業の1年間の回転率はおよそ4分の1となる。概括すると、追加の借金を返済せずに廃業した公娼はわずか1％であった（Itō : 213-1）。

したがって、基本的な論点は、売春業者が、最初の契約期間を大幅に超えて売春婦を売春宿に縛り付けておくために、年季奉公契約を大規模に操作するようなことはなかったということである。(原注47) 女性たちは一生懸命働けば早く廃業できると思い、限られた年数をこの仕事に就くことにしたのだ。実際多くの女性はそうしたし、残りの女性のほとんども期間満了で廃業したことは明白だ。(原注48)

(47) 売春宿は一般的に疑われているほど、売春婦を搾取していないように思われるということはそれほど驚くべきことではない。結局、売春業者は競争市場における繰り返しプレーヤー (repeat player)【訳注】であった。売春婦を公正に扱うことによって評判が上がれば、より安価に女性を雇用することができたのだ。売春業者の中には、地元警察が許可した正規の書式による契約書を使用し、安心させて雇う者もあった。Shibatani v. Yokoyama 法律新聞4355号7~8ページ (大判1938〔昭和13〕年11月22日) 参照。

【訳注】「繰り返しプレーヤー」は、ゲーム理論の用語で、繰り返しゲーム (repeat game) を行うプレーヤーを指す。これの対立概念は「単発ゲーム」(one-shot game) で、年季奉公契約は娼婦にとっては単発ゲームでも、業者にとっては繰り返しゲームになるという文脈で論じている。

(48) 大阪の公娼の調査では、Uemura (62,184-7) は年間登録者1万8800人の3分の1弱が再登録であったとする。しかしこのデータでは実際の数字が不明である。他の調査によると、契約期間を終えた公娼のうち私娼として働いた者はごく少数だった (Fukumi : 147)。

確かに、娼婦はこの業界に入る際の特有のコスト（すなわち評判の損失 reputational loss）を引き受けてしまったのだからして、多数の女性がこの業界に再び戻ってくるだろうと人は想像するかもしれない。いったん娼婦として働けば、その業界特有のコストはいらなくなる。もし収入が一定であれば、多くの者はこの業界にとどまることが有益であると考えても良かったはずである。しかしながら、娼婦の収入は年齢とともに減少した（Kusama : 207）。その結果、最も稼ぎがよく、嫌な思いをすることの無かったごく少数の者だけが、再び参入することを良しとしたのである。それ以外のほとんどの者は、給料が安くなってまで続ける価値はないと考えて廃業したようだ。

4　支配と信用供与

なぜ売春業者と売春婦は長期の年季奉公契約を用いたのだろうか。これについて、現代の学者は、債務奴隷説に加えて他に二つの仮説を立てている。一つは、契約によって売春宿が売春婦を支配できるからという説。もう一つは、信用のない農家でも契約によって借りることが可能になるからという説だ。確かに年季奉公契約は農家に信用を提供し、売春婦を束縛もした。しかし、なぜ公認の売春宿と売春婦の間で年季奉公契約がこれほど普及したのか、どちらの仮説もその理由を的確に説明できていない。

(1) 支配

もし売春業者が売春婦を支配するために年季奉公契約を用いたならば（例、Kawashima 1951）、この選択はそれほど容易にやれるようなことではなかったし、最も効果的な方法でもなかったと言えよう。例えばAがBに大金を預けたとする。すると、BはAのお金を所有していることから、Aを束縛する立場になる。金銭を渡すことによって、AはBに対して弱い立場になり、AがBを支配する立場にはならない。銀行の場合を考えてみよう。銀行は融資すると同時に借り手の事業に支配力を持とうとする。融資した銀行は借り手に対して弱い立場になってしまうので、相手の事業に支配力を持とうとするのだ。銀行は支配力を持ちたいがために相手に融資するのではない。同様に、売春宿が売春婦に数年分の賃金を前払いした場合、売春宿は売春婦に対して契約を守る立場にされる。その逆ではないのだ。（原注49）

（49）契約によっては売春婦が早く廃業した場合の違約金の条項があったが、裁判所はそのような条項を認めないことが多かった。違約金条項があることを理由に借金の契約全体を無効にした判決もいくつかあった。例として、Murakami v. Izumi 大判大正10年9月29日民録27輯《しゅう》1774頁、1780-81頁参照。

売春業者が売春婦を支配したいのなら、実は他にもっと簡単で強力な方法があった。売春婦のお金（例えば収入の一部）を売春宿に預けさせることだ。ところが実際は逆で、売春業者は自分たちのお金を前借金として売春婦に預けたのだ。売春婦に保証金を出させるというような前例はいくらでもあったはずだ。例えば当時の繊維工場では、従業員の賃金から一定額を天引きしているところがあった。従業員は契約期間を勤め上げて辞める時に、天引きで貯まった額を受け取った。契約を守らなかった場合は、貯まった金額は没収された（Murakami 1971：135）。同様に米国の年季奉公者は契約期間終了時に「自由の報酬（freedom dues）」と呼ばれる多額の一括金を受け取った（Engerman,1986：268-9）。このように年季奉公者が問題なく契約を完了した時に報酬を渡すことによって、雇用者は働き手が辞めたり怠けたりしないように動機付けをしたのだ。日本の売春業者が従業員を支配しようと考えたら、こういった制度を使うことができただろう。しかし、実際はそうはしなかった。

(2) 信用供与

売春婦側が、信用を得るために年季奉公契約を利用するという考え方は理にかなっている。国際的な不景気、農作物の不作、繊維市場の落ち込みなどで、戦前の日本の農家は食べるのにも困っていたであろう。彼らは動かせる資産もなく、売る物もない。担保できる資産がなくては、借りることもできない。現金を工面することができなければ、女性は身売りし、親は娘を売ったのだ。言い換えれば、おそらく農家は信用取引市場の失敗を克服するために、年季奉公契約を利用したのであろう。一見、この仮説は成り立っているように見える。それならば、売春業以外の年季奉公契約についても同様の説明が成り立つはずだ。（原注50）

（50）例として Cloud and Galenson, Emmer, Feeny, Galenson, Grubb（1985,1988）と Popkin（54）を参照。信用できるコミットメント（credible commitments）〔後述Ⅳの5〕の必要性は、国際的な移民の年季奉公契約についても説明できることを記す。労働者は働き先の国に移動するための高い費用を負担しなくてはならない。一方、募集側はそこでのチャンスについてより優れた情報（と嘘をつく動機）を持っていた。結果として、移民することが得であると信用されるように、募集側は労働者に将来の賃金から大きな額を前払いしたと考えられる。

信用が欲しい多くの農家に対し、売春宿が信用を供与したのは間違いない。（原注51）しかし、信用取引市場の失敗【訳注1】だけでは、なぜ売春宿と売春婦の間に年季奉公契約がこれほど普及したのかを説明できない。第一に、前述したように裁判所は長期間の稼働契約（personal service agreements）【訳注2】の強制は認めなかった。その結果、年季奉公契約は貸借契約としての他の方法（担保や保証など）に代わるものにはならなかった。従って、年季奉公契約では基本的な信用取引市場の失敗を軽減することができなかったはずだ。仮に売春宿が前借金１２００円で女性を採用し、２か月後に彼女が廃業を望んだとする。この場合、売春宿は契約に基づき女性を訴えることは可能だが、法的に彼女に仕事を強制することはできない。言い換えれば、司法が稼働契約の強制を認めなかったために、売春業者にとって売春婦の年季奉公契約は安全性において無担保融資（unsecured loans）とほとんど変わらなかったのだ。その結果、売春業者は差し押さえできる資産を持っている家族の女性だけを採用しようとした（Murphy : 119, 132）。他から融資を受けるのに必要な資産を持たない家族は、娘が年季奉公の売春婦として仕事を見つけられる期待は持てなかった。１８９６（明治29）年に大審院が稼働契約を無効化したことは、最も貧しい層の女性が現金を得るために年季奉公を利用することの妨げとなったのだ。（原注52）

（51）売春婦が所轄の警察署に登録する際、女性はその理由を報告せねばならず、ほとんどの場合は貧困と書いた。貧困と書くことは問題ないが、貧困以外の理由を書いた場合、警察は申請を許可しなかった。中央職業紹介事務局（390）と草間（32-3）参照。ほとんどの売春婦は明らかに下層階級の出身者であった（Kusama. 47-75 参照）。

【訳注１】信用取引市場の失敗とは、農家に信用がないために一般の信用取引は不成立となること。

【訳注２】personal service agreements は「稼働契約」を著者が英訳したもので、「稼働契約」の語は次の

判決文として使われている。「最高裁判決 昭和30年10月7日『酌婦としての稼働契約が公序良俗に反し無効である場合にはこれに伴い消費貸借名義で交付された金員の返還請求は許されない』」
（52） 確かに、廃娼論者らは女性が契約を破って廃業しないように、チンピラや腐敗した警察が暴力を振ったと主張することがある。例として Itō（308）参照。しかし、以下の点に注目されたい。第一に売春業者は女性を満期6年間働かせるために年季奉公契約を用いたのではない。実際は2、3年で多くを廃業させたという証拠がある。少なくとも女性が前借金を返済したら、売春業者は法に従っていたようだ。Ⅳの3参照。第二に、もし売春業者が非合法に年季奉公契約を強制できたとしたら、（法に訴えることがしにくい）無許可の売春宿も前借金を提供していたはずだ。ところが実際は無許可の売春宿は前借金を渡さず、渡したとしても許可を受けた売春宿よりずっと少ない額だった。中央職業紹介事務局（413）、警視庁（1935：509-10）、Kusama（216-7）参照。第三に他の廃娼論者は、１９２０年代までは公娼が契約期間を守らず廃業するのは簡単であったと報告している。チンピラに暴力を振るわれる危険があるのは無許可（不法）の売春婦の場合だけであったとしている。Ishijima 参照。

第二に、農家が多額の前借金を欲しいがために長期契約を求めていたなら、公認の売春業者や芸妓置屋（geisha houses）だけでなく他の雇用者にも同様の契約を求めていたはずだ。ところが、長期間の年季奉公は売春業と芸妓置屋以外では稀であった。例を挙げると、戦前の日本で女性を多く雇用していた繊維会社だ。１９２５（大正14）年には合計75万1千人の女性を雇用し、一工場の平均では69人であった（Fukuoka chihō 福岡地方職業紹介事務局：55）。対照的に、売春宿で働く売春婦の最頻値はわずか６人、芸妓置屋は１人であった。（原注53） 従って、繊維会社は売春宿や芸妓置屋よりも効果的に信用リスクを分散させることができたはずだ。また、数年間分の労働を提供することによって信用に代えたい農家にとっては、繊維会社は売春業より受け入れやすかったはずだ。ところが、実際は違った。工場が年季奉公契約を提供する際は、契約期間は比較的短く、前借金も引っ越し費用を賄《まかな》える程度で、それほど多くはなかったようだ。

（53）Fukumi（50-1, 203-4）〔東京のデータ〕参照。東京には売春婦が1人だけの売春宿は4軒。最も大きい売春宿2軒はそれぞれ21人であった。売春宿の66％は4人から8人だった（Fukimi：50-1）。東京の芸妓置屋で10人以上の芸者がいたのはわずか2軒だった（Fukumi：203-4）。

実際、契約期間が同じでも、売春宿に年季奉公した女性は他の仕事に年季奉公した女性よりもかなり多額の前借金を貰《もら》っていた。セックスは他のどんな肉体労働よりも儲かるからだ。しかし、この事実だけでは説明しきれないことがある。売春業では長期の年季奉公契約がこれほど一般的だったのに、他の職業で稀なのはなぜなのか。性産業が高賃金だからといって、貧しい女性の多くが売春婦になろうとしたわけではない。同様に、借りる信用がない女性が、多額の前借金を貰えるからといって売春婦になろうとしたわけでもない。言い換えれば、信用が長期の年季奉公契約の誘引になるならば、他の幅広い業種の雇い主がこの契約を申し出ていたはずだ。信用の足りない女性の中には、高額の前借金が得られるから売春業を選んだものもいただろう。しかし、他の多くの女性は少なない前借金でも厳しくない職業を選んだはずであり、同様に貧しい女性のほとんどは高い賃金であっても売春業を避けたのだ。こういった事情にもかかわらず、長期の年季奉公契約は、公娼においては一般的な契約であり、芸者においても共通であった。ところが、工場労働者では一般的ではなかったのだ。（原注54）

（54）Hane（175）、Nishimura（1026）, Sievers（63）によると、年季奉公契約を用いる工場もあった。しかし、他の実証的なデータによると、産業労働者の間では長期の年季奉公契約は一般的ではなかったことが分かる。第一に、（産業の横断的統計による）１９３５年の調査では、12～18歳の１０７７人の労働者のうち前借金について知っていたのはわずか59人。１人だけが（最高額の）４００～５００円の前借金を受け取っていた。男性の前借金はすべて１００円未満であった。社會事業研究所（1936：45, 49）、福岡地方職業紹介事務局（40）、Suehiro（4）参照。第二にTamura（38-9）の報告によれば、１９５１～52年に年季奉公契約で働いた全労働者のうち63％が純粋な売春業、8・1％がホテル・売春宿・バー・芸妓置屋の女給、８％が農業、３・８％が工場労働者、３％が芸者、３％がウエイトレスまたはバーの酌婦、２・９％が子守であった。Kanzaki（99）、労働省婦人少年局（1953：74, 付録74）参照。第三に、１９３０年代初期に行われた女性の前借金の調査によると、平均は公娼が９００円、芸者は８００円、バーの酌婦は４００円、工場労働者は１３０円であった［社會局庶務課調査係（1935：159）］。第四にFruinは、明治時代までの数世紀においては年季奉公人が減少していったことを記している。

5　信用できるコミットメント

売春業者と売春婦に長期の年季奉公契約がこれほど広まったのはなぜか。売春宿が売春婦を支配したかったからという仮説も、農家が信用を必要としていたからという仮説も充分な説明になっていないようだ。それでは、彼らがこの契約を用いた理由として成り立つかどうかを（a）「信用できるコミットメント」の必要性［Williamson（1983, 1985: Chapters 7 and 8）; Lee and Png 参照］、（b）法的コストの効率的な配分、で検討してみよう。

(1)　契約時の問題

性サービス産業で働こうとする女性は悩みを抱えていた。第一に、売春業に就《つ》くことによって自分自身も家族もそれなりの汚名、つまり社会的な評判の損失を負うことになる。このため、女性は自分の評判の損失分を補償する総収入を得られる場合のみに、この仕事に就いただろう。確かに、人は損失面を大袈裟に言い立てることもできる。他の条件も同じであれば、損失が少ない女性が最も多くこの職業を選んだはずだ。ある調査（稼働契約違反で廃業した公娼300人対象。無作為抽出ではない）では、元売春婦は必ずしも社会に見捨てられた存在ではなかったことがわかる。29％は両親のもとに戻り、12％は女工、５％は事務員として働いた。他の多くも看護婦助手のような真面目な職業に就いたのだ。（原注55）それでも当時の多くの資料によると、売春婦の中でも許可を受けた芸者であればどうにか敬意を払われたにしても、他の売春婦は敬意を受けるようなことはなかった。世紀のかわり目の東京を観察した（あまり道徳的とはいえない）ある書き手はなかなかの洞察力で、日本の資料を引用しつつ一般の意見をうまく表現している。つまり、元売春婦は「貞操の美徳を侵し、不道徳な生活で若い時代の華を無駄にし、女性としての本来の嗜《たしな》みがないために、彼女らの将来は明るくなく、安心できるものでもない」（de Becker : 248）。

（55）Itō（494-5）。Garon（19）の優れた研究では、元売春婦の多く（42％）は故郷の両親のもとに戻り、多く（３分の２）は結婚したという証拠を挙げている。

第二に、売春婦になろうとする女性は、自分がこの業界でどれほど稼げるのか、確かな情報をほとんど持っていなかった。この業界に入ることは自分自身の評判の損失を伴うが、それに加えてこの市場における自分の「値段」（price）が分かる容易な方法がなかったのだ。仮に女性が現在の自分の値段が分かったにしても、年齢を重ねていくがための不確実性もあり、どれほど速く自分の値段が下がるか知るすべがなかった。

第三に、売春婦になろうとする女性は自分の人的資本（human capital）を分散することができなかった。つまり、自分自身が唯一の最も価値ある財産であり、リスクを容易に分散することができなかったのだ。

売春業者も非常に困難な問題に直面した。情報不足やリスクの分散化とは別の問題だ。一つは、売春業者は新人の売春婦よりも性サービス市場についてより情報を持っていた。従ってほとんどの場合、売春業者は新人の売春婦がどれくらい稼げるか、本人よりもより的確に推測できた。二つめに、売春業者は投資を分散することができた。売春業者が売春婦の人的資本に（数年分の彼女の労働を買うことによって）投資をする時は、同時に複数の売春婦と契約することによってリスクを回避することができたのだ。

一方で、売春業者側の問題は信用性（credibility）であった。売春業者は金銭を約束して若い女性を募集しようとしたが、将来の収入について彼女たちを信用させることは難しかった。売春業者は新人女性がどれくらい稼ぐ可能性があるかは、本人よりも分かっていたが、彼女に嘘を言うこともできたのだ。女性側は売春婦になると確実に大きな評判の損失を負う。その対価としての彼女の収入は良いが、リスクもある。それが、売春業者にとっては彼女の収入を誇張する動機となったのだ。確かに女性が自分を投資する先はこの特定の売春宿に限ったものではないが、この点は問題ではない。売春業者が収益を誇張して新人女性がいったんこの業界に引き込まれれば、

［その誇張に気づいた］彼女が他の売春宿に移ったとしても［自分の社会的な］立場を良くすることはもうできなかったのだ。

(2) 出来高払制と定額払制の契約

こういった情報の不均衡と約束の信用性の問題は、売春業者と新人売春婦との間の（生産性を基とする）出来高払制契約の可能性を閉ざすものであった。［なぜならば］もし出来高払制契約であれば、この産業のある基本的な問題が解決する。それは元々卑《いや》しいとされる売春の仕事において新人に如何《いか》に一生懸命働いてもらうか、という問題だ。ところが、あいにくこの出来高払制契約では、新人女性は望むような確証は持てなかった。つまり、彼女がこの業界に入る前に知りたかったのは、自分が売春婦として働く収入が他で働く収入より多いこと、そして、その収入は、社会的な評判の損失や卑しい職業という避けられないマイナス面を相殺するのに充分に大きな金額であることだ。しかし、それは出来高払契約では確実ではなかった。

日当定額払制でもこの問題は改善できなかった。定額払制では売春婦は働く意欲が湧かないのは明らかだ。売春業者にとっては、契約した日当分の売り上げがない労働者を解雇したり、需要が少ない時期に比較的生産性がある労働者でも解雇したりする（または賃下げに同意しない時は解雇すると脅かす）という動機付けにもなった。売春婦は時とともに自分の売り上げが減ることは分かっていた（Kusama：207）。そのため問題は特に深刻だった。彼女の心配は、自分が被《こうむ》った評判の損失分を取り戻す前に、雇い主が自分を解雇しかねないということだった。

(3) 期限付契約と契約締結時ボーナス

売春婦は仕事に就くにあたって大きな固定費用（a high initial fixed cost）を背負う。従って売春業者は効果的に売春婦を雇うために、彼女たちがその固定費用を充分回収できるだけの期間は雇うという約束をしなければならなかった。簡単に言えば、一日の賃金の最低額だけでなく、総賃金の最低額を約束しなければならなかったのだ。そのためには、売春業者は最低賃金に加えて最短の［売春婦側の初期投資を回収できる］雇用期間も売春婦に保証しなくてはならない。このように雇用期間を保証したとしても、まだ信用性の問題は残った。売春業者が新人の売春婦に一定期間の雇用を保証するためには、新人の売り上げが契約賃金を常に下回ったとしても辞めさせずに雇用し続けるという約束が必要だった。このような約束を確実にすることは売春業者にとっては容易なことではなかった。

契約時締結ボーナス（sign-on-bonus）はこの信用性の問題をいくらか軽減できたはずだ。さらに、売春業者は、売春婦の評判の損失を埋め合わせるだけの金額の前払い金を渡すこともできたはずだ。しかし、このやり方では、売春婦はお金を手にしたとたん辞めて、競争相手の売春宿に移籍しようという気になってしまうかもしれない。（原注56） 売春業者と売春婦にとって必要だったのは、最低限の総報酬パッケージを約束する信用のある契約であった。しかも、売春婦側がすぐに辞めようと思わないような契約だ。

（56） ただし、芸妓置屋は中央精算機関を組織して、契約違反をした芸者は他の芸妓置屋でも雇わないという合意をお互いに交わしていたことに留意（中央職業紹介事務局：392）。

(4) 年季奉公契約

年季奉公契約（Ⅳの2参照）はこれらの問題の多くを軽減するものであった。この契約の下では、売春業者は売春婦に最低額の日給、つまり前借金に部屋代と食費を加えて最長契約期間で割った金額を渡した。これは、売春婦が早く廃業できるよう熱心に働く動機付けになった。また、前借金に部屋代と食費を加えた最低限の総報酬パッケージを保証するものでもあった。そして、契約の途中で廃業したり他の宿に移籍したりしないように、前借金の残額は返済しなければならないことを条件にした。

これだけであれば、たとえ年季奉公契約でなくとも、最低日給に仕事の実績に応じたボーナスと最短契約期間を組み合わせれば、売春業者と売春婦の両者が満足できる契約になっただろう。

しかし、このように仮定した契約と年季奉公契約はある一点で決定的に異なっていた。それは、年季奉公契約では売春業者は売春婦に将来の稼ぎから相当な金額を前払いし、そうすることによって争い事が生じた場合に法制度に訴える負担を売春業者側が自ら負っていたのだ。

売春業者と売春婦の間で争い事が起こった場合、売春業者側は訴訟の費用の負担を受け入れることで、自分たちの約束を信用できるものにした。前述の仮定に基づく最低賃金・ボーナス・最短雇用期間を定めた契約の下で争い事が発生した場合（例えば売春業者が約束した賃金を払わなかった場合）、貰うはずの給料を取り戻すために売春婦側が売春業者側を訴えなくてはならない。売春業者側が契約した総報酬を売春婦側に払っていないからだ。対照的に、年季奉公契約の下で争い事が起きた場合、売春業者は既に3～6年分の賃金に相当する前借金を売春婦に渡しているので、法に訴えるのは売春業者側になる。結果として、売春業者が売春婦に賃金を前借金として渡すことによって、報酬を支払う約束を信用できるものにしたのである。もし訴訟が無料だったら、前借金によって信用性が加わることはなかっただろう。しかし、法制度［訴訟］はただではない。日本も米国と同様に、保有する側は法的に9分の強みがある。ほとんどの農家にとって、法制度は馴染みがなく何やら怖いものであったろう。従って、農家を信用させる一番の単刀直入な方法は現金を即金で渡すことであった。

年季奉公契約によって売春業者の約束が信用できるものになったことに加えて、訴訟費用の負担が効果的に割り振られたことにも注目いただきたい。一般的に、当事者同士は法制度の陰で交渉するものだということを想起する。(原注57) それでも争い事が起きた場合、売春業者または売春婦のどちらかが法に訴える(または訴えると脅す)ことになる。従って、最も安価に法に訴えることができる側に負担させることが効果的といえよう。(原注58) ほとんどの売春業者は、訴訟は何度も経験のあるプレーヤーであり、法制度を利用するために必要な情報を集めたり、法的能力を高めることに手間をかけることができた。それとは対照的に、売春婦とその両親のほとんどは学も教養もなく、訴訟については一度限りのプレーヤーだ。そのため、法制度に訴えることは費用面で困難であった。こういった費用面の不均衡から、売春業者と売春婦の両者はコウス(Coase)が予測した行動をとった。つまり、取引費用(ここでは法制度を利用する費用)を最も安くできる側の負担にしたのである。年季奉公契約の下では、売春婦側が契約を破ろうとすれば、売春業者側はその分の金額を回収しなければならない。しかし、売春業者側が契約を破ろうにも、売春婦側はすでに現金を手にしているのである。(原注59)

(57) Mnookin と Kornhauser, Ramseyer と Nakazato(1989)参照。売春婦は自分たちの法的権利について他の同業者からの話だけでなく、廃娼論者からも聞いていたであろうことに注意せよ。1890年から1940年にかけては、様々な廃娼論者たちが売春婦に廃業するように強く働きかけていた時代であった。Murphy の研究がその過程を詳しく記している。廃娼論者の雑誌『廓清』Kakusei にも定期的に掲載されている。

(58) 訴訟が起こるのは稀であるにしろ、訴訟を安価に起こせる側が提訴を負担する方が効果的であった。なぜなら争い事の交渉において、事後的機会主義【訳注】が起きうる余地が少なくなるからである。

【訳注】事後的機会主義(ex post opportunism)とは、事が起こった後に機会主義的(ご都合主義的)行動によって、相手の利益を犠牲にしてでも利己的に自分の利益を追求すること。

(59) 私が見つけた、売春婦(全員が芸者)が置屋を賃金不払いで訴えた裁判は3件だけであった。両親または保護者が置屋(または売春宿)による(娼婦が契約を破って廃業したことによる)資産差し押さえに異議を訴えたのは7件。他には置屋または売春宿が、売春婦が借金返済をしないために売春婦本人またはその両親や保護者を訴えたものが12件あった。もちろん、これらは必ずしも全体を代表する例とはいえない。

V　最終章

長く存在したこの性産業の合法市場は1957(昭和32)年に消滅した。1945(昭和20)年にダグラス・マッカーサー(Douglas MacArthur)とそのアドバイザーらが日本政府に戦前の公娼制度を廃止するよう命令したことから、改革は始まった。(原注60) その10年後に改革はさらに進んだ。日本の最高裁判所は売春婦の年季奉公契約の前借金の部分を無効と［し、不法原因給付として不当利得返還請求も認めないと］【訳注1】したのだ。（Fujita v. Okazaki 最判昭和30年10月7日民集9巻1616頁）。1896（明治29）年以来、年季奉公契約の売春婦は、希望すれば法的にいつでも廃業することができた。戦前の例では売春婦が廃業した場合、本人と保証人が借金返済の責任を負っていた。それが、この最高裁判決からは、年季奉公契約の売春婦は借金があっても返済の責任を放棄することができるようになった。すぐに最後の決め手が続いた。最高裁判決から1年も経たないうちに、廃娼論者が日本の国会を説得して売春を禁止にさせたのだ［売春防止法1956（昭和31）年5月24日法第118号］。売春は現在も存在するものの、もはや非合法なのである。

（60）Oppler（158）参照。1946（昭和21）年2月2日内務省令第3号、1946（昭和21）年2月2日内務省警保局公安発甲第9号「公娼制度廃止に関する内務省警保局長通牒」、1947（昭和22）年1月15日勅令第9号「婦女に売淫をさせた者等の処遇に関する勅令」。【訳注2】

【訳注1】【訳注2】マーク・ラムザイヤー（曽野裕夫訳）「芸娼妓契約―性産業における信じられるコミットメント（Credible Commitments）」『北大法学論集44巻23号、1993年』。

VI 結論

12世紀、フランスのトゥールーズ（Toulouse）では公的な売春宿はその収益を地元の大学（Shadwell）と折半したという。日本では違った。売春宿は大学から支援を得ようとはしなかったし、実際に得ることもなかった。それよりも、学者たちは一貫して農家の女性を「奴隷化」するとして売春業を非難した。年季奉公契約は学者たちが語る物語の中では重要な部分であった。それは貧しく教養もない農民たちが、意に反して年季奉公契約を結び、売春業者は売春婦を性の奴隷に貶《おとし》めたという物語だ。

こういった物語は売春婦を正当に評価するものではない。苛酷な境遇でも生き抜いた彼女たちの知恵を著しく過小評価するものだ。確かに売春は辛い仕事だ。しかしほとんどの売春業者は売春婦をいつまでも抱える目的で年季奉公契約を利用することはできなかったし、売春婦は決して奴隷にはならなかったのだ。実際、公娼は一般的に6年間の年季奉公契約で、（彼女らとしては）かなりの高収入を得たのだ。その多くは3年から4年で借金を返済して契約期間より早く廃業した。他の売春婦もほとんどが契約期間満了で廃業したのだ。

この業界では、年季奉公契約の前借金が雇用市場の存在を可能にした。高賃金であっても、初めてこの仕事に入る女性にとっては何を信用してよいか分からなかっただろう。女性はこの職業を選ぶことによって自分自身と家族が社会的地位を失うことを知っていた。売春業者の中には彼女がこれから稼ぐお金について嘘をつくものがいるのも知っていたし、彼女より容易に裁判に訴えることができることも知っていた。正確にいえば、彼女は本当に稼げるかどうか確かではなかったからこそ、年季奉公契約が有利だったのだ。この契約があるからこそ、売春業者は売春婦の総収入が彼女の社会的評判の低下に見合う充分な額になることを約束できたのだ。そして、売春業者が売春婦に前借金を渡すことによって約束に信用性をもたせることができたし、法制度に訴える場合も訴訟費用を売春業者側の負担にできたのだ。

本稿で私が主張する論点は、公娼制度や年季奉公制度が必ずしも「日本にとって良かった」ということではない。農家の女性が合法的な売春市場の存在によって利益を得ていたということでもない。先に記した通り、こういった問題は本稿の論点の外にある。そうではなく、論点はもっと限られている。つまり、女性が売春業に入ることによる自分の評判の損失を考えると、本当に他のどんな職業より確実に高い収入が得られるという保証がなければ、多くの女性が売春宿で仕事するのを躊躇《ちゅうちょ》した（また、多くの両親も娘を売春宿に送るのを躊躇した）ということだ。年季奉公契約はその保証を提供するものだったのだ。

【参考文献】

Chūō shokugyō Shōkai jimukyoku. 1926. *Geishōgi shakufu shōkaigyō ni kansuru chōsa*［*An Investigation into the Placement Industry for Geisha, Prostitutes, and Bar Maids*］. Reprinted in Ken'ichi Taniguchi, ed. 1971. Kindaiminshu no kiroku［*A Report of Modern Populace*］. Vol.3. Tokyo: Shin jinbutsu ōrai sha.
中央職業紹介事務局 1926：「藝娼妓酌婦紹介業に關する調査」⇩谷川健一編『近代民衆の記録３娼婦』新人物往来社' 1971 所収

Cloud, Patricia, and David W. Galenson. 1987. "Chinese Immigration and Contract Labor in the Late Nineteenth Century, " 24 *Explorations in Economic History* 22-42.

Coase, R. H. 1960. "The Problem of Social Cost," 3 Journal o［Law and Economics 1-44.
ロナルド・H・コース（宮沢健一ほか訳）「社会的費用の問題」『企業・市場・法』東洋経済新報社（1992）

Corbin, Alain. 1990. *Women for Hire: Prostitutes and Sexuality in France after 1850*. Cambridge: Harvard University Press.
アラン・コルバン（杉村和子監訳）『娼婦』藤原書店（1991）

Dalby, Liza Crihfield. 1985. *Geisha*. New York: Random House.
ライザ・ダルビー（入江恭子訳）『GEISHA（芸者）―ライザと先斗町の女たち―』ＴＢＳブリタニカ（1985）

de Becker, Joseph Ernest. 1899. *The Nightless City, or the "History of the Yoshiwara Ykwaku.*" Yokohama: Z. P. Maruya and Co.

Emmer, P. C., ed. 1986. *Colonialism and Migration: Indentured Labour Before and Alter Slavery*. Dordrecht: Martinus Nijhoff Publishers.

Engerman, Stanley L. 1973. "Some Considerations Relating to Property Rights in Man," 33 *Journal of Economic History*

43-65.

------ 1986 “Servants to Slaves to Servants: Contract Labour and European Expansion, “ in P. C. Emmer, ed., supra, pp. 263-94.

Feeny, David. 1989.“The Decline of Property Rights in Man in Thailand, 1800-1913,” 49 *Journal of Economic History* 285-96

Fishback, Price V. 1986a. “Did Miners ‘Owe their Souls to the Company Store’? Theory and Evidence from the Early 1900s,” 46 *Journal Economic History* 1011-29.

------1986b. “Workplace Safety During the Progressive Era: Fatal Accidents in Bituminous Coal Mining, 1912-1923,” 23 Explorations in Economic History 269-98.

------, and Dieter Lauszus. 1989 “The Quality of Services in Company Towns: Sanitation in Coal Towns During the 1920s,” 49 *Journal of Economic Histoy*125-44.

Fruin, William Mark. 1973 “Labor Migration in Nineteenth-Century Japan: A Study Based on Echizen Han.” Ph. D. Dissertation, Stanford University. Ann Arbor. University Microfilms.

Fukumi, Takao. 1928. Teito ni okeru bai in no kenkyū［A Study of Prostitution in the Capital］. Tokyo: Hakubunkan.
副見喬雄 1928 :『帝都に於ける賣淫の研究』博文館

Fukuoka chihō shokugyō shōkai jimu kyoku. 1928. *Dekasegijokō ni kansuru chōsa［A Survey of Female Industrial Workers Employed away from Home］*. Fukuoka: Fukuoka chiho shokugyō shōkai jimu kyoku.
福岡地方職業紹介事務局　1928:「出稼女工に関する調査」福岡地方職業紹介事務局

Galenson, David W. 1984. “The Rise and Fall of Indentured Servitude in the Americas : An Economic Analysis,” 44 *Journal of Ecomic History* 1-26.

Gardiner, C. Harvey. 1975. *The Japanese and Peru*, 1873.1973. Albuquerque: University of New Mexico Press.

Garon, Sheldon. 1991.“The World’s Oldest Debate? : Prostitution and the State in Imperial Japan, 1868-1945,” unpublished manuscript, Princeton University, Department of History.

Grubb, Farley 1985. “The Incidence of Servitude in Trans-Atlantic Migration, 1771-1804” 22 *Explorations in Economic History* 316-38.

------. 1988. “The Auction of Redemptioner Servants, Philadelphia, 1771-1804: An Economic Analysis,” 48 *Journal of Economic History* 583-603.

Hane, Mikiso. 1982. Peasants, Rebels, and Outcastes: *The Underside of Modern Japan*. New York: Pantheon Books.

Harsin, Jill. 1985. *Policing Prostitution in Nineteenth-Century Paris*. Princeton, N. J.: Princeton University Press.

Higuchi, Monta. 1921. *Geisha tetsugaku* ［*Geisha Philosophy*］. Tokyo: Jitsugaku kan.

樋口紋太（樋口紅陽）1921：『皮肉諷刺藝者哲學』實學館書店

Hobson, Barbara Meil. 1987. *Uneasy Virtue: The Politics of Prostitution and the American Reform Tradition*. New York: 8asic Books.

Ishijima, Kamejirō. 1928. “Chikagoro no jiyū haigyō ［Recent Free Cessation］,” June *Kakusei* 24.

石島亀次郎 1928：「近頃の自由廃業」『廓清』18巻6号24頁

Itō, Hidekichi. 1931. *Kōtōka no kanojo no seikatsu* ［*The Lives of Women under the Red Lamps*］. Tokyo: Jitsugyō no nihon sha. Reprinted in 1982. Tokyo: Fuji shuppan.

伊藤秀吉 1931：『紅燈下の彼女の生活』實業之日本社⇩不二出版、1982.

Kakusei. 1931a. “Shōgi karyubyū chō ［A Survey of Venereal Disease Among Licensed Prostitutes］,” March Kakusei 20-1.

------ 1931b. “Shōwa gonen kyūseigun no haishō undō ［The 1930 Activities of the Salvation Army in Furtherance of the Abolition of Licensed Prostitution］,” June Kakusei 29-31.

『廓清』1931a：「娼妓花柳病調」『廓清』21巻 3号20頁

『廓清』1931b：「昭和五年救世軍の廃娼運動」『廓清』21巻 6号 29-31 頁

Kanzaki, Kiyoshi. 1953. *Musume o uru machi* ［*Towns that Sell Daughters*］. Tokyo: Shinko shuppan sha.
神崎 清 1952 :『娘を売る町 ― 神崎レポート ―』新興出版社

Kawashima, Takeyoshi. 1950. "Jinshin baibai no rekishiteki seikaku ［The Historical Character of the Purchase and Sale of Humans］." Reprinted in Kawashima, Takeyoshi. 1982. *Kawashima Takeyoshi chosaku shū* ［*The Collected Works of Takeyoshi Kawashima*］, Vol. 1, pp. 80-96. Tokyo: lwanami shoten.

------ 1951. "Jinshin baibai no hōritsu kankei (1) ［The Legal Status of the Purchase and Sale of Humans: I］," 68 Hōritsu kyōkai zasshi 699-712.

------ 1955. "Jinshin baibai keiyaku no hōteki kōryoku ［The Legal Effectiveness of Contracts for the Purchase and Sale of Humans］," Sept. *Horitsu jihō* 72.

川島武宜 1950 :「人身売買の歴史的性格」東洋文化 1号⇒『川島武宜著作集第１巻法社会学』岩波書店、1982 所収

------1951:「人身賣買の法律關係 (1) 藝娼妓丸抱契約の効力について―」法学協会雑誌68巻 7号 699 頁

------1955 :「人身売買契約の法的効力」法律時報27巻 9号⇒『川島武宜著作集第１巻法社会学』岩波書店、1982 所収

［Keishi chō］ sokan kanbō bunsho ka. 1933. *Shōwa nana nen keishi chōtōkei ichi ippan* ［*An Outline of Police Agency Statistics for 1932*］. Tokyo: Sōkan kanbō bunsho ka.
［警視庁］ 總監官房文書課統計係 1933 :『昭和七年警視庁統計一斑』總監官房文書課

Keishi chō. 1935. *Tamanoi Kameido sekkyakufu honseki narabi zenshaku kin shirabe* ［*A Survey of the Indentures and Hometowns of Tamanoi and Kameido Hostesses*］. Reprinted in Nihon (1980), infra.
警視庁 1935 :「玉之井亀戸接客婦本籍並前借金調」⇒市川房枝編『日本婦人問題資料集成第１巻人権』ドメス出版、1980 所収

Klein, Benjamin, and Keith B. Leffler. 1981 "The Role of Market Forces in Assuring Contractual Performance," 89 *Journal of Political Economy* 615-41.

Kusama, Yasoo. 1930. *Jokyū to baishō fu* ［*Waitresses and Prostitutes*］. Tokyo: Hanjin sha.

草間八十雄 1930：『女給と売笑婦』汎人社⇒『近代婦人問題名著選集　続編第九巻』日本図書センター、1982 所収

Kyōkōka no Tōhoku nōson（*fukkoku ban*）［*Reprint: The Northeast Farm Villages during the Panic*］. 1984. Toyko: Funi shuppan.

楠本雅弘編『恐慌下の東北農村（復刻版）中巻』不二出版、1984 所収

Lee, Tom K., and I. P. L. Png. 1990.“The Role of Installment Payments in Contracts for Services,” 21 *Rand Journal of Econimics* 83-99.

Minami, Ryōshin. 1986.*The Economic Development of Japan*: A Quantitative Study. Houndmills, U. K.: The Macmillan Press, Ltd.

南亮進『日本の経済発展』東洋経済新報社（1981）の英訳

Mnookin, Robert H., and Lewis Kornhauser. 1979. “Bargaining in the Shadow of the Law: The Case of Divorce, “ 88 *Yale Law Journal* 950-97.

Murakami, Nobuhiko. 1971, Part II; 1972, Part II. *Meiji josei shi*［*A History ofMeiji Women*］. Tokyo: Riron sha

村上信彦 1971：『明治女性史 中巻後篇（女の職業）』理論社

------ 1972:『明治女性史 下巻（愛と解放の胎動）』理論社

Murphy, U. G. 1909. *The Social Evil in Japan*, 4th ed. Tokyo: Kyōbunkan

Mustang Ranch, Inc. 1989. *Common Stock Prospectus*.

Naikaku tō kei kyoku. 1930. *Rōdō tōkei yōran*［*Outline of Labor Statistics*］. Tokyo: Tōkyo tōkei kyōkai.

内閣統計局 1930：『労働統計要覧』東京統計協會

Nakamura, Saburō. 1954. *Nihon baishun torishimari kō*［*A Treatise on the Regulation of Japa- nese Prostitution*］. Tokyo:

Nihon fūzoku kenkyū kai.
中村三郎 1954：『日本売春史第三巻（日本売春取締考）』日本風俗研究会
Nardinelli, Clark. 1982. “Corporal Punishment and Children’s Wages in Nineteenth Century Britain,” 19 *Explorations in Economic History* 283-95.
Nihon fujin mondai shiryō shūsei ［*Collected Materials on Japanese Women’s Issues*］. 1980. Tokyo: Domesu shuppan.
市川房枝編 1980:『日本婦人問題資料集成第 1 巻人権』ドメス出版
Nishimura, Nobuo. 1939. “Zenshakkin keiyaku ni tsuite ［Regarding Indenture Contracts］,” 7 *Minshō hō zasshi* 418-34, 1022-37.
西村信雄 1938:「前借金契約について（1）（2）完」『民商法雑誌』7巻 3号 60-76 頁、6号 12-27 頁
Nōmi, Yoshihisa. 1980. “Case Comment,” 97 *Hōgaku kyōkai zasshi* 577-585.
能見善久 1980：「判例評釈」『法学協会雑誌』97巻 4号 577-578 頁
O’Callaghan, Sean. 1968. *The Yellow Slave Trade: A Survey of the Traffic in Women and Children in the East*. London: Anthony Blond.
Ohsato, Katsuma, ed. 1966. *Meiji ikō honpō shuyō keizai tōkei* ［*Principal Economic Statistics for our Nation since the Meiji Period*］. Tokyo: Bank of Japan.
大里勝馬編　日本銀行統計局 1966：『明治以降本邦主要経済統計』日本銀行
Okin, Susan Moller. 1990.“Feminism, the Individual, and Contract Theory,” 100 *Ethics* 658-69.
Ōkubo, Hasetus. 1906. *Kagai fūzoku shi* ［*A Record of the Customs of the Red-light District*］. Tokyo: Ryūbun kan. Reprinted in 1983. Tokyo: Nihon tosho sentaa.
大久保葩雪 1906：『花街風俗志』隆文館⇒日本図書センター・日本風俗叢書、1983
Oppler, Alfred C. 1976. Legal Reform in Occupied Japan. Princeton, N. J: Princeton University Press.
アルフレッド・オプラー（内藤頼博監訳）『日本占領と法制改革―ＧＨＱ担当者の回顧』日本評論社（1990）

Pateman, Carole. 1983 “Defending Prostitution Charges against Ericsson,” 93 *Ethics* 561-5.

Popkin, Samuel L. 1979. *The Rational Peasant: The Political Economy of Rural Society in Vietnam*. Berkeley: University of California Press.

Radin, Margaret Jane. 1987 “Market Inalienability,” 100 *Harvard Law Review* 1849-937.

Ramseyer, J. Mark. 1989. “Water Law in Imperial Japan: Public Goods, Private Claims, and Legal Convergence,” 18 *Journal of Legal Studies* 51-77.

------, and Minoru Nakazato. 1989. “The Rational Litigant: Settlement Amounts and Verdict Rates in Japan,” 18 *Journal of Legal Studies* 263-90.

Rōdōshō fujin shōnen kyoku. 1952. *Fujin rōdō no jitsujō* ［*The Reality of Female Labor*］. Tokyo: Rōdōshō.

------ 1953. *Nenshōsha no tokushu koyō kankō* ［*Special Employment Customs of Minors*］. Tokyo: Rōdoshō

労働省婦人少年局 1952：『婦人労働の実状』婦人労働資料28号

------ 1953：『年少者の特殊雇用慣行 ― いわゆる人身売買の実態 ―』労働省

Rosen, Ruth. 1982. *The Lost Sisterhood: Prostitution in America, 1900-1918*. Baltimore: Johns Hopkins University Press.

Rosenzweig, Mark R., and Oded Stark. 1989.“Consumption Smoothing, Migration, and Marriage: Evidence from Rural India,” 97 *Journal of Political Economy* 905-26.

Saitō, Naoshi. 1930. “Yūjo yūgei jin no uchimaku ［The Inside Story of Young Female Entertainers］,” 135 *Jikei* 67-69

斎藤直 1930：「幼女遊藝人の内幕」自警 135 号 67-69 頁

Saxonhouse, Gary R. 1976. “Country Girls and Communication Among Competitors in the Japanese Cotton-Spinning Industry,” in Hugh Patrick, ed., Japanese *Industrialization and Its Social Consequences*, pp. 97-125. Berkeley: University of California Press.

Seiji keizai kenkyū sho. 1951. *Nōmin to rōdō sha no seikatsu suijun no hendō* ［*Changes in the Living Standards of Farmers and Workers*］. Tokyo: Seiji keizai kenkyū sho.

政治経済研究所 1951 :『昭和九 - 一一年と戦後における農民と勞働者の生活水準の變動』 政治経済研究所

Shadwell, Arthur. 1911 “Prostitution,” in Encyclopaedia Britannica, 11th ed., Vol. 22, pp. 457-64. New York: Encyclopaedia Britannica Co.

Shakai jigyō kenkyū jo. 1936. *Shūrō shōnen shōjo rōdō jijō chōsa* ［*Survey of Working Conditions of Working Boys and Girls*］. Tokyo: Chūō shakai jigyō kyōkai.

社會事業研究所 1936 :『就勞少年少女勞働事情調査（昭和十年三月）（社會事業研究所報告第三輯）』 中央社會事業協會社會事業研究所

Shakai kyoku. 1935. *Tōhoku chihō nōson hihei jōkyō*（*dai ni hen*）［*Poverty in the Northeast Region Farm Villages*］, 2nd ed. Reprinted in Kyōkōka（1984）, supra.

社會局庶務課調査係 1935 :「東北地方農村疲弊狀況（第二編）」⇩楠本雅弘編『恐慌下の東北農村（復刻版）中巻』不二出版、1984 所収

Shrage, Laurie. 1989. “Should Feminists Oppose Prostitution?,” 99 *Ethics* 347-61.

Sievers, Sharon L. 1983. *Flowers in Salt: The Beginnings of Feminist Consciousness in Modem Japan*. Stanford, Cal.: Stanford University Press.

Smethurst, Richard J. 1986. *Agricultural Development and Tenancy Disputes in Japan*, 1870.1940. Princeton, N. J.: Princeton University Press.

Sōmu chō tōkei kyoku. 1987. *Nihon chōki tōkei sōran* ［*General Long-term Statistics for Japan*］, Vol. 4. Tokyo: Sōmu chō.

総務庁統計局監修・日本統計協会編 1987 :『日本長期統計総覧第 4巻』 日本統計協会

Stewart, Watt. 1951. *Chinese Bondage in Peru: A History of the Chinese Coolie in Peru*, 1849.1874. Durham, N. C.: Duke University Press.

Suehiro, Izutarō. 1931. “Hanrei wo tōshite mita jinshin baibai ［The Purchase and Sale of Humans, Viewed through Case Law］,” Sept. *Hōritsu jihō* 3-5

末弘厳太郎 1931 :「判例を通してみた人身売買」法律時報 3巻 9号 3-5頁

Symanski, Richard. 1981. *The Immoral Landscape: Female Prostitution in Western Societies*. Toronto : Butterworth and Co.

Tamura, Gorō. 1956. “Zenshakkin mukō no hanketsu ni tsuite［Regarding the Case Holding Indentures Void］,” 63 *Hōgaku shimpō* 436-63.

田村五郎 1956 :「前借金無効の判決について」法学新報63巻 5号 436-37頁

Uemura, Kōsyō. 1918. *Urare yuku onna［Sold Women］*. Tokyo: Daitō kaku. Reprinted in 1982. *Kindai fujin mondai meichosaku.shū zokuhen（A Collection of Famous Authors on Women's Issues-Continued Series］*, Vol. 5. Tokyo: Nihon tosho sentaa.

------1929. *Nihon yūri shi［A History of the Japanese Pleasure Quarters］*. Tokyo: Shun yō dō.

上村行彰 1918 :『売られゆく女』大鐙閣⇒『近代婦人問題名著選集続編第五巻』日本図書センター、1982 所収

Wagatsuma, Sakae. 1923. “Hanrei yori miru ‘kō no chitsujo zenryō no fūzoku’［‘Public Order and Good Customs,’ as Seen in the Case Law］,” 41 *Hōgaku kyōkai zasshi* 904-46.

------1955. “Zenshakkin mukō no hanketsu［Case Holding Indenture Contracts Void］,” 93 *Jurisuto* 23-25.

我妻 榮 1923 :「判例より見たる『公の秩序善良の風俗』」法学協会雑誌41巻 5号 904-46頁⇒同『民法研究II総則』有斐閣、1966 所収

------ 1955 :「前借金無効の判決」ジュリスト 93号 23-25頁⇒同『民法研究II総則』有斐閣、1966 所収

Walkowitz, Judith R. 1980. *Prostitution and Victorian Society: Women, Class, and the State*. Cambridge: Cambridge University Press.

Williamson, Oliver E. 1983 “Credible Commitments: Using Hostages to Support Exchange,” 73 American Economic Review 519-40.

------. 1985. *The Economic Institutions of Capitalism*. New York: The Free Press

Yamamoto, Shun'ichi. 1983. *Nihon kōshō shi［A History of Licensed Prostitution in Japan］*. Tokyo: Chūōhōki shuppan.

山本俊一 1983 :『日本公娼史』中央法規出版
Yonekura, Akira. 1985. "Hōritsu kōi［Legal Acts］," 59 Hogaku kyōshitsu 30-44; 60:28-42; 61:118-33; 62:30-45.
米倉 明 1985 :「法律行為（16）-（19）」法学教室59～62号
Yoshimi, Shōko. 1984. Baishō no shakai shi［A Social History of Prostitution］. Tokyo: Yūsankaku
吉見周子 1984 :『売娼の社会史』雄山閣

第2論文（2019年）

慰安婦たちと教授たち

COMFORT WOMEN AND THE PROFESSORS

The Harvard John M. Olin Discussion Paper Series
http://www.law.harvard.edu/programs/olin_center/papers/pdf/Ramseyer_995.pdf
ISSN 1936-5349 (print)　ISSN 1936-5357 (online)

摘　要

欧米では奇妙な「話」が報じられてきた。1930年代と1940年代の日本陸軍は、その大半が朝鮮人の女性を募集したが、20万人からなる10代の女性を「慰安所」と呼ばれる「強姦キャンプ」に強制的に送り込んだとされている。その話に疑問を呈する人は誰であれ、即座に「否定論者（denier）」とされる。

このことが不思議な現象を促進している。慰安婦のほんの数名が、強制的に募集されたと訴えているだけなのに、しかもそのうちの一部は、日本に対する賠償運動が始まる前から、異なる話を語っていた。極左に所属する勢力が慰安婦の館を運営し、彼女たちが会える人を統制し、異論を唱えそうな慰安婦の女性を中傷している。事実、日本軍が慰安所に朝鮮人女性たちを強制的に募集したという、文書による証拠が突き止められたことはない。しかも、朝鮮の大学人が公認の見解に疑問を呈すると、朝鮮の政府自身が時には名誉棄損の罪で彼らを起訴するのである。実際に、異説を唱える教授が昨秋、六カ月間投獄された。

それは2015年の夏のことであった。東京にいる私の友人の一人が、何が進展しているのかとたずねてきた。20人の歴史家たちがアメリカ歴史協会（American Historical Association）の協会報に書簡を寄こしてきた。彼らは「最近の日本政府による歴史教科書に対する抑圧的な言明の試み」に対する「（彼らの）憂慮を表明」することを望んでいた。論争を招いている教科書は、ウィスコンシンの高校で歴史の教科書として使われていた。歴史家たちは続けて、日本政府は「慰安婦」に関する話を削除しようとしていると述べた。これらの女性たちは「第二次大戦中、帝国陸軍に従軍中に性的に搾取するための残酷な制度により被害を受けた」、「我々は、第二次世界大戦のこれとその他の残虐行為についての事実を明るみに出すために仕事をしてきた、日本の多くの歴史家たちと立場を同じくしている」と20人の人たちは宣言していた（Dudden 2015a）。

ひどい訴えは続いた。3か月以内に、（その大半が日本研究者である）180人以上の教授たちが、彼らへの支持を公表していた。記録によれば、その数はすぐに450人を超えたかもしれない。戦時の広範な暴力にも関わらず、これらの学者たちは「〈慰安婦〉制度はその規模の大きさと陸軍による管理の大きさと、若く貧しく弱い女性たちに対する搾取で、際立っていた」と書いていた。彼らは、「〈証拠〉から、「多数の女性たちがその意思に反して捕らえられ、恐るべき暴力の下に置かれた」ことは、明白である」と主張した（Open Letter 2015; see Fujioka 2015）。

日本人学者の熊谷《くまがい》（2015; see also Morgan 2015）はすぐ、AHAニュース・レターに不満を表明した。彼女は、「日本軍の極めて限定された物資能力と戦略目的からみて、14歳から20歳の20万人もの女性たちが、日本陸軍により強制的に募集、登録され、あるいは強要されたとの言明は、現実的ではない」と説明した。20人のグループは、その規制を「抑圧として」告発し非難したが、彼らは「抑圧的精神」としてそれを具体的に表現しただけだった。20人のうち14人は、「真実ではない」と要約として回答し、彼女の反論は「否定論者の理論である」とした（Dudden 2015b）。

その年の終わりまでには、50人のさらに多くの日本人学者たちが不満を書いて寄こした（Multiple 2015）。そのうちの数名は、最高クラスの（全般的には左翼的な学風の）学校で教えていたが、彼らは、教科書では、政府が「女性たちを天皇からの軍に対する贈り物だった」と主張していたのを見ていた。教科書はまた、軍が大戦末に「作戦を隠蔽《いんぺい》するために」「大量の慰安婦を虐殺した」と主張していた。日本人の学者たちは、このような話は、「支持する歴史的な証拠は全くない」と返答してきた。米国の歴史家たちは、「日本人歴史学者たちを支持する」と題する書簡を出していた。もう一度考えてみよ。日本人学者たちは、「20人の米国の歴史学者たちは、彼らを支持すると表明する日本人の学者を一人として見出すことは決してできないだろう」と書いているのだ。その書簡には、マグローヒルにより出版された高校用世界史教科書が含まれていた。その教科書の著者たちは以下のように書いていた（Bentley & Ziegler 2011）。

日本陸軍は、14歳から20歳の20万人の女性たちを、強制的に募集、徴用し、「慰安所」または「慰労センター」と呼ばれる、軍の売春宿で売春に従事することを強要した。陸軍は、女性たちを天皇からの贈り物として軍隊に与え、女性たちは朝鮮、台湾、満州などの日本の植民地と、フィリピンその他の東南アジアの占領地域からやってきた。女性たちの大半は、朝鮮と中国から来た。

一度、この帝国の売春業務を強いられると、「慰安婦」たちは毎日20人から30人の男たちの相手をした。戦争地帯に駐留すると、女性たちはしばしば軍人たちと同じ危険にさらされ、その多くが戦争で犠牲になった。その他の者、特に逃亡を試みあるいは性病に罹った者は、日本軍人により殺害された。戦争末に軍人たちは、作戦を隠蔽するために、多くの慰安婦を虐殺した。

この21世紀の国家間の交流には一つの謎がある。その多くがその分野の専門家である数百名の学者たちが、彼らがしたことの説明に、なぜ署名までするのかという理由である。軍人たちは民間人に対して恐るべきことをなしうる。特に負け戦ではそうであろう。最も多くの説明によれば、日本陸軍も、この恐るべきことを同様に行ったとされている。しかし、日本陸軍がこの恐るべきことを行ったと抽象的に説明することは、これらの特定の恐るべきことが行われたことを意味しない。

事実は、私が以下に詳しく述べるように、もっとありふれたことである。日本陸軍は問題を抱えていた。売春宿は不足していなかった。陸軍の行く先々にどこでも売春婦はついてきた。彼女たちは1930年代と1940年代には日本陸軍について行っていた。問題は医療的なものだった。これらの地域の売春婦は高度の性病に罹っていた。もしも軍人たちが売春宿にたびたび通うとすれば、部隊では彼らが少なくとも健康的な売春宿に行くことを望んだ。

その目的のため、すなわち慈善のためではなく、より強力な軍事力を維持するために、軍は日本と朝鮮に許可制度を導入した。売春宿と売春婦は、それに登録した。指定された医師たちが毎週、医療検診を行った。売春宿はコンドームを使用することを求められ、売春婦はそれを拒む客を拒否するように言われていた。客も売春婦も、性交を行った後に毎回、殺菌剤で洗うことになっていた。

売春宿の持ち主たちは、（軍の所属ではないが）新しい売春婦の大半を雇い入れ、その大半は日本と朝鮮から雇い入れた。（大半の学者たちは中国などの敵地から強制的に女性たちを集めたことに同意しているが）彼らは売春婦を、1年から2年の期間分の大枚の前金とともに、年季奉公の契約の下で、募集した。戦争のその後の年月には、女性たちは、約束の期間を勤め上げるか早く借金を返済して、家に戻った。

これらの事実は、（左記で全面的に述べているように）退屈な話である。しかし、それが証拠により支持された事実である。西欧でより広く流布されている「性奴隷」の話に関する記録された証拠は、単に存在しない。(原注1) この明らかに退屈な話は、(左右いずれであれ、このことは強調しておくが、右派のみの主張ではなく) すべての日本の歴史家たちが、実質的に抱いている見解である。そして、多くの朝鮮の歴史家たちもまた公に抱くであろう見解でもあるが、私が左記に詳述するように、朝鮮国内の政治事情により、そのようにはなっていない。

(1) もちろん、すべての売春婦を性奴隷と定義することはしない。例えば、Norma (2016 : 15) の以下を参照:「平和時の売春を、戦時の売春が国連において〔軍の性奴隷〕と理解されているのと同様に、〔民間の性奴隷〕システムとして理解するように仕向けることが、本書の目的である」。

I 女性たち自身

A 序論

「慰安所」に関する通例の英語による説明は、すべて生き残った最も著名な「慰安婦」たちの話に依拠している。いくつかの初歩的な検証によってすら、疑問が生じるかもしれない。20人の歴史家たちは、「歴史家たちに、搾取された女性たちの人数が数十万人なのか数万人なのか、彼女たちの確保における軍の果たした役割は何かを論じ続けさせる」ことを許している。それにもかかわらず、熊谷はそれらの点を正確に議論しようとしているのに、20人のうちの14人が、彼女を「否定論者」と要約して議論から排除した。

ウィスコンシンの教科書（Bentley & Ziegler 2011：853）では、その読者に対し、軍は「14歳から20歳の20万人の女性に」「強制した」と語っている（ある中国人は、その数を40万人に増加させた：Huang 2012：206）。それは朝鮮のような規模の国にとり、かなり高い比率の10代の女性である。1935年には15歳から19歳の朝鮮人の女性は、104万8千514人だった（Chosen 1935：24）。米国の学者たちの見積もりによれば、明らかに日本軍は朝鮮人の少女の5人に1人を売春婦にしたことになる。

この教科書は、20万人の女性たちが、一日に20人から30人の男性を相手にした（ある学者は、「一日に百人すら」と書いている：Yang 1997: 51, 60）と、読者に述べている。歴史学者の藤岡信勝（2015）は、以下の計算を試みている。もしも20万人の女性たちが一日に20人から30人の男たちを相手にしたとすれば、毎日400万～600万組のカップルができたことになる。1943年ですら、日本軍は海外に百万人しか駐留していなかったと彼は注釈を加えている（Fujioka; see Watanabe

2014 on total force）。彼も指摘しているように、これでは戦闘をする十分な時間はなくなる。【訳注】

【訳注】日本陸軍の戦時動員数については、戦後まもなく参謀本部課員が作成した「支那事変大東亜戦争間動員概史」（『十五年戦争極秘資料集・第九集』収録）を基に研究者の大江志乃夫氏は、敗戦時の陸軍兵力の動員総数は、五百四十七万二千人としている。また、一九六三年に厚生省援護局が発行した『引揚援護の記録　続々』（三二一ページ）では、「総兵力は約五百六十九万」としている（第１７０回国会（臨時会）質問第一五〇号「戦時下における軍人軍属の兵力動員等に関する質問主意書」（平成二十年十二月二十二日、今野東による参議院議長江田五月に対し提出された質問主意書回答）。

B　話の内容

数人の慰安婦は、話を何度も説明しているが、しかしながら、さらに基本的な問題を現示している。慰安婦の一部だけしか、通例の説明の根拠となる話を語っていない。さらに、人類学者のC・サラ・ソー（C. Sarah Soh）〔2008〕、歴史家の秦郁彦（1999）、その他の人々が指摘しているように、一部のこれらの女性たちの語ることが変化している。例えば、李容洙（イ・ヨンス：Yi Yong-su）は、最初、歴史家たちに夜中に友人とともに家を出たと語っていた。インタビューは、朝鮮の学者たちが生き残った慰安婦の一代記を集めていた、1990年代の初期に行われた。彼女の友達は彼女に「早く出てきなさい」と強いたので、彼女は「忍び足で出て」、その友達について行ったと、彼女は彼らに語った。そこには、一人の日本人がいて、彼女に「赤い服と箱に入った一足の革靴」をくれた。彼女は有頂天になり「喜んで」「何の考えもなく」、彼について行った（Soh 2008: 12-13, 98-100; Howard 1995 : 88 ; Yi 2018）。

その十年後には、李容洙は、日本から金と謝罪を引き出すための運動に参加するようになり、別の話を語った。2002年には、彼女は議会を訪問し「14歳の時に、銃剣に追い立てられて連れ去られた」と語った（Moto 2002）。2007年には、彼女は米国の下院議院で「自分は日本軍人により誘拐された」と語った。米国への訪問の直後、東京での記者会見で、「日本の軍人たちは、母親を呼べないように口を覆って、彼女の家から彼女を引きずり出した」と付け加えた（Fackler 2007）。

金学順（キム・ハクスン：Kim Hak-sun）はもともと、彼女が売春婦としての人生を生きねばならなかったことで義父を責めていた。彼女は、母親が結婚した義父が嫌いだった。彼女の説明の一つによれば、彼女の母親は彼女を売り飛ばすことで応じた（KIH, Korea Institute of History 2016a）。（おそらく単に細部を付け加えただけだが）別の彼女の説明によれば、彼女の母親は、彼女を、朝鮮の芸者に相当する職（妓生）にする訓練を行うために「里親」に出した。この里親の父親は、売春宿を経営していた。ある日、彼はいなくなり、彼女は売春婦になった（Soh 2008：127；Yi 2018）。慰安婦運動が日本に圧力を加えるために盛り上がると、金は全く異なった話を採用した。日本の軍人たちは北京に旅行している間に彼女の養父を逮捕し、彼女を慰安所に送った（Howard：1995：33）。

金承鈺（キム・スンオク：Kim Sun-ok）は、彼女への質問者に対しもともと、彼女には「子供らしい時代はなく、7歳の時から4度も売られた」と語っていた（Soh 2008：11）。仲介業者は「両親を説得するために、家に来ていた。私はどこにも行かないと告げ、私を売らないように両親に頼み込んだ」。実際に、「私はあらゆる方法で自殺することばかり考えていた」と回顧している。しかし、彼女の両親は彼女を売り、彼女は満州の慰安所に着いた。にもかかわらず、国連人権委員会が1996年の慰安婦に関する聴聞会を開いたときに、彼女は、「国連の尋問者のラディカ・クマラスワミ（Radhika Coomaraswamy）に、彼女は日本軍により誘拐された」と証言した（Devine 2016, quoting Soh）。【訳注】

【訳注】平成二十七年二月五日に井坂信彦衆議院議員から『質問主意書』質問第三三号「クマラスワミ報告に対する日本政府反論書に関する質問主意書」が提出された。その趣旨は以下の通り。
「岸田文雄外務大臣は二〇一四年十月十五日の衆議院外務委員会で「今後の取り扱いにつきましては、政

府としては、今後とも我が国の立場への国際社会の理解を得るために、積極的、戦略的に対外発信に取り組むとしておるわけですので、国際社会の理解を得るのに何が最善の方法かについて、引き続き検討を進めていきたい」と述べている。その後の政府における検討状況について、次の事項について質問する。

一 ①クマラスワミ報告に対する日本政府反論書はその後の検討において、いつ公開するか決定したのか。②なぜ、現時点において公開しないのか。

二 二〇一四年十一月二十七日付け産経新聞朝刊によると、ナチス戦争犯罪と日本帝国政府の記録の各省庁作業班（ＩＷＧ）の報告書で、日本の慰安婦にかかわる戦争犯罪や「女性の組織的な奴隷化」の主張を裏付ける米側の政府・軍の文書は一点も発見されなかったことが明らかとなったと報道された。このＩＷＧ報告書について、日本政府は把握しているか。またこの報告書に関し、日本政府は何らかの反応を示したか」。

この井坂信彦衆議院議員提出「クマラスワミ報告に対する日本政府反論書に関する質問」に対する安倍晋三内閣総理大臣の答弁書は、以下のような内容であった（内閣衆質一八九第三三号、平成二十七年二月十三日）。

「一について　政府としては、今後とも、国際社会において、慰安婦問題についての我が国の立場が理解されるよう積極的かつ戦略的に対外発信に取り組むこととしている。国際社会の理解を得るのに何が最善の方法かについては引き続き検討を進めてきており、その中で御指摘の文書の公開の是非についても慎重に検討しているところである。

二について　御指摘の報告書は、米国の省庁間作業部会が同国の連邦議会に対して報告したものであると承知しており、政府としてコメントすることは差し控えたい」。

金学順と同様に、金君子（キム・クンジャ Kim Kun-ja）も、彼女の養父を責めることによる、慰安婦計画での経歴から始めた。養父は彼女を売ったと回顧している。彼女は「日本軍よりも養父を憎んだ」（Soh 2008 : 11; KIH 2016a）。それにも関わらず、２００７年に彼女は、米国の下院で、日本軍が彼女を誘拐したと語っている（Protecting 2007 : 30）。彼女は「駅の前の家」に住んでいたが、「17歳の時、いっしょにいた家族は彼女を使い走りのために家から出した」。そこで彼女は、「捕らえられ、連れ去られ」列車に乗せられた。列車には「大勢の軍人がいた。そして強制的に連れ去られた大勢の女性もいた」と語った。

我々すべての「性奴隷話」への思い込みのために、サラ・ソー以外の欧米の学者たちは誰一人として、関係している女性たちの信頼性について検証する労をとらなかった。その代わりに、一部の学者たちは、そのような検証は、（確かにそうかもしれないが）単に機転が利かないとか、ぶしつけであるに止まらず、限界を超える行為であると、あからさまに論じていた。しかしそれは学問的には正しい態度ではない。その一例を書けば、「話の声となった状態」は、「それを過激な、国家を超えたフェミニストのためのものとする、非常に重要な要素である」（Thoma 2000 : 29, 36）とし、別の者は、その真実性を検証することすら、「女性たちの証言を平凡にすることにつながる」と主張する（Yang 1997）。また、女性たちが嘘をついているもしれないと示唆することも、「〔性的な攻撃の犠牲者たちの〕信頼を貶め、彼女たちへの攻撃を幾分か容認する者のように描くという古臭い戦略を成り立たせるものである」としている（O'Brien 2000 : 10）。

C　文書としての証拠

最も著名な慰安婦の証言は、我々の大半に、以下を立証する物質的な証拠を示す責務を負わせることになる。その文書のつながりにより、ウィスコンシンの教科書が「強制した」としているように、若い朝鮮人の女性たちを日本軍が強制的に募集したとの主張を確証できるか（少なくとも矛盾はしないか）？　実際には、文書の証拠は存在しない。

欧米の歴史家たちが誰かを引用する場合も、活動家である歴史家吉見義明を引用する。もともとの20人の歴史家たちの議論でも、「日本政府の文書館の文献及び生き残ったアジア全域の慰安婦による証言に関する、歴史家吉見義明の注意深い調査により、国家が支援した性奴隷システムの必須の特性を議論の余地なく示してきた」とされている。しかし、実際には吉見は、いかなる朝鮮人女性に対しても、日本政府が慰安所で働くことを強制したとは、もはや主張していない(2013 : Yoshimi 2000 : 29)。その代わりに、彼は中国などの敵地での強制の証拠のみを詳述している（誰も論戦を挑んではいない）。

1992年に戻ると、吉見は慰安婦の募集に政府が関与していたことを示す文書としての証拠を確認したと、大いに宣伝していた（see 2013 : 58-59）。実際のところは、彼が見つけ出したのは、

1938年初期の覚書の内容に沿った文書だった（Gun'ianjo 1938）。

中国での事変に関連した作戦地域の近くの慰安所のために日本からの女性たちの募集について、いくつかの事象が、特別な注意を集めた。一部の仲介業者は軍からの許可を得たと主張している。彼らは軍の名声を傷つけ、一般の人々の誤解を招くおそれがあった。一部の仲介業者は、軍の記者や部外の同調者の介入を通じて、組織的ではない募集という社会問題を生み出すリスクを招いている。一部の人々は、選定された仲介業者を不用意に扱い、逆に、募集を誘拐に近い形態に変容させ、警察に逮捕され取り調べを受けるに至らせている。今後、募集は地域の軍と調整のうえ、仲介業者の選定を慎重に行わねばならない。彼らの行動の遂行に当たっては、仲介業者は、軍の名声を傷つけず社会問題を最小限に止めるため、信頼の置ける地域の警察及び軍との関係を維持すべきである。

この文書は軍が慰安婦を強制的に募集したことを示唆してはいないし、軍が慰安婦を募集したことも全く示唆してはいない。その代わりに文書は、政府が軍の駐屯地の近くでは、認可された売春宿で固めたかったことを示唆している。そのことは、政府が、女性たちを職業人として雇用するように仲介業者に推奨したことを示している。またそのことは、政府は一部の仲介業者が偽りの甘言により女性たちを募集したことを知っていたことを示唆している。

陸軍が右記の覚書を出したとほぼ同じ頃に、内務省は以下の省令を発している（Shina 1938）。

(a)売春のために旅行する慰安婦については、許可されたか効果的な売春を行うため、北部か中部の中国に赴き、21歳以上で、性病その他の感染症に罹患していない者に対してのみ、許可を与えること。

(b)手続き部門において身分証明書を受け取る際に女性たちは、契約に定められた条件の期間を終えるか、それ以上留まる必要がなくなった場合は、直ちに日本に戻ること。

(c)売春のため旅行する女性たちは、個人ごとに身分証明書を警察に届け出なければならない。

(d)売春の目的で旅行している女性たちに身分証明書を発行する際には、その処置が女性の人身売買または誘拐に該当しないことを保証するために、労働契約書について特に注意深く調べなければならない。

政府は、慰安婦の職業について正確に理解し、それを受け入れている女性たちのみが慰安所にいることを求めていた。政府は、一部の仲介業者が騙していることを知っていて、許可を与えた組織全体を解体することなく、それを止めさせようとしていた。

II 戦前の日本と朝鮮における売春

A 序論

日本軍は日本の許可された売春宿を慰安所のモデルにした。日本軍はすでに朝鮮と台湾その他の、芽を出しつつあった帝国の内外の裕福な国外居住者たちが生み出していた非公式の地域の内外で、その制度を採用していた。１９３０年代には、日本軍はこの制度を軍の駐屯地の近くの売春宿に対し許可を与えるための制度として採用した。

B 日本

1 免許を受けた売春婦（公娼）

戦前の日本では売春は許可されていた。芸者が座敷に出ると、いつもではないがその一部は性を提供した。１９２４年に日本では、５万１００人の許可された売春婦（娼妓）がおり、１万１５００カ所の許可された売春宿があった（Fukumi 1928: 50-56, 178 ; Kusama 1930 : 14-26）。最も一般的だったのは、数年に及ぶ年季奉公契約に基づく許可された売春婦であった。売春宿の宿主は女性（またはその両親）に定められた額の前金を、彼女がある期間、すなわち、（ⅰ）借金を払い終わるまでの期間、または（ⅱ）言明された契約期間のいずれかのより短いほうの期間働くことに同意することと交換で、支払った（Fukumi 1928 : 97-99, 115-16, 220 ; Kusama 1930 : 283 ; Okubo 1906 ; Ito 1931 : 229）。平均的な前金の額は１９２０年代の中ごろで、約１０００～１２００円であった。最も一般的な（契約の70～80％は）６年間であった。売春宿側は利息を課さなかった。典型的な契約の下では、売春宿主は売春婦の生み出した収入の３分の２から４分の３を得た。売春宿主は、その残りの60％を借金の返済に充て、その残りを売春婦の手元に残した（Chuo 1926 : 412-15 ; Kusama 1930: 206, 211; Fukumi 1928 : 70）。

現実には、売春婦は約３年間で借金を返済し売春を止めた。確かに、歴史家たちがしばしば主張するように、売春宿主は、売春婦に永久的に借金を負わせるために、食べ物や衣服への課金を操作することもできたに違いない。しかしながら、少なくとも大規模にはこのことはなされなかった。おそらく売春宿主は、多額の資金投資をともなう慣例を確立しており、当初の契約に違約すれば、その将来の募集のコストが高くつくことを認識していたのであろう。売春宿主は、ある売春婦と約束した、6年間が終われば彼女が稼いだ額に関わらず、借金から解放され売春を止めることができるとした約束を、一般的には守ったのである。

もしも売春宿主が課金を操作したり、あるいはその他の方法で、売春婦を借金漬けにするために騙したとすれば、多くの許可された売春婦は常に少なくとも30歳までは売春婦としてとどまったに違いない。許可された売春婦の最低年齢は18歳だった。1925年には東京に737人の21歳の売春婦、632人の22歳の売春婦がいた。24歳は515人、25歳は423人しかいなかったが、27歳が254人いた（Fukumi 1928：58-59）。同様に、もしも売春宿主が売春婦を「債務奴隷」として拘束したままにしていたとするなら、売春業における年ごとの売春婦の数は、6年以降も一定のはずである。しかし、4万2400人の許可された売春婦に対する調査結果によれば、38％が2年目または3年目であり、28％が4年目または5年目で、6年目または7年目はたった7％に過ぎなかった（Ito 1931：208-11；Kusama 1930：281）。5万人の許可された売春婦全体のうち、1万8800人の女性が1922年に新たに許可を得た売春婦であり、1万8300人が許可を返納している（Yamamoto 1983：388；Ito 1931：211-13）。約3年という一般的な在職期間と符合して、売春婦全体の約3分の1が毎年入れ替わっていた（Keishi 1933：96-98；Kusama 1930：227-28）。

簡単な計算（Keishi 1933：96-98；Kusama 1930：227-28）について考えてみよう。1925年に東京では4159人の許可された売春婦のもとに374万人の客が訪問した。食事と衣服への支払いとは別に、彼らは１１１０万円を支払った。この額のうち売春婦は31％、３４０万円、一人当たり６５５円を得たことになる。標準的な調整によれば、このうち売春婦は60％の３９３円を彼女たちの借金の支払いに当て、残りの２６２円を手元に残した。彼女たちは最初の借金１２００円を３年間で返済したことだろう。平均的な成人の１９２５年の工場労働者の賃金は、（男女ともの平均で、部屋と食事は提供されず）一日１・75円、１９３５年には一日１・88円だった（Shakai 1936 : 53; Ohsato 1966 : 68）。この賃金を稼ぐために、売春婦は１９２４年には毎夜２・54人にサービスしていた（Keishi 1933 : 96 ; Kusama 1930 : 220-21 ; Uemura 1929 : 492-501）。彼女たちは毎月約28夜働いた（Keishi 1933 : 96-98）。

２　第二の論理

この公認制度内の年季奉公契約は、経済的論理を直接反映している（Ramseyer 1991）。若い女性たちは、売春は危険であり、極めて厳しく、彼女たちの評判をあからさまに貶めることを理解していた。さらに、例え短期間で辞めたとしても、彼女たちの評判は傷つくことになることも理解していた。仲介業者は彼女たちに高額の賃金を約束したが、彼女たちは仲介業者が誇張するものだということを理解していた。

結果的に、若い女性が売春宿で働くことに合意する前に、その仕事にまつわる極端に否定的な特性に対する補償となるに足る高額の賃金が保証される必要があった。その仕事に従事することが評判を傷つけることがなければ、試しに数か月間その職場で働いて彼女がどれだけの賃金を得られるかを確かめることもできたかもしれない。しかし、短期間の就業でも評判が傷つくのであれば、彼女は仲介業者の言い分を即座に確かめることはできないだろう。

仲介業者はこの契約上の問題を、彼女の稼ぎの多くの部分を前金として支払うこと、及び彼女が働かねばならない年数に上限を課することで克服した。もしも売春宿主が彼女に前もって1000円支払い、6年間という上限の期間を設ければ、彼女は彼女が最小限どの程度稼がねばならないかを知ることになる。また彼女は、(最も多くの売春婦がしたことだが) もしも早く返済できれば、彼女はより効果的に毎月の賃金を稼げることも知っていた。

逆に、売春宿主はその売春婦が客を喜ばせるための誘因を生み出すことを必要としていた。売春婦は監視が不可能な環境の中で仕事をこなした。もしも売春宿主が (固定した6年間で1000円を当初支払ったように) 固定した賃金しか払わなければ、彼女たちは客を喜ばせるような誘因をほとんど感じ取ることはないだろう。最長6年間の勤務期間と早く辞める能力を組み合わせることにより、売春宿主は売春婦に客を喜ばせようとする誘因を与えた。客がより頻繁に売春婦を求めれば求めるほど、彼女はより多くの稼ぎを得られる。より多く稼げれば、彼女はより早く仕事を辞められる。

3　許可を受けていない売春婦（私娼）

この性サービス産業の市場においては、許可された売春婦の下に、独立して働いている許可を得ていない売春婦がいた。１９２０年から１９２７年にかけて、東京のすべての売春業の許可を得た売春婦のうち、62％が仕事を見つけることができたに過ぎない（Chuo 1926 : 6, 381-82 ; Kusama 1930 : 27-30, 36）。多くの許可を得ていない売春婦は、許可された売春宿主が雇用を拒否した売春婦だった（Kusama 1930 : 37）。歴史的な文献には、許可を得ていない売春婦についての信頼の置ける統計はないが、１９２０年代で約5万人という数を、他の信頼の置ける観察者が出している（Fukumi 1928 : 26-28, 32, 50-56, 178）。

許可を得ていない売春婦は名目上法規を犯していたため、彼女たちには、しっかりした売春宿で働くという選択肢はなかった。売春宿は評判を高めようとしていた。非合法の売春婦がより高い質のサービスを売り物にする売春宿で働くことができなければ、彼女たちはより少ない稼ぎしか得られなかった。１９３４年の秋田県北部における女性の労働者は、部屋と食事付きで年間８８４円を稼いでいた。バーの女給（酌婦、この言葉は許可を得ていない売春婦に対する一般的な遠回しの表現であるが）は５１８円、ウェイトレスは２１０円、その他の女性労働者は１３０円を得ていた（Shakai 1935 : 160-61）。

許可を得ていない部門はまた、客にもより高いリスクが伴っていた。法律によれば、許可を得た売春婦は性病の検診を毎週受け、性病に罹患した売春婦は治るまで仕事に復帰できなかった。1932年には東京の許可を得た売春婦の3・2％が性病その他の感染症に罹っていた。同じ研究では、許可を得ていない売春婦の9・7％が罹患していたとされている。他の研究によれば、許可された売春婦の1〜3％、許可されていない売春婦の間では10％以上が罹患していることが確認されている（Keishi 1933 : 143-44 ; Uemura 1918 ; Kusama 1930 : 288, 291 ; Fukumi 1928 : 93; Chuo 1926 : 433-35）。

4　からゆき

仕事のために日本人のビジネスマンが海外に赴任する際に、若い女性が付いて行った。外国には、彼らのために売春婦として働いていた女性たちもいた。日本人たちは彼女たちを「からゆきさん」、「海外を目指す女性たち」と呼んだ（Nihon 1920）。日本人の男たちは日本人の女性を好んだため、彼女たちはその地域での他の競争相手よりも実質的に高い稼ぎを得ていた。海外に移転するコストを考慮すれば、彼女たちは日本国内にいるよりも一般的には高い賃金を得ていた（Park 2014 : 451）。【訳注】

これらの海外在住の売春婦は、島原と天草という南の島九州の二つの離隔した共同体の出身者が多かった。彼女たちの大半が、このような小さな数カ所の共同体の出身者であるということから、彼女たちが嘘つきの仲介業者に騙されたのだという見解の妥当性には疑問がでてくる。虚言は、目標としている聴衆が、何がその発言の背後にかかっているかを知らないときにはうまくいく。しかし、若い女性（あるいは少女）たちは、小さな閉鎖的な共同体の出身であり、数年間そこを離れてもまた戻ってきて、彼女たちに起こったことを話した。彼女たちの言葉は人々に伝わり、共同体の他の人たちもその旅行がどのような結果になったかを学んだ。

作家の山崎朋子は1972年にこの歴史を探索するために天草に旅行した。そこで彼女は、オサキという名の年老いた元売春婦と友人になった。オサキは長年海外で働いていたが、彼女の話は、家父長制の抑圧でも性奴隷の話でもなかった。オサキは小さな村の各1人の男の子と女の子がいる家族に生まれた。彼女が生まれてから数年後に父親は亡くなった。母親には新しい愛人ができた。彼は母親の小さな子供たちには何の関心もなく、母親は子供たちを捨てて彼と結婚した。3人の子供たちは小さな小屋で一緒に食べ物をかき集めて生き延びた。他の女性たちは海外で売春婦として働き、かなりのお金を持って戻ってきていた。ある時、彼女の姉が自ら売春婦となり海外に働きに出た。

オサキが10歳を超えた頃、仲介業者がやってきて海外で働くことに同意すれば300円の前金を支払うと提案してきた。彼女は兄にこのことを相談し、兄が農業で身を立てられるのを助けるため、その仕事に就くことを決めた。彼女はマレーシアに行き、3年間女給として働いた。彼女は幸せだった。彼女の家族は彼女に白米のご飯と魚を毎日食べさせてくれた。それは天草での3人の子供たちの残飯をあさる生活に比べると天国だった。

13歳の時、彼女は家族のために売春婦として働き始めた。旅行代と3年分の部屋と食事の代金のため、彼女は2000円の借金をしていた。新しい条件の下で、客たちは短時間の泊まりで3円、一晩の泊まりで10円を支払った。売春宿主は半分を取り、部屋と食事代を提供した。残りの半分から、彼女は借金の返済にお金を回し、残りを化粧品代と服代に使った。もしも一生懸命に働けば、彼女は月に約100円を返済できることも分かった。

オサキは、借金を返済し終わる前に、彼女の宿主は死に、彼女はシンガポールの売春宿に移った。彼女は新しい宿主が嫌いだったので、ある日彼女と何人かの仲間たちは港に行き、マレーシアに戻る切符を買った。彼女は新しい売春宿主を見つけた。彼女は所有者の夫婦を気に入り、時には奥さんを「お母さん」と呼んだほどだった。そこに彼女は、英国人の在外人が彼女を妻に迎えるまで留まった。人生の後半になり、彼女は日本の故郷の町に戻った。

【訳注】『サンダカン八番娼館』に描かれた大正中期から昭和前期のボルネオの例では、（「からゆきさん」と呼ばれた日本人）娼婦の取り分は50％、そのうちで借金返済分が25％、残りから着物・衣装などの雑費

を出すのに、月20人の客を取る必要があった。「返す気になってせっせと働けば、それでも毎月百円ぐらいずつは返せたよ」というから、検査費を合わせると月130人に相当する（山崎朋子『サンダカン八番娼館 - 底辺女性史序章』筑摩書房、1972年。ISBN 978-4480810267）。

C　朝鮮での売春

1　事象

日本の移住者たちが朝鮮に移動し始めると、日本人たちは故国の許可された売春制度に似た共同体の制度を設立した。日本は1910年に公式に朝鮮を併合した。その新しい政府は1916年に朝鮮全土に新しい許可の規則を課した。それによれば、売春婦は若くても17歳以上（日本では18歳以上）とされ、定期的な医療上の診察を受けることが求められていた（Fujinaga 1998a; Fujinaga 2004; Kim & Kim 2018: 18, 21）。

日本人も朝鮮人も許可制度を利用できたが、日本人はよりそれを利用する用意があった。例えば1929年までには、1789人の日本人の許可を受けた売春婦が朝鮮で働いていたが朝鮮人は1262人だけだった。日本人の売春婦は45万300人を、朝鮮人たちの売春婦は11万700人を客にとった（年間日本人は252人の客、朝鮮人は88人の客をとったことになる）。

1935年には許可を得た日本人の売春婦は1778人に減ったが、朝鮮人の数は1330人に増加したにとどまる（Kim & Kim 2018：18, 21；Fujinaga 2004）。

大勢の朝鮮人売春婦が働いていたが、彼女たちは単に許可された枠組みの中で働いていただけではない。1935年に朝鮮では、414人の日本人女性たちがバーの女給として、4320人がキャバレーで働いていた（どちらも無許可の売春婦の遠回しの表現である）。朝鮮人の女性については、1290人がバーの女給、6533人がキャバレーで働いていた（Nihon 1994：58, 65, 76；Chosen 1906-42；Nihongun xx: 779）。

許可を受けた売春婦を募集するため、朝鮮の売春宿は日本以上に年季奉公契約を利用した。しかし、（潜在的な売春婦も潜在的な客もどちらも）朝鮮人たちは日本人たちよりも貧困だった。経済全般について、1910年から1940年までの間、朝鮮人の賃金に対する日本人の賃金比率は、1・5倍ないし2・5倍だった。1930年代に朝鮮人の男性は1日に1～2円稼いだ（Odaka 1975：150, 153）。

売春婦の価格は高かったが、日本人の売春婦は朝鮮人よりも高かった。ある説によれば、1926年には指名した朝鮮人売春婦の場合は3円かかった。朝鮮での日本人売春婦は6～7円かかった。客は許可を得た朝鮮人売春婦には一度に3・9円を払ったが、朝鮮で許可を得た日本人売春婦には1回で平均8円を払った（Kim & Kim 2018：26, 89, 96；Nihon yuran 1932：461）。（明らかに貧しい）朝鮮人の共同体では1929年には、許可を得た日本人売春婦は年間1052円を稼いだが、許可を得た朝鮮人売春婦は361円稼いだ（Nihon 1994）。

朝鮮人の収入が低かったため、朝鮮で働く日本人売春婦には朝鮮人売春婦よりも高い前払い金が支払われた。ある情報源（Okumura xx; Kim & Kim 2018: 96）によれば、朝鮮人売春婦は3年間の契約に対し、200～300円（時には400～500円）支払われたが、許可を受けた日本人売春婦には1000円～3000円（この金額は日本国内よりも高かったことに注意）支払われた。別の情報源によれば、許可された日本人売春婦は1730円を受け取った（Nihon 1994: 63）。

5年以内に辞めた日本での売春婦の経験と一致しているが、許可された朝鮮人売春婦は20代の半ばには売春業を辞めた。16％だけが25歳以上まで続けていた（Kim & Kim 2018: 97; see Ito 1931: 172-94）。別の情報源では、ソウル地区の1101人の許可された売春婦のうち680人が20～24歳であり、たった273人だけが25～29歳だった（Doke 1928）。

2　海外での朝鮮人売春婦

日本人の「からゆき」のように、若い朝鮮人女性たちも海外に旅立った。決定的に重要なことだが、1932年に上海の数カ所の売春宿が最初の「慰安所」になるよりもはるか以前に、朝鮮人女性たちは海外で売春婦として働いていた。１９２０代には既に、売春婦として働くために満州に旅立っていた（Fujinaga 2000 : 219)。おそらく彼女たちの一部は日本人を、一部は朝鮮人を、一部は中国人を常連客にしていたのだろう。

それらの最初の慰安所のずっと後に、許可を得ていない売春婦として朝鮮人女性たちは海外で働くために継続的に海外に旅立っていた。この場合も再び、様々の客がいた。例えば１９３７年には、天津の移民協会は、売春婦の81％が朝鮮出身だと報告している。１９３８年の１か月間に90人の朝鮮人女性が、許可を得ない売春婦として中国の済南で働くために、（日本統治下の）朝鮮政府に許可願いを出している（Kitashima 1938)。１９４０年の上海では、12人の朝鮮人女性が慰安所で働き、５２７人の朝鮮人女性が許可されていない売春婦として働いていた（Takei : 2012 : tab. 6 ; Zai Jokai 1938 ; Zai Jokai 1937)。

D　日本と朝鮮における募集

1　日本

戦前の日本には売春禁止を訴える多くの改革者がいたが、その誰一人として売春宿への仲介業者による若い女性の誘拐について訴えた者はいなかった。貧しい地方の共同体から離れ若い女性たちは売春婦となったが、誰かに売春業に就くように強要されたと訴えている者は極めてまれだった。改革者も、売春婦として働くために誰かが騙したと訴えたものはいなかった（Senda 1973：89）。そうではなく、改革者たちが訴えていたのは、女性たちの両親が売春宿に自分の娘を「（できるだけ高額で）効率的に」売ったことであった。一部の女性たちは、自分は望んでいなかったと述べている。しかし彼女たちの両親は、年季奉公の前払い金を得るために、同意するように娘を説得した。

海外の慰安所のネットワークについては、日本政府はありうる詐欺行為を制限するため募集活動の規制案を作成した。最終的な政府の規制によれば、日本政府は慰安所を運営することの政治的な潜在的リスクを承知していた。日本国内で改革者たちは数十年間にわたり、売春禁止のために闘っていた。規制の意味するところによれば、政府が必要としていた最終的な問題は、上海の売春宿で数年に及び売春に従事させるため、金銭づくで不正直な仲介業者にうぶな若い少女たちが騙されるおそれへの弁明だった。

この難問を回避するために、内務省は前に引用した覚書を出した（See I. C.）。その覚書では、慰安所の仲介業者は、売春婦として働いていた女性しか募集できないとされていた。女性たちが同意することで何をするかを知っていることを保証するために、警察は、それぞれの女性が個人ごとに契約書を提示しない限り、旅行許可証を発行してはならないと命じていた。また警察は尋問の際に、各申請者に対し、契約が無効になれば直ちに戻るように告げるように命じていた。

2 朝鮮

朝鮮では日本とは異なる問題があった。それは、歴史的に欺瞞《ぎまん》戦術にたけた、職業的な大規模な職業仲介業者たちの存在だった。1935年の朝鮮警察の記録によれば、247人の日本人、2720人の朝鮮人の仲介業者がいた。確かなことだが、（男性も女性も含め）これらの仲介業者たちは、工場労働者の仲介もしたが売春宿のための仲介もしていた（Nihon 1994 : 51; Yamashita 2006 : 675)。しかし戦前の数十年間を通じて、新聞では仲介業者による欺瞞が報じられていた。1918年のソウルの日本語日刊紙は、「非行青年が女性をソウルに騙して連れてきて、あらゆる欺瞞の手口を駆使し、〔いかがわしい料理屋〕に売り飛ばすという事件が急増している」と訴えている（Keijo nippo 1918 : Senda 1973 : 89)。1930年代の後半に、朝鮮の新聞は、50人以上の若い女性を集め売春業に就かせた、11人の仲介業者の一味について報じている（Toa 1937)。また100人以上を騙した、驚くほど巧みな夫婦について報じている。その夫婦は、両親にソウルで工場の働き口を彼らの娘の就職口として10～20円を支払うと約束しながら、それから娘たちを海外の売春宿に100～1300円で送り込んでいた（Toa 1939 : Yamashita 2006 : 675)。

E　慰安婦

1　性病

１９３０年代から１９４０年代初期の慰安所に関する大量の政府文書から、性病と闘うために日本政府が制度を確立したことは明らかである。確かに、別の理由もあった。政府は強姦を減らすことも欲していた。北部中国からもたらされた、陸軍のある見慣れない文書では、慰安所が軍内部の共産主義と戦う上で助けになることを示唆している（Kitashina 1939）。しかし第一義的には陸軍は、性病と闘うために慰安所を設立した。定義によれば、「慰安所」は、軍の厳格な衛生と避妊措置に従うことに同意する売春宿とされていた。

日本陸軍はそれ以上の売春婦は必要としていなかった。十分にいた。売春婦たちは陸軍の行くところにはどこにでも付き従った。そして彼女たちはアジアでも日本陸軍について行った。他方の日本陸軍は健康な売春婦を必要としていた。陸軍の１９１８年のシベリア出兵では、司令官たちは部隊の将兵の多くが性病に罹患し戦力を喪失したことに気づいた（Senda 1973：14；see estimates of days lost, Yamada & Hirama 1923：269）。１９３０年代に陸軍が中国全土に展開するようになると、地元の売春婦たちがひどい性病に冒されていることに気づいた。もしも軍人たちが売春宿をひいきにするとすれば、軍は軍人たちが性病に罹るリスクを検査するよう、売春宿に奨励することを欲した。

病気に罹るリスクを最小限にするため、陸軍はいくつかの手順を踏んだ。最初に、軍は軍の基準に同意する売春宿に許可を与え、それらを「慰安所」と名づけた。軍は、売春婦たちに毎週医療上の検査を受けさせることを、許可を出した売春宿に要求した。もしも売春婦たちが病気に罹ったなら、完治するまで客にサービスすることを禁じた。すべての客にはコンドームの使用を命じた（無料のコンドームが陸軍または売春婦から提供された）。売春婦たちはコンドームの使用を拒む客にサービスすることを禁じられた。軍は、すべての売春婦と客に性行為の後直ちに殺菌剤で洗浄することを要求した。また軍人たちにいかなる売春宿も許可された制度以外の売春宿の常連客となることを禁じていた。（原注2）

（2）Gunsei (1942) ; Shina (1942) ; SCAP (1945) ; Minami Shina (1942) ; Morikawa (1939) ; Mandalay (1943) ; U.S. Interrogation (no date) ; Hito gun (1942)

2　契約条件

慰安所では、日本と朝鮮での許可された売春婦たちにより使われていた契約に類似した契約書が慰安所の売春婦との間で交わされた。まず、契約は複数年の期間に及ぶものであった。戦争の前線近くで働くことには誰でも当然躊躇《ちゅうちょ》があることを配慮し、契約は通常2年間だけだった。日本では典型的な契約は6年間、朝鮮では3年間であった事を思い起こすべきである。一部の朝鮮人慰安婦はビルマでは6カ月から1年以内の契約期間で働いていた（e.g., Josei 1997 : 1-19）。

これらの相対的な短期間の仕事では、売春婦たちは前払い金として数百円を支払われた。1937年に上海の慰安所に募集された日本人女性の契約では、最高500～1000円の前払い金が支払われた（Naimusho 1938）。同様に、内務省の1938年の文書によれば、上海の慰安所に赴いた慰安婦たちは600～700円の前払い金を受け取っていたが、そのうちの一人は700～800円の範囲の前払い金を、二人は300～500円の範囲の前払い金を受け取っていた（Naimusho 1938）。

慰安所の典型的な契約は、日本と朝鮮の売春宿の標準的な契約から契約条件を真似ていた。1943年の軍のマラヤにおける慰安所についての規制の例を採り上げる。売春婦が稼ぐ全収入については、売春宿側は売春婦に彼女の未払いの借金の一部の返済に充てる。1500円かそれを超える場合は、収入の40%を売春婦に与え、もし1500円以下しかなければ、50%が支払われ、もし未払い金がなければ60%が支払われた。この比率のうち、売春宿主は3分の2を未払いの借金に充て、残りが直接売春婦に支払われた。さらに売春宿主は、彼女の名前で郵便貯金の口座を開き、彼女の稼ぎ全体に月3％の利息が付いた（Maree 1943; see also U.S. Office 1944）。契約していた期間が完全に終わり（または、より早く終わり）借金を返済したならば、女性たちは家に帰ることができた。慰安婦に関する調査において、千田夏光（Kako Senda）は、日本からの慰安婦募集を手伝っていた退役軍人と会った。明らかに彼は、彼が語っていることには自分自身の利害関係を持っていた。しかし千田が彼に「誰か1000円を（前もって）払い自由になった女性がいるか」と質問した時、「ああ、いた」と答えた。「たくさんいた。最初の連隊と一緒に行った者の中には、最も遅くても数カ月以内には払い終わり、自由になった者さえいる」と答えている（1973: 26-27）。

3　売春婦の収入

売春婦たちが前払い金以上稼いだ金額は様々であった。明らかに、契約の条件そのものが売春婦の稼いだ収入により異なっていた。学者たちはしばしば、売春宿の主人たちは売春婦たちを騙したに違いないと示唆する。どのような業界にも契約を破る者はいる。しかしその他の売春宿の主人たちは、彼らの売春婦たちに支払いをしていた。ある朝鮮人の出版社は最近、ビルマとシンガポールにおける慰安所の受付係が付けていた日記を再出版した。何回かその受付係は、売春婦たちが郵便貯金をしていて、彼らの代表としてお金を預け入れたと記録していた（KIH 2016b）。

実際に一部の慰安婦たちは自分で慰安所を開くほどのお金を稼ぎ貯金していた（Park 2014 : 111）。預金を残した朝鮮人の慰安婦については、文玉珠（ムン・オクジュ : Mun Ok-ju）が最も華麗な成功を遂げた。彼女は自分の回想録に以下のように記している（KIH 2016c）。

私はかなりの金額をチップから貯めた。……私はすべての軍人が彼らの収入を野戦の郵便局に貯金していることを知っていた。それで私は自分のお金を貯金口座に貯めることにした。私は軍人に個人的な同意書を作り口座に500円を入金するように頼んだ。……私は人生で初めて貯金通帳の持ち主になった。私は子供のころから大邱で乳母や街の物売りとして懸命に働いていたが、どれだけ懸命に働いても貧乏なままだった。私は自分の貯金通帳にそれほどの大金が貯金されるとは信じられなかった。当時大邱の家は1000円した。私は母に楽な暮らしをさせることができた。私は幸福で誇らしく思った。貯金通帳は私の宝物だった。

人力車に乗り買い物に行くのが楽しみだった。私はラングーンの市場での買い物の経験を忘れられない。多くの宝石がビルマで生産されるため、たくさんの宝石店があった。ビルマではルビーもヒスイも安かった。友達の一人はたくさんの宝石を集めていた。私は自分自身の宝石を持つべきだと思い、ダイヤモンドを買いに行った。

私はラングーンのありふれた女性になった。ラングーンには前線より多くの将校がいたので、私は多くのパーティーに招かれた。私はパーティーで歌を唄いたくさんのチップをもらった。

F　戦争の末期

日本政府は大戦末期の2年間に最も積極的に朝鮮人労務者たちを動員したが、学者たちはときどき、その時期に最も積極的に慰安婦が募集されたと示唆した。しかしその時期は、売春宿の人を充足しようとする時期ではなかった。その時代は、売春婦たちを売春宿から移動させ弾薬工場に動員する時代だった。

日本にとり戦勢が不利になり、軍では男性の数が枯渇し始めていた。1936年には、24万人が軍務に服していた。軍が中国に侵攻すると、その数は1937年には95万人に達した。さらに、1943年には358万人、1944年には540万人、1945年には734万人に達した。陸軍は40歳までの予備役の招集をかけるようになっていた。戦争末期には、60・9％の20〜40歳の男性が軍務に服し、200万人が戦死していた（Watanabe 2014：1，8）。

軍は補給品も枯渇しつつあった（see generally Miwa 2014）。陸軍が30歳代の予備役を招集し前線に送った時に、陸軍は彼らの代わりに鉱山や工場で働く者を必要とした。陸軍は若い朝鮮人たちを（彼らには日本人の市民権を与えていながら）陸軍に徴兵しなかった。しかし１９４３年には陸軍は大勢の朝鮮人男性をその鉱山や工場に送り始めた（Hatarakeru 1943; Romu 1943; Chosen 1944）。同時に、若い未婚の日本人と朝鮮人の女性たちを工場に送り始めた（Chosen 1944; Chosen 1945; Hatarakeru 1943; Higuchi 2005: 53）。

売春宿は政府の心配事の中の最も些細な事だった。着実に売春宿と高級料亭は閉鎖され始めた。陸軍は、目ぼしい日本人の男性はすべて、民間の生産現場から前線に移転していた。陸軍は、その穴埋めをするために朝鮮人たちを日本に送っていた。日本人と朝鮮人の女性たちを共に、家庭から出して弾薬の生産のための必須の作業に移した（Senso 1943; Hanto 1944; Chosen 1944）。朝鮮の赤い頬のリベット工のことを考えてみよう。１９４４年の『毎日新聞』は、釜山港で貨物船の修理をしている女性からの手紙を出版した。我々の国は我々を必要としている。彼女は、「ただ女性だというだけでは、自分たちを家庭に閉じ込めておけるという意味にはならない」と叫んでいた。全体的な荒廃の雰囲気の中で、売春婦たちは工場に送られていなくなり、売春宿は着実に廃業していった（Senso 1943; Hata 1992: 330, 333; Hakken 1943）。

Ⅲ　慰安婦狩り話の起源

A　吉田

日本陸軍が朝鮮人女性に慰安所で働くように強要したとの記録は１９８０年代に遡る。１９８２年に、吉田清治と名乗る物書きが、彼が指導した「慰安婦狩り」について語り始めた。彼は講演を行い、その話を１９８３年に彼が『私の戦争犯罪』と呼んだ回想記の体裁の本に書きこんだ。彼は１９４２年に山口の労務事務所（【訳者注】労務報国会下関支部）で働いていた。そこで彼は、朝鮮人労務者の動員作業の監督を行っていた。１９４３年5月に彼の事務所では、２０００人の朝鮮人労務者を集めるようにとの命令を受けたと、彼は書いている。もっとあからさまに言えば、事務所は「慰安婦」として働くため２００人の朝鮮人を獲得せよとの命令を受けた。

吉田は続けて、9人の軍人とともに済州島に行ったと、書いている。そこで彼は、「慰安婦狩り」を指導した。典型的な説明によれば、彼は（1983：108）、20～30人の女性たちが働いていた施設をみつけたことを回想している。彼と彼のチームは小銃を持って押し入った。女性たちが叫び始めたとき、近くの朝鮮人男性たちが駆け付けた。彼と彼のチームは女性たちの髪の毛をつかみ、彼女たちを引きずり出した。群衆はすぐに１００人以上になったが、吉田の軍人たちは銃剣を取り出しそれを彼女たちに突き付け追い詰めた。軍は彼女たちを港に運び、彼女たちの手を縛り、隣の者と結びつけたまま、軍の船に乗せた。

『朝日新聞』は、吉田の話を華々しく報じた（"Yoshida syogen" 2014；Hata 2018）。その報道とともに『朝日新聞』は勢いに乗り、吉田の話を近代の慰安婦「話」の核心にまで位置づけた。吉田は、ウィスコンシンの高校教科書が繰り返し書いている、日本の軍人たちが若い朝鮮人女性たちを「強制的に」「性奴隷」として働かせたとの話を始めた男である。また吉田は、１９９５年の日本政府に対する国連人権委員会による野蛮な攻撃に基礎を与えた男である（U. N. 1996）。

事実、吉田はその話を作り上げたのだった。吉田は大変読みやすい、長い対話で終わる回想録を書いた。著名な歴史家たちは最初から、彼の回想録の内容に疑問を呈していた。秦郁彦（1988, 2018）は、吉田の説に最初に疑問を呈した一人であり、済州島に調査のために旅行した。秦は、吉田がより大規模な慰安婦狩りの一つを行ったと語っていた村を見つけたが、誰もそのような襲撃については覚えていなかった。一人の老人は彼に、ここは狭い所だ。もしも日本軍が売春婦として女性たちを誘拐したのなら、誰もそのことを忘れないだろうと語った。

他の歴史家たちとレポーターたちも、彼らは日本人と朝鮮人だが、秦に続いた。吉田は最初その事件はあったと言い張っていた。彼はレポーターたちや学者たちを避け始め、結局、その本がでっち上げであることを認めた。1990年代の半ば頃には、日本人の学者たちは吉田の説を創作として片づけた。20人の米国の歴史家によりあれほど讃えられている吉見義明ですら、1993年に「私には〔吉田の〕言明を証言として使用はできないと結論付けるほかに選択肢はなかった」との決定を下している（Zaishuto 2014）。

1982年以来、『朝日新聞』は吉田のセンセーショナルな説を12本以上の記事にしてきた。2014年に同新聞は、それらが「誤報」であると表明し、すべての資料集から削除した（"Yoshida shogen" 2014 ; Jiyu（2014）; Zaishuto 2014 ; Asahi shinbun moto 2014）。「今年の4月から5月にかけて、我々は約40人の済州島の住民に1970年代中ごろから1990年代にかけてインタビューをした。我々は、吉田氏による強制募集証言を裏付けるいかなる証言も得ることができなかった」と述べている。さらに、「したがって、我々は吉田氏の彼が済州島から強制的に慰安婦を募集したとの証言は詐欺であると結論付けた」と続けている（Zaishuto 2014）。極めて少数の慰安婦による証言（その最も有名な者はすでに引用した人だが）以外に、誰も吉田の「狩り」のいかなる証拠も提供してこなかった。【訳注】。

【訳注】女子差別撤廃条約第7回及び第8回政府報告審査（2016年2月16日、ジュネーブ）において、杉山外務審議官は以下の趣旨の発言を質疑応答において行っている。

「日本政府は、日韓間で慰安婦問題が政治・外交問題化した1990年代初頭以降、慰安婦問題に関する本格的な事実調査を行ったが、日本政府が発見した資料の中には、軍や官憲によるいわゆる「強制連行」を確認できるものはなかった。

「慰安婦が強制連行された」という見方が広く流布された原因は、1983年、故人になった吉田清治氏が、『私の戦争犯罪』という本の中で、吉田清治氏自らが、「日本軍の命令で、韓国の済州島において、大勢の女性狩りをした」という虚偽の事実を捏造して発表したためである。この本の内容は、当時、大手の新聞社の一つである朝日新聞により、事実であるかのように大きく報道され、日本、韓国の世論のみならず、国際社会にも、大きな影響を与えた。しかし、当該書物の内容は、後に、複数の研究者により、完全に想像の産物であったことが既に証明されている。

その証拠に、朝日新聞自身も、2014年8月5日及び6日を含め、その後、9月にも、累次にわたり記事を掲載し、事実関係の誤りを認め、正式にこの点につき読者に謝罪している。

また、「20万人」という数字も、具体的裏付けがない数字である。朝日新聞は、2014年8月5日付けの記事で、「『女子挺身（ていしん）隊』とは戦時下の日本内地や旧植民地の朝鮮・台湾で、女性を労働力として動員するために組織された『女子勤労挺身隊』を指す。（中略）目的は労働力の利用であり、将兵の性の相手をさせられた慰安婦とは別だ」とした上で、「20万人」との数字の基になったのは、通常の戦時労働に動員された女子挺身隊と、ここでいう慰安婦を誤って混同したことにあると自ら認めている。

なお、「性奴隷」といった表現は事実に反する。

日韓両政府間では、慰安婦問題の早期妥結に向けて真剣に協議を行ってきたところであるが、先ほど申し上げたとおり、昨年12月28日、ソウルにて日韓外相会談が開催され、日韓外相間で本件につき妥結に至り、慰安婦問題が最終的かつ不可逆的に解決されることが確認された。同日後刻、日韓首脳電話会談が行われ、両首脳はこの合意に至ったことを確認し、評価をした。

（中略）先の大戦に関わる賠償並びに財産及び請求権の問題について、御指摘の点も含め、日本政府は、米、英、仏等45か国との間で締結したサンフランシスコ平和条約、それだけではなく、その他の二国間の条約等、これは、日韓請求権・経済協力協定も含むし、日中の処理の仕方も含むが、こういったものによって、一々を細かく法律的に説明することはしないが、誠実に対応をしてきており、これらの条約等の当事国との間では、個人の請求権の問題を含めて、法的に解決済みというのが、日本政府の一貫した立場である」。（外務省ホームページ、令和5年7月4日アクセス）。

B　外交の不在

1991年に金学順は彼女自身が公に慰安婦と認めていた。彼女が最初で、翌年には彼女とその他の数名の慰安婦が（その仕事に強制的に就かされていたと称する数名の男性とともに）日本政府に対し補償を求め訴えた。訴訟は2004年に最高裁判所に提訴されたが、法廷は、1965年に韓国政府は日本に対する市民によるすべての請求権を放棄したとの、極めて明白な（かつ明らかに正当な）理由で請求を却下した。（原注3）ある情報源は以下のように訴訟を要約している（S. Korea 2005）。

韓国は、それ以上の補償要求をすることも、政府レベルでも個人レベルでも、日本からの8億ドルの無償供与と長期低利貸し付けを1910～1945年の間の植民地支配に対する補償として受領して以降は、決して行わないことに同意した。【訳注1】

（3）［名前は不明］v. Koku, 1879 Hanrei jiho 58（Sup. Ct. Nov. 29, 2004）。少なくとも他の二つの訴訟が提起されたが、最高裁において同様に却下された。「財産及び請求権に関する問題の解決並びに経済協力に関する日本国と大韓民国との間の協定」を参照（Treaty No. 27, 1965）【訳注】原文では前記の協定の正式名称の日本語読みに英文を付記しているが、英文は省略。
【訳注1】なお、以上は韓国側の見解であり、日本側はこの協定でも、1910～1945年の間の植民地支配に対する賠償として支払ったとする韓国側の見解には同意していない。あくまでも日韓の請求権問題の最終解決のための措置であり経済協力の一環という立場を貫いている。

他方、日本政府は1992年に公式に慰安婦に対し謝罪した。国会は政府に対し事態を正常化するように命ずる決議を通過させた。そこで政府は、最終的に50億円を上回る補償基金を政府の予算から出して、さらに民間の寄付を呼びかけた。各慰安婦に対しては一律に200万円とその他に治療のために300万円を支払うことを提案した（Digital n.d.）【訳注】n.d. は、no date 日付不明の意味。

しかし議論は収束しなかった。1996年に国連人権委員会は慰安婦に関する呵責《かしゃく》のない報告書を出した（2016）。2000年から慰安婦たちは数回にわたり米国の法廷に日本政府に対する訴訟を提訴した（Columbia n. d.）〔が一度も成功したことはなかった〕。2007年に米国議会下院外交委員会は独自の批判的な報告書を出した（Protecting 2007）。

2007年に日本の国会はもう一つの謝罪を通過させ、2015年安倍首相はさらに別のものを出した（しかし、彼は以前の謝罪にまで逆行したと非難された）。外務大臣がそれについて、「〈慰安婦〉として計り知れない苦痛と癒しがたい物理的かつ心理的な傷害を受けたすべての人々に対し、新たな真剣な心底からの謝罪と悔恨の念を表する」と述べた。日本政府は新たに800万円の補償金を追加し、韓国政府はそれ以上の要求はしないことに合意した。彼らが互いに約束した、その取引は「最終的かつ逆行することのない」ものだった（Choe 2015）。

しかしそうはならなかった。韓国の政府により指名された委員会が、2015年の合意に対する不満を宣言した（Choe 2017）。2018年の初期に、新たに選出された文在寅（ムン・ジェイン：Moon Jae-in）大統領は、2015年の合意は「真実と正義に反するだけではなく、犠牲者としての視点が反映されていないことから、無効である」とし、いずれにせよ「真剣さ」が不十分であると表明した（Choe 2017, 2018 ; Choe & Gladstone 2018）。韓国の最高裁判所は、1965年の条約があろうとなかろうと、1940年代に日本の工場で働くために徴用されたと訴えている朝鮮人たちは会社を訴えることができるとの見解を支持した（Choe 2018；Choe & Gladstone 2018）。文政権は2015年の合意を、それを実現するために設立された基金を清算することにより、効果的に無効化した（South 2018）。さらにこの措置により何の混乱ももたらされないかのように、韓国の警察は2019年1月に、前最高裁長官を、日本の会社に対する労務訴訟を止めようとしたとの罪で逮捕した（Choe 2019）。

Ⅳ　挺対協問題

A　「対抗言説」

慰安婦たちは、「性奴隷話」を何度も繰り返して語り注目を浴びていたが、別の人たちは別の話を語っていた。これらの他の人たちは嘘をついていたのだろうか？　もちろん、そうかもしれないが、このような話をすることにより、彼女たちがどのような利益を得るかを見出すことは困難である。彼女たちに会って話を聞いた、パク・ユハ（朴裕河：Park Yu-Ha）、サラ・ソー、千田夏光などの学者は、この議論について党派性はない。

これらの他の慰安婦たちの言葉によれば、一部の慰安婦と軍人は互いに共感と同情を抱いていた。売春婦たちは下品で危険な仕事をしていたが、兵士たちは二流の階層の出身だった。大半の売春婦たちはろくでもない両親に売られてきたが、兵士たちも同様に意に反して徴兵されていた。彼らはほぼ同年代だった。それを間違った意識であると言われるかもしれないが、一部の慰安婦と軍人は時々恋に陥った。

朝鮮人の慰安婦文玉珠（ムン・オクジュ）は、日本軍人山田イチロウ（Ichiro Yamada）の恋人になった思い出話を懐かしんで語っている（KIH 2016c）。

> もしも彼が週一回の休日に姿を見せないと、私は彼が戦場で敵に殺されたのではないかと心配になり、おろおろして仕事がまともにできなかった。彼はそれほど私に心配をさせた……。私は山田イチロウの無事を祈った。2カ月から3カ月後に、山田が所属していた部隊が前線から戻ってきた。山田は元気に戻って来た。彼はすぐに慰安所に来た。彼は「私、山田一等兵は、ただ今前線から復帰しました」と言い、私に敬礼をした。私たちは歓喜の中、互いに抱きしめあった。そのような日は余りに特別な日だったので、慰安所の主人の松本（彼

は大邱出身の朝鮮人だったが）は、店を閉めたほどだった。慰安所には興奮が渦巻き、私たち慰安婦は兵士たちに大宴会を催すために一人当たり1円を寄付した。

慰安婦たちも兵士たちも、彼らは、同じ理由でそこにいたと、ムンは回顧している。「兵士たちと慰安婦たちは同じ思いを持っていた。それは、自分たちは天皇陛下のために懸命に働かねばならないということだった。兵士たちは妻と自分の子供を持つことも、自分が生きながらえることも諦めていた。私は、彼らを慰さめるために、彼らと会話をすることでできる限りのことをした」。同様に、もう一人の慰安婦も次のように述べている（Park 2014: 80）。

一部の男たちは怖がり、戦場に行く前に泣き出す者もいた。そのような時に私はいつも、彼らを慰めようとして、「きっと生きて家に帰れるよ」と言った。そして本当に彼らが生きて帰ってきたときには、私は幸せだった。

兵士たちにとり、「慰安婦」と過ごす時間は、学者のパク・ユハが述べているように、「個人的な空間」を提供される時でもあった。そこでは、感情を表に出し、軍の環境では許されないことも語ることができた。ある慰安婦は以下のように回想している（Park 2014 : 85-86）。

一部の男たちは互いに話し合いたいので来た。……彼らは私に、彼らの真情を語りたかったのだ。……彼らは家に置いてきた妻を思い出し、座り込みそして泣いた。……彼らは妻のことを思い、私たちのような他の女性とは関係を持とうとはしなかった。彼らは何もせずに去っていったが、それでもまた来た。……彼らは酒を飲んでいる間は話したがった。多くの男が、性交渉をすることもないのに来た。

ある日本人の慰安婦が日本本土から来た男たちとの出会いを楽しそうに語った（Senda 1973: 81）。

幸せな時って、何だろうか？　それはたぶん四国から来た兵士たちに会うときだ。彼らが（愛媛や松山のように）私の故郷に近ければ近いほど、私は幸せになった。兵士たちも同じだった。中には性交渉すらしようとしない者もいた。彼らは私とただ故郷での祭りや山や川の話をしゃべっただけだった。兵士たちはそれだけで満足しているように見えた。

時には兵士たちは結婚を申し込んだ。時には兵士たちと慰安婦たちは実際に結婚した（Park 2014: 86）。朝鮮人は日本人ではあったが、二級国民だった。慰安婦たちの多くがそうであったように、兵士たちも同様の立場で国家に奉仕した。彼らはそれぞれの困難な仕事を果たしていた。しかし、ある一人の慰安婦は「我々はどちらもこのことを天皇陛下の命令の下で行っていたし、そうせざるを得なかった」と述べている（Park 2014 : 84）。

一部の駐屯地では、それはおそらくは多くの駐屯地でそうだったと思われるが、結果はもっと決して攻撃的なものではなく（ましてや強姦というにはほど遠い）、もっと奇妙に家庭的なものだった。陸軍における生活は情け容赦のない戦闘ばかりではなかった。何週間もの待機の日々もあった。そのよう静穏な日々については、パク（2014 : 70-71）を参照。男たちも女たちも互いに慰みを見出していた。この議論の中で引用されたすべての説明のように、懐疑的なコメントも出されるだろうが、パクは次のような一人の中尉の言葉を引用している。

もしもあなたが同じ慰安婦とともにある駐屯地に長く駐屯していると、妻のように感じるようになる。……兵士たちは彼女たちを大切にした。そして慰安婦たちもそれに親切に応じた。彼女たちの休日には、時には彼女たちは兵士たちのために、地元の産物を持って来たり、洗濯を手伝ったりした。時には、慰安婦たちは兵士たちが機関銃の手入れをするのを座り込んで見つめていた。……それはくつろいだ時間だった。兵士たちは彼女たちと食事を共にした。このような駐屯地での兵士たちと慰安婦たちとの関係は、他のどの駐屯地でも見られた。

B　沈黙させられた慰安婦たち

それに代えて普遍的な虐待と強姦を執拗に主張することにより、現代の朝鮮の超民族主義者たちは、多くの慰安婦たちの過去を盗み去ったと、パクは書いている。民族主義者たちは教化のための歴史を組み立てることを、極めて自覚的に開始した。その目的のために、彼らは、過去に対し、占領者である日本人に対する熱狂的な反対から生まれた愛国主義を押し付けた。しかしそうすることにより、多くの慰安婦たちから、平穏裏に彼女たちの思い出に生きる機会を奪ったと、パクは述べている。

朝鮮人たちは日本人だった。確かに、日本政府は彼らを多くの面で二級国民として扱った。日本は朝鮮半島を征服し１９１０年に併合したが、親切心から征服したわけではなかった。１９１９年まで、一部の朝鮮人たちは暴力的な独立運動を展開していた。

しかしすべての朝鮮人が、独立運動の敵意に満ちた反日意識を分かち持っていたわけではなかった。固有の王朝が腐敗し非効率であったところに、日本政府は安定した秩序をもたらそうとした。多くの朝鮮人はこの新しい体制を受け入れた。１９３８年から１９４３年の間、１００万人以上の朝鮮人が日本陸軍に志願した。軍に入った彼らの中には、将校団の一員として服務し、将軍の地位まで昇り詰めた者もいた（Miyamoto 2017: 8）。

対立する忠誠心の覆うこの世界で、慰安婦たちは兵士たちと共通した国家意識を持っていたように思われる。彼らの間の愛情と同情心は、この帰属意識から出ていた。これらの記憶さえも、民族主義者たちは彼女たちに「放棄」を強要したと、パクは書いている（2014 : 83）。戦後数十年間、「朝鮮それ自体はこれらの女性たちと同様に、その記憶を消し去ることで生きてきた」。新たに発明された集団的歴史という唯一の「帰属意識」では、慰安婦たちは「日本により虐げられた犠牲者」であることのみを許していた（Park 2014 : 152）。慰安婦たちが「日本の軍人たちを愛した」とか、彼女たちが「日本の謝罪を受け入れた」といった歴史が占める場所はそこにはない。貧しい若い女性たちが「家族のために良かれと自ら納得して犠牲になった」という歴史も、その占める場所はない（Park 2014 : 15）。

C　挺対協

日本との大半の論争の核心には一つの組織が横たわっていて、日本との和解に情け容赦のない反対を扇動するのを支援するために、作り物の民族主義者たちの歴史を操っている。それは「挺対協（Chong Dae Hype）」、「軍の性奴隷として徴集された女性のための朝鮮協議会」である（KIH

2016d)。挺対協は、毎週ソウルの日本大使館前での抗議集会を組織している。挺対協は、実際に慰安婦になった20歳の女性ではなく、実在しなかった15歳の少女の慰安婦像を世界中で建て始めた。挺対協は元慰安婦たちに対して、日本からの補償金を受け取らないように圧力を加えた(KIH 2016d)。さらに挺対協は、「性奴隷話」に疑問を呈する学者たちを民兵のように監視している(Chi 2005 ; Gunji 2013)。

挺対協は慰安婦による公の場での証言を大幅に統制している。挺対協は、自らすすんで性奴隷話を支持する慰安婦たちを選び、その他の者は脅《おど》して黙らせている。これに連携して、このことをする能力を維持するため、最も目立つ慰安婦たちのための、「ナヌムの家」と呼ばれる老人ホームという作戦を採った(Soh 2008 : 96)。ナヌムの家の女性たちは、最も自発的に証言をする女性たちだった。ナヌムを統制するのを支援することにより、挺対協は学者やレポーターたちが会う者と慰安婦たちが話すことを統制している。政治学者のイ(Yi)(2018)は、「流布されている誘拐話は、(1990年代に登録されていた238名のうちの16名という)少数の女性たちの口頭の証言に基づくものであり、彼女たちは(例えば、ナヌムの家[すなわち、老人ホーム]:朝鮮協議会[すなわち挺対協]などの)活動団体と関係がある」(Yi 2018)。

日本と朝鮮とのいかなる和解も妨害することにより挺対協は、直接的に北朝鮮の政治的最終目標を促進しており、そのことが最も重要な点であると思われる。パク(KIH 2016d)はその点について、挺対協は「慰安婦問題を政治的目的に利用してきた。その目的とは、日米・韓国の安全保障上の友好関係にくさびを打ち込むことである」と説明している。当初、北朝鮮の共産主義者たちにより組織されたが、組織は韓国政府により北朝鮮との関係団体として指定された（KIH 2016d）。その長期にわたる古参メンバーの尹美香（ユン・ミヒャン：Yun Mee-Hyang）は、2013年に彼女自身の北朝鮮とのつながりについて尋問を受けている。彼女の家族の他のメンバーは何年間も、北とのつながりを維持してきたのか否かについて、論争と訴訟沙汰になってきている（なお、2018年に裁判所は、それはなかったとの判決を出している）。

その可能性のある北朝鮮との関係が示されるにつれて、多くの慰安婦たちの間で挺対協に対する激しい怒りが生まれた。2004年には、数人の慰安婦たちが彼女たちに運動の統制権を取り戻そうとして挺対協に対し訴訟を起こしていた（Moto 2018）。しかしながら、グループはまだ組織に統制されたままであり、他の残りの慰安婦たちをよりうまく恫喝《どうかつ》するようになっている。朴裕河（パク・ユハ）自身は、グループが彼女たちにインタビューをすることを許可してきたことに疑問を感じるようになったと、以下のように告白している（KIH 2016d）。

私は、2000年代の初めに、挺対協がナヌムの家と呼ばれる老人ホームに生き残りの慰安婦たちを閉じ込めていることを耳にして、「慰安婦としての」利益を取り戻すようになった。

唯一これらの慰安婦たちが外部の人と話ができるのは、挺対協が国連特別親善要員または米国の政治家たちに証言するために彼女たちを必要としたときだけだった。しかしある理由で、私は2003年のある日に彼らと話すことが許された。

ナヌムの家の女性たちですら挺対協と一緒では幸せではなかった。パクは以下のように続けて述べている（KIH 2016d）。

私は、女性たちはこの場所に閉じ込められていて幸せではないということを感じ取っていた。一人の（バク・チュンへ〔Bac Chun-hee〕という）女性が、日本の軍人と恋に陥った思い出話を私に語った。彼女は自分を売った父親を憎んでいたと言った。彼女はまた、そこにいる女性たちは、挺対協により教え込まれた嘘の証言を評価していなかったが、挺対協の命令に従うしかなかったと、私に言った。

挺対協は、1995年に日本政府が最初の女性たちに対する補償を提供した時に、その恫喝の効果に手ごたえを感じた。挺対協は、将来の和解を妨害することを決定し、女性たちに補償金を受け取ることを拒絶するように命じた。しかし一部の者はやっとのことで補償金を手に入れた。

パクによれば、それは以下のように展開した（KIH 2016d）。

日本が日本女性基金を通じて1995年に補償の提案をした時に、61人の元慰安婦たちは挺対協の命令を拒否して補償金を受け取った。これらの61人は裏切り者として中傷された。彼女たちの名前と住所が売春婦として新聞に公表され、彼女たちは残りの人生を不名誉のうちに過ごさなければならなくなった。

朝鮮系アメリカ人の人類学者のサラ・ソー（2008：101）は、彼女たちの恐怖を確認している。一部の慰安婦たちは新聞種として留まるために、新しい劇的な話を創り出していたが、「他の韓国の生き残りの女性たちは、政府の確認過程の冒頭尋問の後に、それ以上インタビューを受けることは固く拒絶した」。ソーは、「彼女たちは、『証言を言い間違える』ことにより、それが登録の取り消しと彼女たちの生活費支援の中断を招くことを恐れて、沈黙を守った」と説明している。

D　学術界の異論

南朝鮮の同盟国とともに、挺対協は異論を唱える者に厳しい圧力を加えてきた。バク・ユハ

（2014：28）は、民間が所有している慰安所の女性たちは、日本軍ではなく民間の仲介業者が集めたことを強調した。より直接的ではないが、サラ・ソー（2008：240）も同様のことを示唆している。二人の朝鮮人の女性学者だけが、日本軍が慰安所の女性たちを強制的に徴収しなかったと書いたという訳ではない。

朝鮮先端科学技術研究所のジュン・ボングァン（Jun Bog-Gwan）教授は、パクの先行論文を見直し以下のように述べている（KIH 2016e）。

本を読んだ後、私は少し失望を覚えた。私が知らなかったことは何も書かれていなかったからだ。我々は皆、朝鮮人の慰安婦たちは日本軍により強制的に連行されたのではないことを知っていた。朝鮮人の慰安所所有者たちが朝鮮半島で女性たちを募集し、戦場の慰安所を経営していたのだった。

要点は以下のような常識にあるようにみられる。すなわち「日本陸軍はアジア中で戦うのに忙しく、朝鮮で女性を募集している時間などなかったに違いない」ということである。

ソウル国立大学の安秉稷（アン・ビュンジク：Ahn Byung-jik）名誉教授も同様の常識を抱いている。ソー（2008：193）は、アンが、「朝鮮人が、慰安婦を募集し売春宿を運営していた者の過半数を占めていた」と評価していることを記している。アンはジュンに呼応して、「その業界の朝鮮人たちが募集した。基本的に、軍には女性たちを強制的に徴集する必要はなかった」と説明している（Ianfu 2013）。

常識が問題になっていることもない。サラ・ソー（2008: 102）は、朝鮮では、「評価に値する歴史家や社会科学の分野で国家的によく知られている学者たちで、慰安婦をめぐる論争における真実についての問題解決に関わろうとする者はほとんどいなかった」と見ている。

ソウル国立大学の経済学者の李栄薫（イ・ヨンフン：Lee Young-hoon）名誉教授は、慰安所について「陸軍のための売春婦の規制された家」と述べている。さらに特に以下のように述べている（Nishioka 2017 ; Seoul 2016）。

> 慰安婦制度は軍の統制下にあった許可された売春だった。……慰安婦たちは性奴隷ではなかった。……朝鮮人の慰安婦は前払い金と全くの嘘、偽りという手段で募集された。……20万人の朝鮮人慰安婦がいた証拠は全くない。その数は約５０００人である。

２００４年に李はテレビで歴史について説明した。李は、どの学者も、誰一人として、日本政府が「女性たちを強制的に動員した」と考えてはいないことを暗に示唆した。

ほぼ即座に挺対協が野蛮なキャンペーンを開始した。挺対協は、彼は辞職すべきだと表明した。もしも彼が拒めば、ソウル国立大学は彼を解雇することになるだろう。李はやがて気持ちを落ち着かせてから、ナヌムの家の女性たちを訪問した。李は手短に説明しようとしたが、女性たちはひどく怒りだした。レポーターによれば、女性たちは40分にわたり彼をがみがみとしかりつけた。ある女は、「東忠川〔Tondochon〕ソウル北部にある在韓米軍第二陸軍師団の駐屯地、キャンプケーシー（【訳注】Camp Caseyとも呼ばれる）で体を売っている者たちと私たちとを比べるなど考えられない」と叫んだ。金君子（キム・クンジャ：Kim Kun-Ja）は「もしできることなら彼をなぐってやりたい」「私たちは強制的に連れ去られたのだ」と言った。李は彼の両手と両ひざを着いて謝罪した（Lee 2004；Ianfu 2004）。

ある朝鮮人の政治学者はサラ・ソーの本を授業で論じた。彼の大学は彼を停職させ「日本の戦争犯罪を支持した」との罪状で彼を尋問した。彼は自分の職場に復帰するために、「彼は謝罪の手紙を書いた」（Yi 2018）。

経営学の教授池萬元（チ・マンウォン：Chi Man-won）は、元慰安婦と自称している者の大半は、慰安婦として全く働いたことはなかった、もちろん慰安婦は実際にいたが、その大半は「ひどい経済的苦境のために、性的な取引の世界に入ることを望んだ人々だった」と語った。挺対協はこれを名誉棄損罪だと宣告し、犯罪として刑事訴追するように地方検察局に請願した（Chi 2005；

Gunji 2013)。

チがその後どうなったかは明らかではない。しかしパク・ユハ自身がどうなったかは分かっている。彼女が書いた本のために彼女は、ソウル検察官たちは彼女を名誉棄損罪で起訴し、懲役3年を求刑した。地方裁判所は彼女を無罪放免にしたが、高等裁判所は判決を覆し8848ドルの罰金刑を課した。裁判は今最高裁判所に上訴されているところである（Togo 2017; South 2017)。［2023年10月26日 韓国大法院（最高裁）により、無罪判決が出されている―訳注］

経済学教授のヨン・ソヨン（Yon So-yon）は授業で、慰安婦は「志願した売春婦である。彼女たちが強制されてその立場になったという説は、何ら根拠となる事実のない創り出された歴史である」と注釈した。大学は直ちに彼を解雇し、検察官たちは名誉棄損罪で起訴し、2018年に地方裁判所は彼に懲役6カ月の判決を下した（Hannichi 2014 ; Ianfu 2018 ; Jitsuwa 2018 ; Kankoku 2018)。

V　結論

我々欧米における「性奴隷話」に対するこだわりが、朝鮮や日本よりも、我々自身の学術界の研究課題としてより多くの関心を集めていることに驚きを禁じ得ない。その話は三連勝単式（【訳注】三つの予想がすべてその順で当たること）を我々に約束している。ある学者はそれを「性差別主義、人種差別主義、帝国主義」の結合であると述べている（O'Brien 2000：5）。それは「男性優位主義、人種差別主義、国家主義が最悪の形で」結合された一連の事件であると、別の者は書いた（Low 2003）。我々が知的な世界を秩序づけるための誘因となるような多くの話に直面して、おそらく我々は事実そのものを見るのが困難になったのだろう。我々は、疑問を呈する人たちを「否定論者」という不可触賤民のような立場に置き、挺対協の背後にある路線に同調してしまった。

20人の歴史家たちはそれを「国家が支援した性奴隷」と呼んだ。どう呼ぼうと勝手だが、軍が強制的に募集したという「話」は、単なる虚偽である。虚偽であるとすれば、（i）ありそうにもない、（ii）それに関する文書としての証拠がない、（iii）いくつかの確証のない口頭の説明のみに基づいている、（iv）金銭的かつ政治的にその関わっている利益が吊り上がった後で自分たちの話を変えた一部の者たちにより語られた、（v）あまり大したことのない左翼組織により攻撃的に推し進められている、（vi）その説明に異議を唱えている教授たちを犯罪者として検察当局が起訴しているという環境の中でのことである、といった諸事実を同時に説明できる。

【参考文献】

“Asahi shimbun moto kisha［Former Reporter for Asahi Shimbun］”, Zakzak, Aug. 5, 2014..
「朝日新聞元記者」（zakzak 夕刊フジ）２０１４年８月５日

Bentley, Jerry H & Herbert F. Ziegler. 2011. Traditions & Encounters, 5th ed.（McGraw-Hill）.

Chi Man-Won shi “gi no ianfu”［Chi Man-Won “Fraudulent Comfort Women”］, Chuo Nippo, Apr. 14, 2005, available at: https://japanese.joins.com/article/j_article.php?aid=62513&sectcode=400&servcode=400.
池萬元「偽の慰安婦」（中央日報）２００５年４月14日

Choe, Sang-Hun & Rick Gladstone. 2018. How a World War II-Era Reparations Case Is Roiling Asia, N.Y. Times, Oct. 30.

Choe, Sang-Hun. 2015. Japan and South Korea Settle Dispute Over Wartime “Comfort Women”, N.Y. Times, Dec. 28.

Choe, Sang-Hun. 2017. Deal with Japan on Former Sex Slaves Failed Victims, South Korean Panel Says, N.Y Times, Dec. 27.

Choe, Sang-Hun. 2018. South Korean Court Orders Mitsubishi of Japan to Pay for Forced Wartime Labor, N.Y. Times, Nov. 29.

Choe, Sang-Hun. 2019. Ex-Chief Justice of South Korea Is Arrested on Case-Rigging Charges, N.Y. Times, Jan. 23.

Chosen no rodosha［Workers in Korea］, Mar. 10, 1945, in Suzuki, et al.（2006: 2-563）.
朝鮮の労働者、１９４５年３月10日（in 鈴木他 2006 年下巻 563 頁）

Chosen sokaku fu tokei nempo. 1906-1942. Zaicho kanren gyosha［Related Industry Parties in Korea］(1906-1942), in Suzuki, et al. (2006).
朝鮮総督府統計年報 1906-1942 年「在朝関聯業者」（1906-1942 年）（in 鈴木他 2006 年）

Chosen sotoku fu. 1935. Chosen kokusei chosa hokoku［Report of Korean Vital Statistics］. (Chosen sotoku fu)

朝鮮総督府　１９３５年「朝鮮国勢調査報告」（朝鮮総督府）
Chosen sotoku fu. 1944. Kokumin choyo no kaisetsu［Commentary on Citizen Mobilization], Oct. 1944, in Suzuki, et al.（2006: 2-597）.
朝鮮総督府　１９４４年「国民徴用の解説」１９４４年10月（in 鈴木裕子他編 2006 年下巻 597 頁）
Chuo shokugyo shokai jimukyoku. 1926. Geishogi shakufu shokaigyo ni kansuru chosa［An Investigation into the Placement Industry for Geisha, Prostitutes, and Bar Maids］(1926), reprinted in Ken'ichi Taniguchi, ed., Kindai minshu no kiroku［A Report of the Modern Populace］3-412（Shin jinbutsu orai sha）.
中央職業紹介事務局　１９２６年「芸娼妓酌婦紹介業に関する調査」（in 復刻 谷川健一編「近代民衆の記録」3-412 頁　新人物往来社）
Columbia Law School. N.D. Center for Korean Legal Studies, available at: https://kls.law.columbia.edu/content/lawsuits-brought-against-japan-former-korean-comfort-women.
Devine, Maija Rhee. 2016. Are Comfort Women Lying?. Korea Times, June, available at: http://www.koreatimes.co.kr/www/news/opinon/2016/06/162_206538.html.
Digital Museum. N.D. The Comfort Women Issue and the Asian Women's Fund, available at: http://www.awf.or.jp/e2/foundation.html.
Doke, Seiichiro. 1928. Baishunfu ronko［Studies in Prostitution], in Suzuki, et al.（2006: 1-786）.
道家齊一郎　１９２８年「売春婦論考」（in 鈴木裕子他編２００６年上巻 786 頁）
Dokuritsusanhohei. 1941. Jinchu nisshi［Diary in the Field], Apr. 1941, in Josei（1997: 4-377）.
独立山砲兵　１９４１年「陣中日誌」１９４１年４月（in アジア女性基金１９９７年② -377 頁）
Dudden, Alexis, et al. 2015a. Standing with Historians of Japan, Perspectives on History, March 1.
Dudden, Alexis, et al. 2015b. Response to Naoko Kumagai（Sept. 2015）, Perspectives on History, Dec.1.
Fackler, Martin. 2007. No Apology for Sex Slavery, Japan's Prime Minister Says. N.Y. Times, March 6.

Fujinaga, Takeshi. 1998a. Nichiro senso to Nihon ni yoru “Manshu” e no kosho seido ishoku［The Russo-Japanese War and the Transplantation of the Licensed Prostitution System by Japan to “Manchuria”］, in Mitsumasa Katsurakawa, ed., Kairaku to kei［Recreation and Regulation］（Osaka sangyo daigaku sangyo kenkyujo）.
藤永壮　１９９８年「日露戦争と日本による『満州』への公娼制度移植」(in 桂川光正他「快楽と規制」大阪産業大学産業研究所)

Fujinaga, Takeshi. 2000. Chosen shokuminchi shihai to “ianfu” seido no seiritsu katei［Control over the Korean Colony and the Establishment Process of the“Comfort Women” System］, in VAWW-NET, ed., “Ianfu” senji seiboryoku no jittai, I［The Reality of the “Comfort Women” and Sexual Violence in Wartime, I］（Ryokufu shuppan）, at 196.
藤永壮　２０００年「朝鮮植民地支配と『慰安婦』制度の成立過程」（in 戦争と女性への暴力日本ネットワーク編「慰安婦」・戦時性暴力の実態〈1〉緑風出版 196 頁）

Fujinaga, Takeshi. 2001. Shokuminchi Taiwan ni okeru Chosenjin sekkyakugyo to ‘ianfu’ no doin［The Korean Entertainment Industry in Colonial Taiwan and the Mobilization of the “Comfort Women,” in Mitsumasa Katsurakawa, et al., eds., Kindai shakai to baishun mondai［Early Modern Society and the Prostitution Problem］（Osaka sangyo daigaku sangyo kenkyu jo）.
藤永壮　２００１年「植民地台湾における朝鮮人接客業と『慰安婦』の動員」（in 桂川光正他編　近代社会と売春問題　大阪産業大学産業研究所）

Fujinaga, Takeshi. 2004. Shokuminchi kosho seido to Chosenjin josei［The Colonial Licensed Prostitution System and Korean Women］, in Niccho yuko sokushin, Nihon to Chosen no kankei shi［History of the Relations Between Japan and Korea］(Agenda Project).］
藤永壮　２００４年「植民地公娼制度と朝鮮人女性」（in 日朝友好促進京都婦人会議「日本と朝鮮の関係史」アジェンダ・プロジェクト）

Fujioka, Nobukatsu, 2015. Obei gakusha seimei ni igi: “Mochiage” ha ianfu de syazai saseru Wanaka［Objection to the

Declaration of Occidental Scholars: Is the "Raising" a Trap to Induce an Apology over the Comfort Women]. Yukan Fuji, May 23, available at http://www.zakzak.co.jp/society/domestic/news/20150523/dms1505231530004-n1.htm.
藤岡信勝　２０１５年５月23日「欧米学者声明に異議『持ち上げ』は慰安婦で謝罪させる罠か」(zakzak 夕刊フジ)

Fukumi, Takao. 1928. Teito ni okeru bai'in no kenkyu［A Study of Prostitution in the Capital］(Hakubunkan).
副見喬雄　１９２８年『帝都に於ける賣淫の研究』(博文館)

Gun'ianjo jugyofuto boshu ni kansuru ken［Regarding the Recruitment of Military Comfort Women］. 1938. Army Ministry Infantry Bureau Proposal］, to North and Middle China forces, dated March 4, Riku shimitsu No.745, vol. 10, 1938, in Josei（1997: 2-5）.
軍慰安所従業婦と募集に関する件　１９３８年　陸軍歩兵局「北支軍、中支軍への提案」陸支密７４５号 vol. 10（in アジア女性基金１９９７年② -5）

Gunji hyoronka no Chi Man-won［The Military Commentator Chi Man-won］, Sept. 29, 2013, available at: https://s.webry.info/sp/92971510.at.webry.info/201309/article_88.html.
軍事評論家の池萬元　２０１３年９月29日

Gunjin kyuyo［Military Pay］, 1945, available at: http://tingin.jp/kyuyo_shi/gunjin-kyuyo.html.
軍人給与　１９４５年

Gunsei kanbu bisaya shibu［Philippines］. 1942. Ianjo kitei sofu no ken［Regarding transmittal of Comfort Station Regulations］, Nov. 22, 1942, reprinted in Josei（1997: 3-187）.
軍政監部ビサヤ支部　１９４２年「慰安所規定送付の件」１９４２年11月22日（in アジア女性基金１９９７年③ -187 頁）

Hakken no gyosha ga godo［Eight Firms Merge］, Keijo nippo, Nov. 30, 1943, in Suzuki, et al.（2006: 2-579）.
八件の業者が合同（京城日報）１９４３年11月30日（in 鈴木裕子他編２００６年下巻 579 頁）

"Hannichi" no kamen wo kabutta moto ianfu shien dantai［The Support Organization for Former Comfort Women Wearing an "Anti-Japanese" Mask］, March 22, 2014, available at: http://blog.livedoor.jp/aryasarasvati/archives/37077764.html; 「反日」の仮面を被った元慰安婦支援団体　２０１４年３月22日

Hanto no kinro doin taisei［Labor Mobilization on the Peninsula］, Keijo nippo, Aug. 27, 1944, in Suzuki, et al.（2006: 2-595）.
半島の勤労動員体制（京城日報）１９４４年８月27日（in 鈴木裕子他編２００６年下巻 595 頁）

Hata, Ikuhiko. 1992. Showa shi no nazo wo tou［Investigating the Puzzle of Showa History］, Seiron, June, at 328.
秦郁彦　１９９２年「昭和史の謎を問う」『正論』６月号 328 頁

Hata, Ikuhiko. 1999. Ianfu to senjo no sei［Comfort Women and Sex on the Battlefield］（Shincho sensho）.
秦郁彦　１９９９年『慰安婦と戦場の性』（新潮選書）

Hata, Ikuhiko. 秦郁彦 2018. Comfort Women and Sex in the Battle Zone（Rowman & Littlefield）, translated byJason Morgan.

Hatarakeru onna no hito wa hitori nokorazu hatarako［Women Able to work Should All Work］, Mainichi shimpo, Sept. 23, 1943, in Suzuki, et al.（2006: 2-568）.
働ける女の人は一人残らず働こう（毎日新報）１９４３年９月23日（in 鈴木裕子他編２００６年下巻 568 頁）

Higuchi, Yuichi. 2005. Soryokusen taisei to shokuminchi［The Total War System and the Colonies］, in Noriyo Hayakawa, ed., Shokuminchi to senso sekinin［The Colonies and War Responsibility］（Yoshikawa kobun kan）, at 53.
樋口雄一　２００５年「総力戦体制と植民地」（in 早川紀代編　植民地と戦争責任　吉川弘文館 53）

Hito gun seikanbu. 1942. Ianjo kitei sofu no ken［Case Regarding the Transmition of Comfort Station Rules］, Nov. 22, 1942, reprinted in Suzuki, et al.（2006: 1-383）.
比島軍政幹部　１９４２年「慰安所規定送付の件」１９４２年11月22日（in 鈴木裕子他編２００６年上巻 383 頁）

Howard, Keith, ed. 1995. True Stories of the Korean Comfort Women（Cassell）.

Huang, Hua-Lun. 2012. The Mission Girls and Women of China, Hong Kong and Taiwan.（McFarland）. “Ianfu ha jihatsuteki na baishun ga sekai no joshiki”［“The Standard Wisdom Around the World is that the Comfort Women Were Voluntary Prostitutes”］, Livedoor News, Mar. 24, 2018, available at http://news.livedoor.com/article/detail/14479996/;
慰安婦は自発的な売春が世界の常識　２０１８年３月24日　ライブドアニュース

“Ianfu hatsugen de butsugi”［“Trouble Over Comfort Women Comments”］, Chosun Online, Sept. 6, 2004, available at: http://www.chosunonline.com/article/20040906000060.
「慰安婦発言で物議」　朝鮮日報　２００４年９月６日

Ianfu jugyoin［Comfort Station Workers］, Mainichi shinbun, Aug. 7, 2013.
慰安婦従業員（毎日新聞）２０１３年８月７日

Ito, Hidekichi. 1931. Sekitoka no kanojo no seikatsu［The Lives of Women Under the Red Lights］（Jitsugyo no Nihon sha）, reprinted（Tokyo: Fuji shuppan 1982）.
伊藤秀吉　１９３１年『紅燈火の彼女の生活』（実業之日本社）復刻（東京：不二出版　１９８２年）

“Jitsuwa sono ki ga atte jugun shita” {“They Followed the Army Because They Wanted to”], Chuo nippo, Sept. 18, 2018, available at: https://japanese.joins.com/article/233/245233.htm;
「実はその気があって従軍した」（中央日報）２０１８年９月18日

Jiyu wo ubawareta kyoseisei atta［There was Coercion in Sense that They Lost Their Freedom］.., Asahi shimbun, Aug. 5, 2014;
自由を奪われた強制性あった（朝日新聞）２０１４年８月５日

Josei no tameno Ajia heiwa kokumin kikin, ed. 1997. Seifu chosa: “Jugun ianfu” kankei shiryoshusei Government Investigation: Documents Relating to the “Comfort Women Accompanying the Military］（Ryukei shosha）.
女性のためのアジア平和国民基金　１９９７年　政府調査「従軍慰安婦」関係資料集成（全５巻、龍溪書舎出版）

Kankoku no daigaku kyoju “Ianfu wa kyosei dewa nai. Sono ki ga atta”［Korean University Professor says “Comfort

Women Weren't Coerced. They Were Intentional], Share News Japan, Nov. 16, 2018,　available at: https://snjpn.net/archives/78633.
韓国の大学教授「慰安婦は強制ではない。その気があった」シェアニュース　２０１８年11月16日

Keijo［Seoul］nippo, June 12, 1918（evening ed.）, quoted in Takeshi Fujinaga, Shokuminchi Chosen ni okeru kosho seido no kakuritsu katei［The Establishment Process for the Licensed Prostitution System in Colonial Korea］, Nijusseiki kenkyu, Dec. 2004.
京城日報　１９１８年６月12日夕刊（in 藤永壮 植民地朝鮮における公娼制度の確立過程　二十世紀研究 ２００４年12月）

Keishi cho sokan kanbo bunsho ka. 1933. Showa nana nen keishi cho tokei ichi ippan［An Outline of Police Agency Statistics for 1932］（Sokan kanbo bunsho ka）.
警視庁総監官房文書課　１９３３年「昭和７年警視庁統計１一般」（総監官房文書課）

KIH 2016a. Korea Institute of History. 2016. "The Comfort Women" by Professor C. Sarah Soh, Apr. 29, available at http://scholarsinenglish.blogspot.com/2014/10/the-comfort-women-by-chunghee-sarahsoh.html.

KIH 2016b. Korea Institute of History. 2016. "Korean Comfort Station Manager's Diary," Analyzed by Professor Choe Kilsung. Apr. 24, 2016, available at:　http://scholarsinenglish.blogspot.com/2016/04/korean-comfort-station-managers-diary.html.

KIH 2016c. Korea Institute of History. 2016. Former Korean Comfort Woman Mun Oku-chu, Apr. 20, 2016.

KIH 2016d. Korea Institute of History. 2016. "Comfort Women of the Empire" by Professor Park Yuha, Apr. 30, 2016, available at http://scholarsinenglish.blogspot.com/2014/10/summary-of-professorpark-yuhas-book.html.

KIH 2016e. Korea Institute of History. 2016. "Comfort Women of the Empire" Reviewed by Professor Jun Bong Gwan, Apr. 21, 2016, available at: http://scholarsinenglish.blogspot.com/2014/10/comfortwomen-of-empire-reviewed-by.html.

Kim, Pu-ja & Yon Kim. 2018. Shokuminchi yukaku［Colonial Pleasure Quarters］（Yoshikawa kobunkan）.

金富子・金栄　２０１８年『植民地遊廓』（吉川弘文館）

Kitashina haken jimukan. 1938. Sainan yuki ryokaku no seigen［The Limitation of Passengers Bound for Jinan］, Mar. 1, 1938, in Suzuki, et al.（2006: 1-143）.
北支那派遣事務官　１９３８年「済南行き旅客の制限」１９３８年３月１日（in 鈴木裕子他編　２００６年上巻 143 頁）

Kitashina homen gun shireibu. 1939. Kyosanto no waga guntai ni taisuru［Regarding the Communist Party and Our Military］, April 5, 1939, in Suzuki, et al.（2006: 1-148）.
北支那方面軍司令部　１９３９年「共産党のわが軍に対する」１９３９年４月５日（in 鈴木裕子他編２００６年上巻 148 頁）

Kumagai, Naoko. 2015. Letters to the Editor, Perspectives on History, Sept. 1.
熊谷奈緒子　２０１５年　Letters to the Editor, Perspectives on History　９月１日

Kusama, Yasoo. 1930. Jokyu to baishofu［Waitresses and Prostitutes］（Hanjin sha）.
草間八十雄　１９３０年『女給と売笑婦』（汎人社）

Lee Young-hoon Seoul dai kyoju "jugun ianfu ha baishungyo"［SNU Professor Lee Young-hoon "Comfort Women Were Prostitutes"］, Chosun Online, Sept. 3, 2004, available at: https://web.archive.org/web/20070517204644/http://www.chosunonline.com/article/20040903000051;
李栄薫ソウル大教授「従軍慰安婦は売春業」（朝鮮日報）２００４年９月３日

Low, Morris. 2003. The Emperor's sons go to war: Competing Masculinities in Modern Japan, in Kam Louie & Morris Low, eds., Asian Masculinities 81（Routledge Curzon）.

Mainichi shimbun, Feb. 26, 1944, in Suzuki, et al.（2006: 2-562）.
毎日新聞　１９４４年２月26日（in 鈴木裕子他編２００６年下巻 562 頁）

Mandalay command. 1943. Ianjo kitei［Comfort Station Rules］, May 26, 1943, reprinted at Josei（1997:4-288）.

マンダレー駐屯地司令部　１９４３年「慰安所規定」１９４３年5月26日　復刻　アジア女性基金（１９９７年④-288頁）
Maree gun seikan. 1943. Ianjo shisetsu［Comfort Facilities］, Nov. 11, 1943, in Suzuki, et al.（2006: 1-433）.
マレー軍政監部　１９４３年「慰安所施設」１９４３年11月11日（in 鈴木裕子他編２００６年上巻 433 頁）
Minami Shina hakengun. 1939. Eisei shun ho［Sanitation Dsipatch］, Aug. 1939, reprinted in Josei（1997: 2-79）.
南支那派遣軍　１９３９年「衛生旬報」１９３９年８月　復刻 アジア女性基金（１９９７年②-79 頁）
Miwa, Yoshiro. 三輪芳朗 2014. Japan's Economic Planning and Mobilization in Wartime, 1930s-1940s（Cambridge University Press）.
Miyamoto, Archie. 2017. Wartime Military Records on Comfort Women, 2d ed.（private pub）.
Morgan, Jason. 2015. On "Standing with Historians of Japan," Perspectives on History, July 1.
Morikawa butaicho. 1939. Morikawa butai tokushu iangyomu ni kansuru kitei［Morikawa Detachment Rules Regarding Special Comfort Industry］, Nov. 14, 1939, reprinted at Josei（1997: 2-327）.
森川部隊長　１９３９年「森川部隊特殊慰安業務に関する規定」１９３９年11月14日　復刻 アジア女性基金（１９９７年②-327 頁）
Moto "ianfu" e hosho wo［Compensation for Former "Comfort Women"］, Akahata, June 26, 2002.
元「慰安婦」へ補償を（赤旗）２００２年６月26日
Moto ianfu tachiga Kankoku Teishintai mondai ...［Comfort Women, to the CDH ...］, Bunshun Online, Dec. 27, 2018.
元慰安婦たちが韓国挺身隊問題 …　文春オンライン　２０１８年12月27日
Multiple Authors. 2015. On Standing With Historians of Japan, Perspectives on History, Dec. 1.
Naimusho. 1938. Shina toko fujo［Women Passage to China］, Feb. 18, 1938, in Suzuki, et al.（2006: 1-124）.
内務省　１９３８年「支那渡航婦女」１９３８年２月18日（in 鈴木裕子他編２００６年上巻 124 頁）
Nihon Kirisuto kyo fujin kyofu kai. 1920. Kaigai shugyofu mondai, I［The Overseas Prostitution, I］（Nihon kirisuto

kyo）, reprinted（Jobundo, 2010）.
日本キリスト教婦人矯風会 １９２０年「海外醜業婦問題第１輯」（日本キリスト教）復刻（舒文堂２０１０年）
Nihon no shokuminchi shihai to kokkaiteki kanri baishun［Japan's Colonial Control and the National Management of Prostitution］, Chosenshi kenkyukai ronbun shu, 32: 37（1994）;
日本の植民地支配と国家的管理売春「朝鮮史研究会論文集」第32集37頁１９９４年
Nihon yuran sha, ed. 1932. Yukaku annai［Guide to Pleasure Quarters］(Nihon yuran sha).
日本遊覧社編 １９３２年『遊郭案内』（日本遊覧社）
Nihongun "ianfu" kankei shiryo shusei［Collection of Materials Relating to the Japanese Military "Comfort Women"］（Akaishi shoten）.
鈴木裕子、山下英愛、外村大編「日本軍『慰安婦』関係資料集成」上巻・下巻（明石書店）２００６年
Nishioka, Tsutomu. 西岡力 2017. Why Korean Professor Believes Comfort Women Were Not Sex Slaves, Japan-Forward, Nov. 24, 2017, https://japan-forward.com/why-korean-professor-believes-comfortwomen-were-not-sex-slaves/
Norma, Caroline. 2016. The Japanese Comfort Women and Sexual Slavery during the China and Pacific Wars (Bloomsbury).
O'Brian, Suzanne. 2000. Translator's Introduction, in Yoshimi（2000）.
Odaka, Konosuke. 1975. Nihon tochika ni okeru Chosen no rodo keizai［Korean Labor Economy Under Japanese Control］, Keizai kenkyu, 26: 145.
尾高煌之助 １９７５年「日本統治下における朝鮮の労働経済」経済研究26：145頁
Ohsato, Katsuma, ed. 1966. Meiji iko honpo shuyo keizai tokei［Principal Economic Statistics for Our Nation Since the Meiji Period］（Bank of Japan）.
大里勝馬編 １９６６年「明治以降本邦主要経済統計」（日本銀行）
Okubo, Hasetsu. 1906. Kagai fuzoku shi［A Record of the Customs of the Reg-light District］（Ryubun kan, 1906）, reprinted（Nihon tosho sentaa, 1983）.

大久保葩雪　１９０６年『花街風俗史』（隆文館　１９０６年）復刻（日本図書センター１９８３年）

Open Letter in Support of Historians in Japan. 2015. Available at https://networks.hnet.org/system/files/contributed-files/japan-scholars-statement-2015.5.4-eng_0.pdf;

Park, Yu-Ha. 2014. Teikoku no ianfu［Comfort Women of the Empire］(Asahi shimbun shuppan).
朴裕河　２０１４年『帝国の慰安婦』（朝日新聞出版）

Protecting the Human Rights of Comfort Women. 2007. Hearing before Subcom. on Asia, the Pacific, and the Global Environment, of the Com. Foreigh Affairs. House of Rep., Feb. 15.

Ramseyer, J. Mark. 1991. Indentured Prostitution in Imperial Japan: Credible Commitments in the Commercial Sex Industry. J. Law, Econ. & Org., 7: 89.［本書第１論文］

Romu kanri no kyoka e［Toward Strengthening Labor Management］, Keijo nippo, Sept. 23, 1943, in Suzuki, et al. (2006: 2-567).
労務管理の強化（京城日報）１９４３年９月23日（in 鈴木裕子他編２００６年下巻 567 頁）

SCAP. 1945. Research Report: Amenities in the Japanese Armed Forces, Nov. 15, 1945, reprinted in Josei (1997: 5-139)
復刻 アジア女性基金（１９９７年⑤ -139 頁）

"S. Korea Discloses Sensitive Documents," UPI, Jan. 17, 2005, available at: https://www.upi.com/Top_News/2005/01/17/SKorea-discloses-sensitive-documents/UPI-38131105952315/.

Senda, Kako. 1973. Jugun ianfu［Military Comfort Women］(Futaba sha).
千田夏光　１９７３年『従軍慰安婦』（双葉社）

Senso he hanto romu wo gyoshu［Focus Peninsular Labor on War］, Keijo nippo, Oct. 9, 1943, in Suzuki, Yamashita & Tonomura, supra note, vol. 2, at 569 (limiting employment of women in sekkyaku industry in Korea)
戦争へ半島労務を凝集（京城日報）１９４３年10月９日（in 鈴木、山下、外村他 下巻 - 569 頁「韓国における女性の接客業雇用の制限」）

Seoul University Prof. Lee Yong-hoon "Comfort women = Sex slave" is an illusion., Oct. 10, 2016, at http://staff.texas-daddy.com/?eid=502.
李栄薫ソウル大教授「『慰安婦＝性奴隷』は幻」２０１６年10月10日

Shakai jigyo kenkyu jo. 1936. Shuro shonen shojo rodo jijo chosa［Survey of Working Conditions of Working Boys and Girls］（Chuo shakai jigyo kyokai）.
社会事業研究所　１９３６年「就労少年少女労働事情調査」（中央社会事業協会）

Shina haken gun. 1942. Showa 17 nen 7 gatsu fukukankai doseki jo iken［Opinions Espressed at the July 1942 Vice Officers Meeting］, Oct. 3, 1942, reprinted in Josei（1997: v. 3, 7）.
支那派遣軍　１９４２年「昭和17年９月　副官会同席上意見」１９４２年10月３日　復刻　アジア女性基金（１９９７年③ -7頁）

Shina toko fujo no toriatsukai ni kansuru ken［Regarding the Handling of Women Bound for China］, Feb. 23, 1938, Home Ministry, Police Bureau, Hatsukei No. 5.
支那渡航婦女の取扱いに関する件　１９３８年２月23日　内務省発警第５号

Soh, C. Sarah. 2008. The Comfort Women: Sexual Violence and Postcolonial Memory in Korea and Japan（University of Chicago Press）.

South Korea Says It Will Dissolve Japan-Funded "Comfort Women" Foundation, Japan Times, Nov. 21, 2018, available at: https://www.japantimes.co.jp/news/2018/11/21/national/politics-diplomacy/southkorea-says-will-dissolve-japan-funded-comfort-women-foundation/#.XHs-eLaZOB5.

South Korea's Former Chief Justdice Yang Sung-tae Indicted in Abuse of Power Scandal, South China Morning Post, Feb. 11, 2019.

South Korean Academic Convicted of Defaming "Comfort Women." The Straits Times, Oct. 27, 2017, available at: https://www.straitstimes.com/asia/east-asia/south-korean-academic-convicted-ofdefaming-comfort-women.

Taiwan sotokufu. 1932. Sekkyaku gyosha su［Number of Entertainers］, Dec. 1932, in Suzuki, et al.（2006: 1-858）.

台湾総督府　１９３２年「接客業者数」１９３２年12月（in 鈴木裕子他編２００６年上巻 858 頁）

Takei, Yoshimasa. 2012. Nicchu senso ki Shanhai no chosen jin shakai ni tsuite［Regarding the Korean Community in Shanghai During the Japan-China War］（Nicchu senso shi kenkyukai）, available at: http://iccs.aichi-u.ac.jp/archives/010/201205/4fc4385498c26.pdf;

武井義和　２０１２年「日中戦争期上海の朝鮮人社会について」（日中戦争史研究会）

Thoma, Pamela. 2000. Cultural Autobiography, Testimonial, and Asian American Transnational Feminist Coalition. Frontiers 21: 9.

Toa nippo, Mar. 7, 1939, Shinpan momoiro hakuku kyo. in Suzuki, et al.（2006: 1-829）.

東亜日報　１９３９年３月７日「新版　桃色白白教」（in 鈴木裕子他編２００６年上巻 829 頁）

Toa nippo, Nov. 5, 1937, Shojo yuin dan kyukei［Gang to Entrap Young Women Sentenced］, in Suzuki, et al.（2006: 1-829）.

東亜日報　１９３７年11月５日「少女誘引団求刑」（in 鈴木裕子他編２６年上巻 829 頁）

Togo, Kazuhiko（東郷和彦）. 2017. Park Yuha and the Uncomfortable Realities of South Korean Democracy, East Asia Forum, Nov. 22, 2017. Available at: http://www.eastasiaforum.org/2017/11/22/park-yuha-and the-uncomfortable-realities-of-south-korean-democracy/;

U.S. Interrogation Report. 1945. No. 573, Fujita, M. Jan. 23, 1945, in Josei（1997: 5-107）.

U.S. Interrogation Report. N.D. No name, No number, No date, reprinted in Josei（1997: 5-111）.

U.S. Office of War Information. 1944. Interrogation Report No. 49, Oct. 1, 1944, in Josei（1997: 5-203）.

Uemura, Kōsyō. 1918. Urare yuku onna［Sold Women］(Daito kaku), reprinted in Kindai fujin mondai meichosaku shu zokuhen［A collection of Famous Authors on Women's Issues – Continued Series］, 5-57（Nihon tosho sentaa, 1982）,

上村行彰　１９１８年『売られゆく女』（大鐙閣）。復刻　近代婦人問題名著作集続編 5-57（日本図書センター

１９８２年）
Uemura, Kōsyō. 1929. Nihon yuri shi［A History of the Japanese Pleasure Quarters］（Shun'yo do）.
上村行彰　１９２９年『日本遊里史』（春陽堂）
United Nations Commission on Human Rights. 1996. Report on the mission to the Democratic People's Republic of Korea, the Republic of Korea and Japan on the issue of military sexual slavery in wartime, E/CN.4/1996/53/Add.1, Jan. 4, 1996（report by Radhika Coomaraswamy）.
Watanabe, Manabu. 2014. Dare ga heishi ni nattano ka（1）［Who Became a Soldier（1）］. Shakai gakubu kiyo, 119: 1.
渡邊勉　２０１４年「誰が兵士になったのか」関西学院大学社会学部紀要 119 号 : 1.
Yamada, kōrin & Hirama Sakitsu. 1923. Tokei yori mitaru karyubyo［Venereal Diseases Seen Through Statistics］（Nanzan do）.
山田弘倫、平馬左橘　１９２３年『統計より観たる花柳病』（南山堂書店）
Yamamoto, Shun'ichi. 1983. Nihon kosho shi［A History of Licensed Prostitution in Japan］（Chuo hoki shuppan）.
山本俊一　１９８３年『日本公娼史』（中央法規出版）
Yamashita, Yoshie. 2006. Chosen ni okeru kosho seido no jisshi to so no tenkai［The Realization and Development of the Licensed Prostitution System in Korea], in Suzuki, et al.（2006: 2-675）.
山下佳江　２００６年「朝鮮における公娼制度の実施とその展開」（in 鈴木裕子他編２００６年下巻 675 頁）
Yamazaki, Tomoko. 1972. Sandakan hachiban shokan［Sandakan Number 8 Brothel］（Chikuma shobo）.
山崎朋子　１９７２年『サンダカン八番娼館』（筑摩書房）
Yang, Hyunah. 1997. Revisiting the Issue of Korean "Military Comfort Women": The Question of Truth and Positionality. Positions, 5: 51.
Yasumura, Mitsutei. 1941. Shisho no yurai oyobi genjo［The Source and Condition of Unlicensed Prostitutes］, Feb., in Suzuki, et al.（2006: 1-272）.

ヤスムラミツテイ　１９４１年「私娼の由来及び現状」２月　（in 鈴木裕子他編２００６年上巻 272 頁）
Yi, Joseph. 2018. Confronting Korea’s Censored Discourse on Comfort Women. The Diplomat, Jan.31.
Yoshida, Seiji. 1983. Watashi no senso hanzai［My War Crimes］(San’ichi shobo).
吉田清治　１９８３年『私の戦争犯罪』（三一書房）
“Yoshida shogen” yoyaku torikeshi ...［At last, the “Yoshida Proclamation” Withdrawn], Yomiuri shimbun, Aug. 6, 2014;
「吉田証言」ようやく取り消し（読売新聞）２０１４年８月６日
Yoshimi, Yoshiaki. 吉見義明 2000. Comfort Women: Sexual Slavery in the Japanese Military During World War II（Columbia University Press）, translated by Suzanne O’Brien.
Yoshimi, Yoshiaki. 2013. “Kono danwa” wo do kangaeru ka［How to Think About the Kono Statement], in Rumiko Nishino, et al., eds., “Ianfu” basshingu wo koete［Beyond “Comfort Women” Bashing］（Otsuki shoten）.
吉見義明　２０１３年「『河野談話』をどう考えるか」（in 西野瑠美子責任編集「慰安婦」バッシングを越えて 大月書店）
Zai Jokai soryo jikan. 1937. Zai Jokai soryojikan ni okeru tokko keisatsu jimu jokyo［Circumbstances of the Special Police Matters for the Shanghai Consulate], Dec. 1937, in Suzuki, et al.（2006: 1-74).
在上海総領事館　１９３７年「在上海総領事館における特高警察事務状況」１９３７年12月（in 鈴木裕子他編２００６年　上巻74頁）
Zai Jokai soryo jikan. 1938. Showa 13 nenju ni okeru zairyu hojin［Resident Japanese in 1938］(1938), in Suzuki, et al.(2006: 1-118).
在上海総領事館　1938 年　昭和13年における在留邦人（in 鈴木裕子他編 2006 年上巻 118 頁）
“Zaishuto de renko” shogen［“Forced to Accompany in Jeju” Testimony], Asahi shimbun Aug. 5, 2014;
「済州島で連行」証言（朝日新聞）２０１４年８月５日

第3論文（2020年）

太平洋戦争における性サービスの契約

Contracting for sex in the Pacific War

International Review of Law and Economics Volume 65, March 2021, 105971
https://doi.org/10.1016/j.irle.2020.105971

要旨

朝鮮と日本の間で、長年にわたる論争が続いている。慰安所という名の売春宿を巡っての論争であるが、契約の力学という要素があいまいにされている。この力学は初歩的なゲームの理論の基礎である「信用できるコミットメント」のロジックを反映している。売春宿の側と売春婦志願者は一つの問題に直面する。売春宿は二つの点で契約の体系を損なわないように留意しなければならない。その一は、娼婦がこの職に就いたことから生じる危険と評判上の損失を埋め合わせてやるために十分な給与を払わなければならないということであり、その二は、外部からは観察不可能な辛い仕事をしっかりとやってくれるようにインセンティブを与えなければならないということである。

売春宿主はどうしても、売春婦に対して、将来の収入の見込みを過大に保証してしまいがちである。そのことを念頭に置くと、娼婦の側では、相当な額の前払金を要求したくなる。また、戦場の近くへ送られるのであるから、契約の最長年期はなるべく短くしたい。一方、売春宿経営者の側としては、売春婦が仕事をいい加減にしてくれては困るから、ちゃんと働いてくれるような契約体系を築き上げたい。双方のこの、一見矛盾する要求を調節して、どちらをも満足させるために、売春婦と売春宿経営者は年季奉公の契約を締結することになった。その条件は、第一には、契約の最長年期は一年か二年に留め、多額の前払金を支払い、第二には、十分に稼いでくれた場合には、契約よりも早く仕事をやめることを可能にするということだった。

A 序論

１９３０年代から40年代にかけて、日本軍が東アジアを席捲し、やがて退却して行った。日本軍は民間の業者に基地の周辺で公認された売春宿を営業することを奨励した。１９１８年のシベリア出兵の際には、性病が軍を壊滅状態に追い込んだ教訓があった。そこで今度は、軍もそのようなリスクを避ける努力をしなければならなかった。軍は、売春婦に定期的な検診を受けさせるようにと要求した。それと引き換えに、軍は、他の場所で軍関係者が売春宿経営に関与することを禁ずることにした。

これに応じて、業者のほうも、売春婦を雇用するに当たっては、主として日本人と朝鮮人を選ぶことにした。他の条件が同じなら、兵士は日本女性のほうを好んだ。他の国籍の女性もいたが、日本人の次に兵士が好んだのは朝鮮の女性だった。1910年に朝鮮半島は日本に併合されていたので、朝鮮は日本の一部になっていた。たいていの朝鮮人女性は曲がりなりにも日本語を話すことができた。軍は協力的な業者を慰安所、売春婦を慰安婦と呼んだ。

契約の問題を考えてみよう。売春婦を雇用するために、業者は若い女性を募集する必要が生じた。当然のことながら、業者は極めて高額の給与を提示しなければならなかった。どんなに恵まれた状況であっても、売春は辛くて危険な仕事であり、評判上の損失をも含んでいた。女性は、そのようなマイナス面を相殺してくれるだけの給与を要求した。他のいかなる選択肢よりもずっと高額でなければならなかった。

故郷を遠く離れた戦地で働かせるのであるから、業者の提示する金額は、東京やソウルの売春宿を遥かに凌いでいた。売春という職業には苦しみがつきものではあるが、慰安所の場合は、これに戦争というリスクが伴った。また、異国の地であるから、生活費も高くかかった。女性たちは売春宿に騙されそうになっても、相談を持ちかける友人も知人も近くにはいなかった。売春宿に騙されそうになっても、逃亡することは難しかった。年季前に逃亡して家へ帰るコストと年季を務めあげて帰るコストを比べればなおのことであった。

業者は女性たちに高給を保証する必要があったが、月給を高くすればすむという問題ではなかった。外部からは窺い知れない状況下で、不快な仕事をさせるために女性を雇っているのである。固定給を保証してしまったら、女性たちは指名を受ける必要がなくなるから、遊客に丁寧な奉仕をしようという意欲を失うことになる。したがって、努力に応じた報酬を与えるという契約をすることが必要になった。

ともあれ、業者は、努力に応じた報酬という高給の契約を締結したのだが、重要なことは、それを女性たちに信じてもらう必要があったということである。女性にこの契約に応じてもらうためには、高給を確かに受け取れるということを納得させなければならなかった。女性は業者が口先だけの高給を提示している可能性があることを知っていた。そして、女性がそれを知っていることを、業者は知っていた。女性によっては、自分がそれほどの稼ぎを実現することができるはずはないとためらう者もいた。職業によっては、女性は短期間実験的にその職について、実際にどの程度の収益を挙げられるかを試せる場合もある。しかし、この職業の場合は、職に就いたというだけで評判上の損失を蒙《こうむ》るのであるから、そんな実験をするわけにはいかなかった。

戦地の前線にある慰安所に女性を募集する際には、業者も女性も、桁違いに深刻な契約上の問題に直面することになった。女性のほうは、なんといっても、戦争に伴うありとあらゆる危険を覚悟しなければならなかった。戦闘が行われ、爆撃があり、病気が蔓延していた。また、女性たちにとってもっと切実な問題は、業者の契約不履行だった。東京で業者が契約に違背《いはい》した場合は、娼婦は警察に駆け込むことができた。警察は必ずしも同情的だったわけではないが、きちんと対応してくれる場合もあった。契約不履行の場合は、法廷闘争をすることも可能だった。実際にその手段に訴えて、勝訴した例もあった。仕事を逃げ出し、都会の中に無名の娘として消えて行くこともできた。ところが、遠い異国の地では、そんなことは叶わぬ夢だった。

業者も女性たちも、この問題に対処するために、長期にわたる年季奉公契約を結んだ。それには、前借金、付加的な現金補償、契約の最長年期、十分な収益を上げた場合には早期の廃業が認められる権利などが含まれていた。この論文の以下の部分で、私は、これらの契約の経済ロジックを詳述する。そのために、業者と女性たちが結んだ性的サービスの契約の四つのケースを挙げて比較してみたい。その一は慰安所で結ばれた契約の場合、その二は日本国内の売春宿の場合、その三は朝鮮内の売春宿の場合、その四は日本が支配していた東アジア全域の慰安所以外の戦時売春宿の場合である。

まずは、日本国内の売春宿で使われていた契約の概要を説明し（B2）、それを朝鮮で使われていた契約と比較し、さらに、日本帝国内の他の地域の慰安所ならぬ売春宿で使われていた契約と比較してみる（B3、B4）。最後に、慰安所で使われていた契約に言及する（C）。

B　戦前の日本と朝鮮での売春

1　序　論

慰安所というものは、日本や朝鮮の一般の売春宿の在外軍隊版という役割を果たしていた。日本でも朝鮮でも、業者が募集し、女性たちが応募した。この取引の問題点は性的サービスが含まれることだった。しかし、業者と売春婦が締結した協定の経済的ロジックは、双方が理解するそれぞれのリソースと機会を反映したものであった。業者が嘘をつくことはありうる。しかし、娼婦のほうも仕事の手抜きをしたり、金を持ち逃げしたりする可能性はあるのだ。業者は不満があれば他の女たちを雇うことはできる。しかし、女たちのほうも、他の職を見つけることができる。もっとも収入はずっと減るが。確かに、時には、親が娘を売り飛ばしたり、業者が女を騙して拐《かどわ》かし、実質上、監禁状態に置くこともないではなかった。しかし、契約上の合意にかかわる経済学的ロジックというものを考えてみるならば、業者といえども、女性たちの全員、もしくは大多数を拐かして来ることなどできるはずがなかった。

契約をよく読んでみると、応募した女性たちがいかに賢明で、いかに臨機応変に対応したかがよく分かる。この女性たちは、経済的な面から見ると、他には魅力的な選択肢はたくさんは与えられていなかった。しかし、全くないというわけでもなかった。契約の条件を読んでみると、女性たちが他の選択肢のあることを自覚していたことがよく分かる。彼女たちが他の選択肢を捨てて売春を選んだのは、そのほうが高い収入が得られると信じたからだった。斡旋業者は嘘をつくことがある。売春宿の抱主は騙すことがある。親が子供を虐待して、子供が手に入れた前払金を横取りしてしまうこともある。しかし、契約の文面をよく読んでみて分かることは、女性たちはよく事情を理解していたということだ。斡旋業者は嘘を言うことがある、売春宿のオーナーは騙すことがある、子供を虐待する親の言うことを黙って聞いていてはいけない、ということを理解していたのである。

2　日本

1　公娼たち

（a）「文面上の契約」

戦前の日本では、売春は認可産業であった。(Ramseyer, 1991参照)。1924年には、日本には売春宿が1万1500軒あり、5万100人の公娼が働いていた。(副見1928:50-56;草間1930:14-26)。ごく一般的には、公娼は長期の芸娼妓契約の下で働いていた。(原注1)

(a)売春宿は女性(もしくはその親)に一定額の前払金を支払った。その代償として、女性は労働をすることに同意するのだが、その期間は前払金を払い終わるまでの期間、もしくは(ii)契約で定められた期間のうちのいずれか短いほうだった。

(b)1920年代中頃の前払金の平均値は1000円ないし2000円だった。売春宿がこれに利息を課することはなかった。

(c)契約期間で一番普通(全契約の70~80%)だったのは6年だった。

(d)典型的な契約の場合は、娼婦が稼ぎ出した収入のうち、売春宿がまず3分の2ないし4分の3を取り、残りのうちの60%を前払金の返済に充《あ》て、その残りが娼婦に与えられた。

前払金を女性本人が受け取る場合がどのくらいの比率になるのか、親に渡った場合でも、親が女性本人のために取っておいてくれる比率がどのくらいか、虐待する親が横取りしてしまう比率がどのくらいなのか、その詳細の資料は見当たらない。しかし、娼婦は囚人とは違っていたことを忘れてはならない。

東京のような大都市では、仕事から逃げ出し、都会の中に無名の娘として消えて行くこともできた。もっともそんなことをしたら、売春宿のほうでは、親を訴えて、前払金の返済を要求することになった。（ふつうは娼婦の父親が保証人として契約に署名していた）。とはいえ、そのような訴訟が起こされた例は少なかった。そのことからも、大抵の娼婦がみずからこの職を選んだことが証明されるとは言わぬまでも、察せられるというものである。女性たちはおそらく、心の中では、これで最悪の事態からは抜け出せると考えたのであろう。

（1）こういう契約の詳細に関する参照文献：副見（1928：70, 97-99, 115-16, 220），草間（1930：206, 211, 283），大久保（1906），伊藤（1931：229），中央（1926：412-15）

（b）契約の現実

現実問題として、娼婦は約3年で前払金を全額返済して解放された。歴史学者の説くところによると、売春宿は支払うべき金から食費や被服費と称して収奪し、その結果娼婦は底なしの借金地獄へ堕ちていったということになっている。しかし、少なくとも全体的に見てみるならば、そのような事実はなかった。そもそも売春宿は莫大な投資をした施設なのであるから、当初の契約に違背するようなことをしたら、将来の娼婦募集の際に却って金がかかることになるということを売春宿の側でも理解していたのである。売春宿は女性に対して、6年経ったら、稼いだ金額の多少にかかわらず廃業して借金から解放されるということを明確に約束し、しかも、たいていの場合は、その約束を遵守した。

もし売春宿が食費被服費などを操作して契約の条件に違背し、娼婦を借金漬けにしていたならば、認可された娼婦の総数は、少なくとも30歳までは年齢を重ねても減ることはなかったはずだ。娼婦が認可される最低年齢は18歳だった。1925年の時点で、東京で認可されていた娼婦の年齢は、737人が21歳、632人が22歳だった。さらに、24歳になるとわずか515人、25歳で423人、27歳で254人だった。（副見，1928：58-59）。

同じようなことだが、売春宿が娼婦を債務奴隷にしていたのならば、この業界に拘束される年限は常に6年を超えることになっていたはずだ。ところが、調査の対象となった4万2400人の公娼のうち、38％がこの職について2年目か3年目、25％が4年目か5年目だった。6年目、7年目になる者は7％に過ぎなかった。（伊藤，1931：208-11；草間，1930：281）。公娼は合計約5万人だったが、1922年には1万8800人が新たに娼婦に認可されて登録を受け、1万8300人が登録を取り消した。（山本，1983：388；伊藤，1931：211-13）。毎年3分の1が廃業して、新たな女性に入れ替わっているが、これは契約期間が約3年であることと話が合っている。（警視庁，1933：

96-98；草間，1930：227-28)。

（c）一例を挙げよう

単純な計算を考えてみよう。(警視庁，1933：96-98；草間，1930：227-28)。１９２５年には、東京の４１５０人の公娼のもとを遊客が訪れた回数は３７４万回だった。飲食費を別にすると、彼らが使った金額は１１１０万円だった。娼婦一人当たり６５５円という勘定になる。標準的な契約によると、娼婦はこの金額のうち、60％（３９３円）を前払金の返済に充て、残り（２６２円）が手元に残った。つまり、当初の前払金１２００円を約３年で返済することになる。成人の工場労働者の平均賃金（男女、部屋代と食費は含まれず）は１９２５年には日給で１円70銭、１９３５年には１円88銭だった(シ社会，1936：53；大里，1966：68)。娼婦は１９２４年だったら、一晩に平均２・54人の遊客を取らなければならなかった。(警視庁，1933：96；草間，1930：220-21；上村，1929：492-501)。一ヶ月の労働日数は約28日（晩）だった。

2　契約のロジック

（a）信用できるコミットメント

この認可を得た職場での年季奉公契約はゲームの理論でいう「信用できるコミットメント」の

ロジックに見事なまでに従っている。(Ramseyer, 1991)。若い女性たちのほうは、売春が危険で苛酷な仕事であり、評判上の損失を蒙るものであることを知っている。しかも、女性たちは、ほんの短期間でもこの職を経験したら、もう名誉は回復できないということを知っている。募集業者のほうは、極めて高額の報酬を約束するが、女性たちは、業者は甘いことを言うに決まっていると見透かしている。業者の甘言は別としても、女性の中には、自分がそんな法外な稼ぎを上げることができるはずがないと疑ってしまう者もいる。

その結果、若い女性が売春宿で働くことに同意する場合は、信頼できる保証を得たいと思うようになる。つまり、この職に就いたことから生じる人格にかかわるマイナスを補填してもらえるだけの高給を得られるという保証が欲しくなる。この業界に入ったというだけで評判上の損失を蒙るということがなかったならば、女性たちは本当にそれだけの報酬をもらえるかどうかを試すために、二、三ヶ月だけ実験的にこの職に就いてみることも可能である。しかし、短期間でも雇われてしまったならば、取り返しがつかないほどに評判上の損失を蒙るのだから、女性としては、募集業者の言っていることを簡単に確かめるわけにはいかないのである。

そこで女性側としては、募集業者に対して、約束が信頼できるものであることを示せと要求することになる。その結果、給与の相当部分を前払金として払い、働かなければならない期間の上限を定めるようになったのである。売春宿が、前払金1000円を支払い、年季奉公期間の上限を6年と定めたならば、女性側は、最低限でいくら稼げるかを計算することができる。また、前払金を早期に完済すれば（現実問題として大抵の娼婦は早期完済をしていた）、毎月の実質賃金がずっと増えるということも理解していた。

一方、売春宿のほうも、娼婦の接客態度を向上させるためのインセンティブを与えなければならないと考える。女性たちは外部からは窺《うかが》い知れない状況下で、苛酷な労働に耐えているのである。売春宿が定額の賃金を支払ったならば（6年の年季奉公のために頭金1000円を払うのはその一例であるが）、女性たちは今さら遊客に気に入られても別段トクになることはないと考えてしまう。娼婦の側から見れば、遊客を無愛想にあしらった結果、指名が減ってしまえば、かえってそのほうが好都合だ。

売春宿は年季奉公の上限を6年と定め、早期完済をすれば早期に廃業できるようにした。これによって、娼婦は遊客に気に入られようと努力するインセンティブを与えられたのである。遊客の指名が増えれば稼ぎも増える。稼ぎが増えれば、早期に廃業できる可能性が高まる。

（b）貸付金

言うまでもなく、売春宿はこういう契約を通して、女性やその親たちに金を貸すことになる。女性や親たちが現金での前払いを必要としている場合には、その金額を提供する雇用契約を結ぶ。

19世紀のヨーロッパの若者は、アメリカへの渡航費用が欲しかった。そこで償還契約（年季奉公の類）が締結されて、その金額を提供することになった。（戦前の日本の）売春の場合も同様だった。女性が働くという約束をするからこそ、貸付金を供与することが可能になったのである。

しかし、この労働市場の二つの面を検討してみると、貸付金の需要があるからといって、性サービスの市場で、こういう契約が使われる理由にはならないように思われる。第一に、他の職種の労働契約を見てみると、契約の中に貸付金の供与を盛り込んでいる例は稀である。親が前払金を必要としている場合を想定してみよう。娘が売春宿から現金で金を貸してもらえるものであるならば、息子も工場から貸してもらえることになるだろう。しかし、息子も娘も、雇用契約を結んだからといって、巨額の前払金を現金で受け取ることはまず考えられない。他の業界でも、新規雇用者に金を貸すことはある。しかし、それは何かの事情があって例外的に貸すだけであり、金額も比較的少額である。

第二に、公認売春宿は、新規雇用者の全員に前払金を支払う。応募した女性やその親の中には、貸付金を1200円も要求する者がいたが、ふつうはそんなことはなかった。金は借りたら返さなければならない。売春宿は、契約上は利息を取らないことになっていた。しかし、給与を時価換算していたようである。売春宿が、クレジット市場の需要だけに対応して多額の前払金を支払っていたものならば、新規雇用者に対して、年季奉公の契約金を払う場合も払わない場合もあったはずだ。巨額の前払金と他の契約条件とをセットにしていたという事実から、何か他の契約にかかわる原動力が働いていたはずだ。

3 無認可の娼婦たち

性サービス市場で働く公娼の下位の存在として、独立の無認可の娼婦がいた。たいていの娼婦は認可を受けるほうを好んだ。1920年から1927年までを見てみると、東京で娼婦の認可を申請した女性のうち、職を得られた人はわずか62％だった。（中央, 1926 : 381-82 ; 草間, 1930 : 27-30, 36）。売春というと誰もがいやがる職業だと思いがちだが、公娼になりたがる女性は多く、売春宿が雇いたがる人数の一倍半に達していた。認可を受けられなかった娼婦の多くは、売春宿が雇うのを拒絶した女性たちだった。（草間, 1930 : 37）。認可を受けなかった娼婦については信頼できる歴史的な資料はないが、他のしっかりした証言によれば、1920年代半ばに約5万人が存在していたという。（福見, 1928 : 26-28, 32, 50-56, 178）。

無認可の娼婦はタテマエとしては違法なので、公認の売春宿で働くことはできない。公認売春宿はブランドになっている。無認可の娼婦はサーヴィスの質の高い売春宿で働くことはできないのであるから、それだけ収入は少なくなる。1934年について、北国の秋田県出身の女性労働者に関する文献を見てみると、公娼は住み込み（食費と住居費はかからない）で年間884円の収入を得ていた。バーの女給〈酌婦〉該文献では、無認可娼婦の婉曲表現）は５１８円、ウェイトレスは２１０円、他の女性労働者は１３０円だった。（社会，1935：160-161）。

無認可の娼婦を相手にすると、遊客のほうにもリスクが生じる。公娼は、法の定めにより、毎週性病の検診を受けることになっていた。感染した場合には、快癒するまでは職場に戻れないことになっていた。１９３２年には、東京で公娼のうち、３・２％が性病などの感染症に罹患していた。同じ資料によると、無認可の娼婦の場合は、罹患率は９・７％に達していた。別の資料でも、公娼の場合は１～３％であるが、無認可の娼婦ではそれが10％を遙かに超えていた。（原注２）

（２）警視庁（1933:143-44），上村（1918），草間（1930: 288, 291），副見（1928: 93, 168-69），中央（1926: 433-35）

４　からゆきさん

日本人ビジネスマンが海外へ行くと、若い女が付いて来た。外国でも、日本人女性が日本人の男を相手に、娼婦となって働いたのである。こういう女性を日本人は「からゆきさん」と呼んだ。「海外へ向かう女性たち」（日本，1920）。海外在住の日本人男性は日本人女性のほうを好んだから、その地の日本人娼婦は現地の娼婦よりも相当に高額の賃金を得ることができた。渡航費などを差し引いても、一般的には国内で働くよりも高い賃金を得たのである。（朴，2014：451）。

海外で売春に従事していた女性の出身地を見てみると、日本南部の九州という島の中、もしくはその近くの二つの共同体である場合が多いのが特徴的である。その二つとは島原と天草である。彼女たちの大部分が少数の小さな共同体の出身であったことは重大である。すなわち、怪しげな募集業者に騙されて連れて来られたとは考えられないということである。詐欺的手法を使って騙しおおせるのは、被害者が、どこに陥穽《かんせい》があるかを理解していない場合だけである。若い女性が、小さな閉鎖社会から出て行き、数年経って戻って来る。当然、どんなことがあったかを報告する。噂はたちまちに広がる。共同体の中の他の人々は、からゆきさんの行く手に何が待っているかを理解するのである。

作家の山崎朋子は、この話を取材するために、天草を訪れた。この地で、彼女はオサキという名の年輩のからゆきさんと友達になった。オサキは長年の間海外で働いていたが、その話を聞くと、父親に強制されたわけでもなければ、性奴隷にされたわけでもなかった。オサキが小さな村で生まれた時、家にはすでに兄と姉がいた。生まれて何年かすると父親が亡くなった。その後、母親には愛人ができた。愛人は小さな子供たちに関心がなかったので、母親は子供たちを捨てて、なんと愛人と結婚してしまった。3人の子供たちは小さな掘っ立て小屋で生き延び、残飯をあさって命をつないだ。共同体の中の他の女たちの中には、海外で娼婦として働き、相当な額の金を持って戻って来た者もいた。そのうちに、オサキの姉も娼婦として働くために海外へ出て行った。

オサキが10歳になったとき、募集業者が立ち寄って、海外へ行ってくれるのなら前払金３００円を支払うという話を持ちかけた。募集業者は彼女を騙そうとしたわけではなかった。まだ10歳のオサキにも、この仕事がどんなものであるかは分かっていた。彼女は兄に相談し、兄が農業で身を立てるのを手伝うために、その職に就く決心をした。そして、英領マレーへ行き、３年間はメードとして働いた。あの頃は楽しかった、と彼女は回想する。雇われた家では、毎日、白い飯と魚を食べさせてくれた。天草で３人の孤児が残飯をあさっていたときと比べれば天国だった。

13歳になると、家族のために娼婦として働き始めた。渡航費用と3年間の食費・住居費が前払金となっていたので、すでに２０００円の負債をかかえていた。新しい契約条件によると、遊客が支払う金額は、ショートステイの場合は2円、泊まりの場合は10円ということになっていた。売春宿のオーナーがその半分を取り、部屋と食事を提供してくれた。残った半分を彼女がもらい、その中から、借金を返済し、化粧品や衣類を買った。一生懸命に働いた月は、約１００円を返済することができた。

借金を返済し終わる前に、オーナーが死んでしまい、オサキはシンガポールの売春宿に移されることになった。新しいオーナーに馴染めなかったので、ある日、仲間と一緒に港へ行き、英領マレーへ戻る切符を買った。ここが重要な点だ。海外にいても、売春宿での仕事が気に入らない場合は、出て行くことができたし、実際にそうする者がいたということである。

オサキは新しい売春宿を見つけた。新しいオーナーの夫婦には馴染むことができた。(この夫婦は前の売春宿からの解放を交渉してくれた)。まもなく、オーナーの妻を「お母さん」と呼ぶようになった。そうしているうちに、現地に来ている英国人がオサキを妾《めかけ》にしてくれた。後年になって、オサキは天草の実家へ戻ることができた。

3　朝鮮の売春

1　実態

日本人が朝鮮に移住すると、居住地の中に、本国の売春宿に近い施設を設置した。日本が正式に朝鮮を併合したのは1910年のことだったが、1916年には、朝鮮総督府は、朝鮮全土の売春のために統一認可システムを設定した。売春を許される最低年齢は、日本本土では18歳だったが、朝鮮では17歳になった。また、定期的な医療検診を受けなければならないことが定められた。(藤永 1998, 2004; 金 & 金 2018: 18, 21)。

この新しい認可システムは日本人女性も朝鮮人女性も利用することができたが、日本人のほうが多かった。例えば、1929年までに娼婦の許可を受け、朝鮮で働いていた女性は、日本人は1789人だったが、朝鮮人は1262人に過ぎなかった。日本人女性が接客した相手は

45万3００人であるのに対して、朝鮮人女性のそれは11万7００人だった（娼婦一人当たりでみると、日本人は252人、朝鮮人は88人）。1935年までに、（朝鮮で）公娼の数を見ると、日本人は1778人に減っていたが、朝鮮人は若干増えて1330人になっていた。（金 - 金 2018：18, 21；藤永, 2004）。

娼婦として働く朝鮮人女性の数は多かったのだが、認可システムを利用する者が少なかったというだけの話だ。総督府の記録によると、1935年の朝鮮では、日本人女性のバーのメードは414人、キャバレー従業員は4320人だった。（いずれも、実質は無認可の娼婦）。それが朝鮮人女性の場合は、バーのメード1290人、キャバレー従業員6553人だった。（原注3）

（3）朝鮮（1906-42），日本軍（2020）

2 契約

（a）賃金

朝鮮の募集業者は、朝鮮人の公娼を募集するために、日本と同様の年季奉公契約を利用した。しかし、賃金は、朝鮮の低い生活水準を反映していた。職業の違いを無視して平均すると、1910年から1940年までは、日本人の賃金は朝鮮人の1・5倍ないし2・5倍だった。

1930年の朝鮮人男性の平均日給は1円から2円の間だった。（尾高 1975：150，153）。

朝鮮の市場では、日本人の娼婦は、朝鮮人の娼婦よりも高い値がついた。なんといっても、日本人の遊客のほうが朝鮮人の遊客よりも裕福であり、かつ日本人の遊客は日本人娼婦のほうを好んだからだった。1926年を例に取ると、朝鮮人娼婦は一回の接客で3円を取った。朝鮮内の日本人娼婦の場合は6円から7円だった。朝鮮人の公娼の場合は、遊客は一回の訪問で平均3・9円を使った。朝鮮内の公認日本人娼婦の場合は、それが8円にもなった。（金 & 金 2018：26, 89, 96；日本遊覧，1932：461）。1929年のある明らかにより貧しい朝鮮の地域では、日本人の公娼の年間の稼ぎが1052円だったのに対して、朝鮮人の公娼のそれは361円だった。（日本，1994）。

日本人のほうが稼ぎがよいということから、前払金の額も、朝鮮で働く日本人娼婦のほうが朝鮮人娼婦よりも高かった。ある資料（金 & 金，2018：96）によると、朝鮮人の公娼は3年間の契約で、250～300円（時には400～500円）の前払金を受け取っていた。日本人の公娼の場合は、同じ3年間の契約で、前払金は1000～3000円だった。（日本にいる場合よりも高給であることに注意）。別の資料では、朝鮮人の公娼への平均前払金が420円であるのに対して、日本人の場合は1780円だったと計算している。（日本，1994：63）。

（b）契約条件

日本人娼婦は6年以内に廃業すると述べたが、朝鮮人の公娼も20代の半ばまでには業界を去っていた。ある研究によると、朝鮮人の公娼の61%は20~25歳だったという。25歳を超えていたのは16%に過ぎなかった。（金 & 金, 2018 : 97 ; 伊藤, 1931 : 172-94）。別の研究によると、ソウル地域には1101人の公娼がいたが、そのうち680人が20~24歳であり、25~29歳の者は273人に過ぎなかった。この1101人のうち、294人が業界に入って5年目、65人が6年目、17人が7年目だった。やはり同じ1101人のうち、1924年に新規参入した者は317人、業界を去った者は407人だった。

3　海外の朝鮮人娼婦

日本のからゆきさんと同じように、朝鮮の若い女性も、海外へ出て行った。ここで大事なことは、上海で数軒の売春宿が最初に「慰安所」の認可を受けたのは1932年のことだったのだが、忘れてならないのは、朝鮮人娼婦が海外へ進出したのはそれよりもずっと前だったということだ。言い換えれば、慰安所が出来て初めて、朝鮮の若い女性が娼婦になったわけではなかったのだ。彼女たちはすでに何十年も前から、海外で娼婦として働いていた。

早くも1920年代までには、朝鮮の女性は満洲へ出て行って、売春に従事していた。（藤永, 1998）。台湾に目を移すと、1929年には、認可、無認可とを合わせて、196人の朝鮮人女性が娼婦として働いていた。（藤永, 2000 : 219）。察するに、日本人の遊客を取る者、朝鮮人の遊客を取る者、中国人の遊客を取る者、といろいろいたのだろう。

こういう最初の慰安所ができたずっと後になっても、朝鮮人女性は依然として海外へ行って、無認可の娼婦として働いていた。――やはりさまざまな国籍の遊客を相手にしていた。例えば、1937年の天津移民協会の報告によると、無認可の朝鮮人娼婦が81人いたとのことである。1938年のある一ヶ月を例にとっても、90人の朝鮮人女性が、朝鮮総督府に対して、中国の済南で、無認可娼婦として働きたいから渡航を許可してくれるようにと請願している。（北支那, 1938）。また、1940年には上海の慰安所で12人の朝鮮人女性が働いてきたが、他に無認可の朝鮮人娼婦が527人も存在していた。（原注4）

（4） 武井（2012: tab.6）, 在上海（1938, 1937）

4 日本と朝鮮での募集

1 日本

改革主義者は戦前から、売春を禁止する方策を模索していた。しかし、募集業者が若い女性を拉致《らち》して、売春宿に売り飛ばしているなどと主張する者はほぼ皆無だった。貧困な農村の若い女性が、都会に出て娼婦になるというのはむしろ当たり前のことだった。しかし、そういう女性たちが、募集業者や売春宿に無理矢理、娼婦にされたなどと訴えた話は聞いたことがない。改革主義者の中にさえ、募集業者が若い女性を騙して売春宿で働くように仕向けたと主張した例もない。むしろ、日本の改革主義者が、女性がどのようにして娼婦になったかを説く場合には、女性の親に責任ありとするのがふつうであった。事実上、親が娘を売り飛ばして売春をさせたのである。女たちの中には、「本当は行きたくなかった」と証言する者もいた。しかし、親が、年季奉公の前払金欲しさに娘を説得するのだった。

海外に散らばる慰安所の組織のために、日本政府は人員募集に関する法令を作った。それによると、既にこの業界にいる娼婦だけを選べということになっていた。(「軍慰安所」, 1938;「支那渡航婦女の」, 1938)。この法令を見ると、政府は、この問題が政治化することを恐れていたことが窺われる。日本国内の改革主義者は、すでに何十年にもわたって、売春の廃止を目指して闘っていた。純朴な若い女性が金目当ての悪辣《あくらつ》な募集業者に騙されて長期の契約で上海の売春宿に売り飛ばされたなどということは、日本政府として絶対に起こってほしくなかったことなのだ。

こういう問題に対処するため、内務省は明確な指示を発している。(「軍慰安所」, 1938;「支那渡航婦女の」, 1938)。

(a)売春目的で海外へ行こうとする女性は、北支もしくは中支を目的地とし、かつ現在すでに公娼もしくは実質上の娼婦として働いていて、年齢が21歳以上で、性病その他の感染症に罹患していない者に限って、許可される。

(b)前項の条件に合致することを証明する身分証明書を受け取った女性は、臨時契約の期間が満了した場合、もしくは満了する必要がなくなった場合には、速やかに日本へ帰国しなければならない。

(c)売春目的で海外へ行こうとする女性は、警察署に対して、身分証明書の発給を自ら申請しなければならない。

内務省は、募集業者に対して、すでに娼婦として働いている女性だけを雇用するように命令していたのである。女性がどんな仕事をさせられるのかをきちんと理解できるように、内務省は警察に対して、女性本人が自ら契約書を持って申請に来ない限り、渡航関係の書類を発給してはならないと命令したのである。また、内務省は、警察に対して、志願者の契約期間が満了した場合には直ちに帰国するように命令することを要求している。

2　朝鮮

朝鮮の場合は、日本には見られない問題を抱えていた。この国には、多数のプロの労働者募集業者がいて、昔から詐欺まがいの汚い手を使うことで有名だった。朝鮮の警察の記録によると、1935年時点で、募集業者の数は日本人247人、朝鮮人2720人だった。確かに、こういう業者は、工場労働者も娼婦も募集していた。（日本，1994：51；山下，2006：675）。しかし、戦争前の何十年間かの新聞記事を見てみると、性産業に関連した募集業者の詐欺事件が目につく。

かなり前、1918年のことだが、ソウルで発行されている日本語の日刊紙（京城日報，1918；千田，1973：89）は、異様な事件が増えていることに警鐘を鳴らしている。チンピラが女性をソウルに連れて来て、ありとあらゆる甘言を弄《ろう》して、いかがわしいレストランに売り飛ばすという事件が少なくないというのだ。1930年代の末の朝鮮の新聞には、11人の募集業者のグループが50人以上の若い女性を娼婦にしてしまったという記事が載っている。さらに、100人以上を騙した見事なまでに巧妙な夫婦の記事も見られる。どうも、この夫婦は女性たちの親に、ソウルの工場で職を見つけてやるからと約束し、10円か20円を払うと、そのまま娘たちを海外の売春宿に一人当たり100円ないし1300円で送ったらしい。

しかし、この問題を誤解してはならない。女性たちに売春を強要したのは、政府ではなかった――朝鮮総督府でも、日本政府でもなかった。日本軍が悪徳募集業者と結託したわけでもなかった。さらに、募集業者が軍の慰安所に狙いを定めていたわけでさえなかった。むしろ、朝鮮国内の募集業者が何十年にもわたって若い女性たちを罠にかけていたということがポイントなのだ。

C 慰安所

1 性病

1930年代から1940年代初めにかけての大量の日本政府の書類を見ると、政府が性病を撲滅するための施設を設立していたことがよく分かる。もちろん、他の理由もあった。レイプを減らそうということだ。1939年に北支那で陸軍が出した奇妙な書類が残っている。どうも、慰安所を設置したのは、将兵の間に広がって来た共産主義思想と戦うことが目的だったようなのだ。(北支那, 1939)。しかし、基本的には、軍が慰安所を作ったのは、性病と闘うことが第一の目標だった。慰安所を定義するならば、「軍の厳しい衛生と避妊の管理方法に従うことに同意した売春宿」ということになろう。

日本軍にとって、他には娼婦は必要なかった。豊富に存在していたからだ。どこでも、娼婦は軍隊に付いて行くものだ。だから、アジアでは日本軍に付いて来た。日本軍が必要としていたのは、健康な娼婦だった。1918年のシベリア出兵の際、指揮官たちは、部下の将兵のうちの相当数が、性病のために使い物にならなくなっていることを知った。(原注5) 1930年代に陸軍が中国全土に展開するようになると、ここでもまた、現地の娼婦たちはひどい性病にかかっているることが分かった。どうせ将兵が売春宿に出入りするものなら、この恐ろしい病気をチェックできる売春宿に行ってもらいたいものだと軍は考えた。

病気のリスクを減らすために、軍は段階的な方策を取った。まずは、軍の基準に従うと誓約した売春宿に認可を与えた——そして、そういう売春宿を慰安所と呼んだのだった。公認売春宿(慰安所)の娼婦(慰安婦)たちには、毎週医療検診を受けることを義務づけた。慰安婦が感染した場合には、全快するまでは、接客することを禁じた。遊客となる将兵には、コンドーム(軍か慰安所から無料で提供された)を使えという命令を出した。さらに、慰安婦にはコンドームを使わない遊客を相手にしてはいけないという通達を出した。慰安婦も遊客も、全員に、行為の後には消毒薬で洗浄させた。将兵が、認可された施設以外の売春宿に通うことも禁止した。(原注6)

(5) 山田および平馬『統計より見たる花柳病』参照。

（6）軍政監部（1942）, 支那派遣軍（1938）, SCAP（1945）, 森川（1939）, Mandalay（1943）、U.S. Interrogation Report（n.d.）, 軍政監部（1942）

2　契約期間

慰安所が慰安婦を雇った契約は、いくつかの点で、日本国内の公認売春宿が使っていた契約に似ていた。似てはいたが、その相違点には注意すべきところがあった。東京の売春宿で働くために故郷を出て行く女性たちは、危険で辛い仕事をするのであり、また評判上の損失を蒙ることが分かっているから、それを埋め合わせるだけの収入が得られるという保証を欲しがった。さらに戦闘地域の前線へ出て行くとなると、また別の甚だしい危険を冒すことになる。戦争に付きもののありとあらゆる危険を覚悟しなければならなかった。戦闘行為があり、爆撃があり、病気が蔓延していた。それればかりでなく、慰安婦は慰安所側の契約不履行という、はるかに重大なリスクを負っていた。東京だったらならば、経営者が契約を履行しなかった場合、売春婦は警察にかけこむことができた。前線では、警察というのは、軍の警察（憲兵隊）しかなかった。東京なら、契約不履行で経営者を裁判所に訴えることができた。前線では、そのような選択肢はなかった。東京では、女性は売春宿から出て、大都会の雑踏の中に消えてしまうことができる。前線でも、それが可能である場合もある――しかし、可能かどうかは、慰安所が具体的にどんな所に位置しているかで決まる。

言い換えれば、東京の売春宿の契約をそのまま前線に持ち込むことはできなかった。修正が必要になった。契約上の一番基本的な相違点は、契約期間がずっと短いという点だった。慰安所が前線に立地していることから生じる様々なリスクを考慮して、契約期間はふつう2年に限られていた。日本国内での契約期間は通常は6年、朝鮮国内では3年だったことを想起して頂きたい。ビルマでの朝鮮人慰安婦の場合は、他の地域の前線の場合よりもさらに短くて、6ヶ月ないし1年だった。

3　契約の価格

こういう短期契約で危険を孕《はら》む仕事のことであるから､慰安所は､東京の売春宿に比較してずっと高額の年俸を支払った。例えば、2年契約の場合、数百円の前払金を支払っていた。1937年に上海の慰安所に採用された日本人女性の実例を挙げると、500円から1000円に及んでいた。（内務省，1938）。1938年の内務省の文書（書類）には、日本人女性が600円ないし700円の前払金をもらって上海の慰安所へ渡ったという記録が残っている。ある一人の女性は前払金700〜800円、他の二人は300〜500円だった。（内務省，1938）。

これがどういうことであるかを考えてみたい。慰安所勤めには甚だしいリスクが伴うのだから、慰安婦は相当に高額の報酬を得ていた。朝鮮や日本の国内で働く娼婦の場合でも、他の職場よりは賃金がずっと高かった。日本国内の娼婦が、6年間の契約期間で、1000〜1200円を稼いでいたことを思い出して頂きたい。日本人の慰安婦は2年間の契約期間で600〜700円を手に入れていたのである。

4　契約条件

契約の他の条件の中にも、戦地では不安が昂《たか》まることを反映しているものがある。1943年の英領マレーの慰安所に関する軍規則を例に取ってみよう。日本にいる女性が、マラヤで働くとなると、まず次のような疑問が頭に浮かぶだろう。「強盗に遭わないかしら」「軍が撤退するとき、預金を持ってゆけるのかしら」「私が死んだら、私の預金を家族が受け取ることができるのかしら」。こういう問題に対処するために、軍規則は、慰安所に対して、慰安婦個人の名義で、預金口座を開設するように命じている。さらに、慰安所は、慰安婦が稼いだ総収入の3％を慰安婦のために積み立てなければならなかった。それればかりでなく、慰安所には女性が稼いだ金の一部を前払金の残債の返済に充てる義務があった。残債が1500円以上である場合は、遊客が払った金の40%を女性が受け取った。残債が1500円以下である場合は50%、完済している場合は60%が女性の受け取り分だった。慰安所は、この女性の取り分のうち3分の2を残債返済に充て、残りを娼婦本人に直接支払うことになっていた。(Maree, 1943 ; U.S.Office, 1944を参照)。

契約期間が満了するか、あるいは前払金を完済した場合には、女性は家に帰ることができた。ビルマとシンガポールの慰安所で受付係をしていた朝鮮人が数年にわたって日記を付けていた(Choe, 2017a,b)。彼の勤めていた慰安所では、慰安婦の契約期間が終わって故郷に帰る例はごくふつうに見られた。千田夏光は慰安婦の調査をしているうちに、日本から慰安婦を募集することに携わった退役軍人に会うことができた。彼の言うことは自己弁護もあろうから額面通りに受け取ることはできないが、千田が「本当に前払金1000円を返済して自由になれた女性もいたのですか」と訊くと、「いたよ」と彼は答えた。「たくさんいた。第一聯隊と一緒に移動していた慰安婦について言えば、どんなに遅い者でも、二、三ヶ月で完済して自由になることができた」。

5　娼婦の預金

娼婦は稼いだ金の一部で前払金を返済する。返済して余った金額は様々だった。契約条件そのものを見てみても、その金額は娼婦が稼ぎ出す金額次第だった。学者たちが決まって言うことは、慰安所のオーナーは娼婦を騙していたに違いないということである――確かにそういう事実があったことは間違いない。どんな業界にいても、人間は騙し合うものである。

しかし、重要なことは、多くの慰安所のオーナーが、莫大な前払金の額を超える金額を実際に娼婦に支払っていたということである。前述の日記を付けていた受付係は、娼婦は預金口座を持っていたと記録している。彼は自ら、娼婦のために、定期的にその口座に金を預けに行っていたとのことである。さらにまた、彼女たちの実家に定期的に送金して、受領確認の電報を受け取っていたと言う。（KIH, 2016a；Choe, 2017a,b）。なんと、娼婦の中には、貯めた金で、自ら慰安所を開設したものまでいたのだった。（朴, 2014：111）。

口座を作った朝鮮慰安婦の中では、ムン・オクジュ（文玉珠）が一番華々しい成功を成し遂げたように思われる。彼女は回想録に次のように書いている。（KIH, 2016b）。

私はチップにもらったうちの相当額を預金した。軍人がみんな、給料を戦地の郵便局に預金口座を作って貯めているのを知った。そこで、私も預金口座に自分の金を預けることにした。私はある軍人に、個人の印鑑を作ってくれと頼み、５００円を口座に入れた。私は生まれて初めて、預金通帳というものを持った。私は大邱で、子供の頃から、ベビーシッターをしたり、町の売り子になったりして働いたが、どんなに働いても貧乏なままだった。だから、預金口座にそんなに多額の金が入っていることを信じられない思いだった。その当時、大邱では家一軒が1000円で買えた。私は母に楽な生活をさせてやることができて、幸せに感じ、誇りを持った。預金通帳が私の宝物になった。

人力車で買い物に行くのは楽しかった。ラングーンの市場で買い物をした思い出は忘れることができない。ビルマは宝石の産地なので、宝石店がたくさんあった。ルビーも翡翠《ひすい》もあまり高くはなかった。友人の一人は宝石を蒐集していた。私も宝石を持つのがよいと考えて、ダイアモンドを買いに行った。

私はラングーンで人気者になった。ラングーンには前線よりもたくさんの将校がいたので、私はしょっちゅうパーティに招待された。私はパーティで歌を歌い、多額のチップをもらった。

6 戦争末期

戦争の最後の2年間、日本政府は一番積極的に朝鮮人労働者を動員した。そのせいで、学者たちの中には、この期間に慰安婦の募集も一番盛んになったと示唆する人もいる。実情はその反対だった。戦争末期は、政府が慰安婦を集めようとした時期ではなかった。逆に、政府が慰安婦を慰安所から軍需工場へと動員した時期だったのだ。

日本の敗色が濃くなるにつれて、軍は兵員が不足して来た。1936年には、陸軍には24万人の将兵がいた。中国への進出が始まると、その数は95万に増加した（1937年）。その後の上昇は凄まじく、1943年には358万、1944年には540万、1945年には734万に達した。軍は次第に、40歳近い予備役の兵を召集して、前線に送るようになった。終戦直前には、20歳から40歳までの男子のうち、60・9％が入営し、200万人が死亡した。（渡邉 2014：1，8）。

軍はまた、補給品が不足していた。（全般的に三輪，2014を参照）。軍は30代の予備役の兵を召集して前線へ送ったので、炭鉱や工場で働く労働者が不足し、その穴埋めをしなければならなくなった。朝鮮人は日本国籍を持っていたのに、軍はまだ朝鮮人の若者を徴兵していなかった。しかし、1944年までには、軍は、多数の朝鮮人男子を炭鉱や工場へ送るようになっていた。同時に、若い未婚の女性は日本人も朝鮮人も、工場へ送り始めた。（原注7）

政府は慰安所などにはかまっていられなくなった。慰安所や高級レストランはだんだんと閉鎖されていった。軍は、使えそうな日本人男子を民間の製造業から前線へと送り出して行った。その補充をするために、朝鮮人男子を日本へ連れて来た。また、日本人でも朝鮮人でも、女子は、家庭や重要性の低い職場から引っ張り出して、軍需工場へ配属した。（原注8）朝鮮の動員されて労働することになった女性のことを考えてみよう。毎日新聞（1944）は、釜山港で貨物を運搬する女性からの手紙を紹介している。「我が国は私たちを必要としている」と彼女は叫ぶ。「女だからといって、家に閉じこもっていていいというわけがない」。全体の空気が厳しくなったことと、娼婦を工場に取られてしまったことから、売春宿は次第にさびれていった。（原注9）

（7）働ける（1943），労務管理（1943），朝鮮（1944,1945），樋口（2005）
（8）戦争（1943），半島（1944）
（9）戦争（1943），秦（1992, 330, 333），8軒（1943）

D　結論

日本軍は困った問題を抱えていた。慰安婦が足りなくなったのではない。慰安婦はどこまでも軍に付いて来るものだ。そして、1930代、1940年代には、慰安婦は日本軍に従って来た。問題は医療関係だった。地方の慰安婦は、ひどい性病に罹患していた。どうせ将兵が頻繁に慰安所へ行くものなら、司令部としてはせめて健康な慰安所へ行ってもらいたかった。

その目的のために——健康状態改善という目的でなく、衰えていく軍の戦力を維持するという目的のために——軍は、日本や朝鮮の標準的な認可システムを導入した。慰安所も慰安婦もこのシステムに登録した。指定された医師が毎週医療検診を行った。慰安所は遊客にコンドームを付けることを要求した。慰安婦はコンドームを付けたがらない遊客を拒絶するようにと命令された。遊客も慰安婦も、行為の後、その度ごとに消毒液で洗浄しなければならなかった。

契約そのものは、ゲームの理論でいう「信用できるコミットメント」の原理に従っていた。慰安所のオーナー（軍ではない）は、多数の新しい慰安婦を雇ったが、その大半は日本人と朝鮮人だった。女性たちは、慰安所のオーナーが将来の稼ぎについて甘言を弄することを知っていたから、報酬の相当部分を前払い（前借金）で受け取りたがった。慰安所のほうもそれに同意した。女性たちは戦地に送られることを知っていたから、契約の最長年期を定めてくれるように望んだ。慰安所のほうもそれに同意した。

一方、慰安所のほうも、監視されていない密室で女性たちが仕事をさぼることを恐れて、熱心に働こうというインセンティブを与える条件を望んだ。それとこれとが相俟《ま》って、女性側と慰安所側とは、多額の前払金と1年か2年の契約期間とをセットにした年季奉公契約を結んだ。戦争の最後の数ヶ月になるまで、女性たちは契約期間を勤め上げるか、あるいは前払金を早期に完済して故郷へ帰って行ったのだった。

【参照文献】

Choe, Kilsug, 2017a. 崔吉城『朝鮮出身の帳場人が見た慰安婦の事実』（ハート出版：東京）

Choe, Sang-Hun, 2017b. Deal with Japan on Former Sex Slaves Failed Victims, South Korean Panel Says. N.Y. Times, Dec. 27

朝鮮総督府統計年報（1906）　在朝関聯業者（1906 ~ 1942）『日本軍「慰安婦」関係資料集成』（鈴木他）（2006）

朝鮮総督府（1944）「国民徴用の解説」１９４４年10月、『日本軍「慰安婦」関係資料集成』（鈴木他）（2006:2-597）

朝鮮の労働者（1945）（『日本軍「慰安婦」関係資料集成』（鈴木他）（2006:2-563）

中央職業紹介事務局　復刻　谷川健一編『近代民衆の記録』3-412（新人物往来社）1926. 芸娼妓酌婦に関する調査（1926）

道家齋一郎（1928）「娼婦論考」『日本軍「慰安婦」関係資料集成』（鈴木他）（2006: 1-786）

藤永壮（1998）「日露戦争と日本による『満州』への公娼制度移植」桂川光正（Ed.）、『快楽と規則』（大阪大学産業研究所）

藤永壮（2000）「朝鮮植民地支配と『慰安婦』制度の成立過程」VAWW-NET（Ed.）、『『慰安婦』戦時性暴力の実態』（緑風出版）196

藤永壮（2001）「植民地台湾における朝鮮人接客業と『慰安婦』の動員、近代国家と大衆文化研究プロジェクト」『近代社会と売春問題』（大阪産業大学産業研究所）

藤永壮（2004）「植民地公娼制度と朝鮮人女性　日朝友好促進編『日本と朝鮮の関係史』（Agenda Project）

副見喬雄（1928）『帝都に於ける賣淫の研究』（博文館）

「軍慰安所従業婦と募集に関する件」（1938）陸軍省歩兵局「北支軍、中支軍への提案」陸支密 745 号、1938 Vol. 10 No.745　政府調査『従軍慰安』」関係資料集成　女性のためのアジア平和国民基金編（1997:2-5）

軍政監部ビサヤ支部「フィリピン」（1942）「慰安所規定送付の件」１９４２年11月22日、『政府調査「従軍慰安婦」関係資料集成』女性のためのアジア平和国民基金編（1997:2-5）

「八軒の業者が合同」（京城日報）１９４３年11月30日、『日本軍「慰安婦」関係資料集成』（鈴木他）（2006: 2-579）

「半島の勤労動員体制」（京城日報）１９４４年８月27日、『日本軍「慰安婦」関係資料集成』（鈴木他）（2006: 2-595）

秦郁彦（正論）６月 328（1992）「昭和史の謎を問う」

「働ける女の人は一人残らず働こう」（毎日新報）１９４３年９月23日、『日本軍「慰安婦」関係資料集成』（鈴木他）（2006: 2-568）

樋口雄一（2005）「総力戦体制と植民地」早川紀代編『植民地と戦争責任』（吉川弘文館）（53）

比島軍政監部（1942）「慰安所規定送付の件」（１９４２年11月22日）『日本軍「慰安婦」関係資料集成』（鈴木他）（2006: 1-383）

伊藤秀吉（復刻）（東京：不二出版 1982）（1931）『紅燈下の彼女の生活』（実業之日本社）

女性のためのアジア平和国民基金編（1997）『政府調査：従軍慰安婦関係資料集成』

京城日報１９１８年６月12日藤永壮より引用「植民地朝鮮に於ける公娼制度の確立過程」二十世紀研究（2004）

警視庁総監官房文書課（1933）「昭和７年警視庁統計１、一般」（総監官房文書課）

KIH　available at : 2016a. Korea Institute of History. 2016, Korean Comfort Station manager's Diary）「崔吉城教授による分析」２０１６年４月24日

http://scholarsinenglish. blogspot.com/2016/04/Korean-comfort-station-managers-diary.html.

KIH,（２０１６年４月20日）2016b. Korea Institute of History. 2016.「元朝鮮人慰安婦 文玉珠」

Kim, Pu-ja, Kim, Yon, 金富子（キム・プジャ）、金栄（キム・ヨン）2018.『植民地遊郭』（吉川弘文館

北支那派遣事務官（1938）「済南行き旅遊客の制限」１９３８年３月１日、『日本軍「慰安婦」関係資料集成』

（鈴木他）（2006: 1-143）
北支那方面軍司令部，（1939.）「共産党の我が軍隊に対する」１９３９年４月５日、『日本軍「慰安婦」関係資料集成』（鈴木他）（2006: 1-148）
草間八十雄（1930）『女給と売笑婦』（汎人社）
毎日新聞（1944）１９４４年２月26日、『日本軍「慰安婦」関係資料集成』（鈴木他）（2006: 2-562）
Mandalay, command, 1943.「慰安所規定」（１９４３年５月26日）、『政府調査「従軍慰安婦」関係資料集成』女性のためのアジア平和国民基金編（1997: 4-288）
Maree, gunseikan,「慰安所施設」１９４３年11月11日、『日本軍「慰安婦」関係資料集成』（鈴木他）（2006: 1-433）
南支那派遣軍（1939）「衛生春報」１９３９年８月、『政府調査「従軍慰安婦」関係資料集成』女性のためのアジア平和国民基金編（1997: 2-79）
三輪芳朗（2014）Japan's Economic Planning and Mobilization in Wartime, Cambridge University Press
森川部隊長（1939）「森川部隊特殊慰安業務に関する規定」１９３９年11月14日、『政府調査「従軍慰安婦」関係資料集成』女性のためのアジア平和国民基金編（1997: 2-327）
内務省（1938）「支那渡航婦女」１９３８年２月18日、『日本軍「慰安婦」関係資料集成』（鈴木他）（2006: 1-124）
日本遊覧社編（1932）『遊郭案内』（日本遊覧社）、台湾総督府（1932.）「接客業者数」１９３２年12月、『日本軍「慰安婦」関係資料集成』（鈴木他）（2006: 1-858）
『日本の植民地支配と国家的管理売春』朝鮮史研究会論文集、32:37（1994）
日本キリスト教婦人矯風会（1920）『海外醜業婦問題Ｉ』（日本キリスト教）復刻（舒文堂、2010）
「日本軍」（2020）『「慰安婦」関係資料集成』（赤石書店）
尾高煌之助（1975）『日本統治下における朝鮮の労働経済』経済研究 2、145 頁

大里勝馬編（1966）『明治以降本邦主要経済統計』（日本銀行）
大久保葩雪（1906）『花街風俗史』（隆文館、1906）再版（日本図書センター、1983）
朴裕河（パク・ユハ）（2014）『帝国の慰安婦』（朝日新聞出版）
Ramseyer, J. Mark, 1991. Indentured prostitution in imperial Japan: credible commitments in the commercial sex industry. Law Econ. Org. 7, 89.［本書第１論文］
労務管理の許可へ（京城日報）１９４３年９月23日、『日本軍「慰安婦」関係資料集成』（鈴木他）（2006: 2-567）
SCAP, 1945. Research Report: Amenities in the Japanese Armed Forces, １９４５年11月15日、『政府調査「従軍慰安婦」関係資料集成』女性のためのアジア平和国民基金編（1997: 5-139）
千田夏光（1973）『従軍慰安婦』（双葉社）
「戦争へ半島労務を凝集」（京城日報）１９４３年10月９日、『日本軍「慰安婦」関係資料集成』（鈴木他）supra note, vol.2, at 569（韓国における女性の接客業雇用の制限）
社会事業研究所（1936）『就労少年少女労働事情調査』（中央社会事業協会）
「支那渡航婦女の取り扱いに関する件」１９３８年２月23日、内務省警務局「発警」No.5.
支那派遣軍（1942）「昭和十七年七月副官会同席上意見」１９４２年10月３日、『政府調査「従軍慰安婦」関係資料集成』女性のためのアジア平和国民基金編（1997: v.3, 7）
台湾総督府（1932）「接客業者数」１９３２年12月、『日本軍「慰安婦」関係資料集成』（鈴木他）（2006: 1-858）
武井義和（2012）「日中戦争期上海の朝鮮人社会について」（日中戦争史研究会）
http://iccs.aichiu.ac.jp/archies/010/201205/4fc4385498c26.pdf
東亜日報（１９３７年11月５日）「少女誘引団求刑」『日本軍「慰安婦」関係資料集成』（鈴木他）（2006: 1-829）
東亜日報（１９３９年３月７日）新版「桃色白白教」、『日本軍「慰安婦」関係資料集成』（鈴木他）（2006: 1-829）
U.S. Interrogation Report. N.D. No name. No number, No date,『政府調査「従軍慰安婦」関係資料集成』女性のためのアジア平和国民基金編（1997:5-111）

U.S. Office of War Information, 1944. Interrogation Report No.49.（１９４４年10月1日）『政府調査「従軍慰安婦」関係資料集成』女性のためのアジア平和国民基金編（1997:5-203）
上村行彰（1918）『売られゆく女』（大鐙閣）復刻『近代婦人問題名著作集続編、5-57』（日本図書センター 1982）
上村行彰（1929）『日本遊里史』（春陽堂）復刻『日本文化史叢書』（隆文堂）（1982）
渡邉勉（2014）「誰が兵士になったのか」社会学部紀要 119,1.
山田弘倫、平馬左橋（1923）『統計より観たる花柳病』（南山堂）
山本俊一（1983）『日本公娼史』（中央法規出版）
山下佳江（2006）「朝鮮における公娼制度の実施とその展開」、『日本軍「慰安婦」関係資料集成』（鈴木他）（2006: 2-675）
山崎朋子（1972）『サンダカン八番娼館』（筑摩書房）
在上海総領事館（1937）「在上海総領事館に於ける特高警察事務状況」１９３７年12月、『日本軍「慰安婦」関係資料集成』（鈴木他（2006: 1-74）
在上海総領事館（1938）「昭和十三年中に於ける在留邦人」１９３８年、『日本軍「慰安婦」関係資料集成』（鈴木他）（2006: 1-118）

・追加資料
鈴木裕子他『日本軍「慰安婦」関係資料集成』第1巻（東京：明石書店）（2006）

第４論文（２０２２年）

太平洋戦争における性サービスの契約

——批判者への回答

CONTRACTING FOR SEX IN THE PACIFIC WAR: A RESPONSE TO MY CRITICS

The Harvard John M. Olin Discussion Paper Series no.1075,ov2022
http://www.law.harvard.edu/programs/olin_center/papers/pdf/Ramseyer_1075.pdf
ISSN 1936-5349 (print)　ISSN 1936-5357 (online)

要旨

拙論「太平洋戦争における性サービスの契約」（The International Review of Law and Economics誌〈ＩＲＬＥ〉2020）に於いて、私が研究調査の対象としたのは、日本人・韓国（朝鮮）人の売春婦が仕事場の売春宿と契約を結ぶに至った背後に、どのような経済的論理があったかということであった。私が説明を試みた契約条件の中に、莫大な前払金と奉公期間の期限がセットになっていたという事実があった。わたしは、この契約条件を古典的な経済学の難題として、説明しようと努めたのである。

私のこの論文は甚だしい批判を招くことになった。しかし、契約に対する私の経済学的分析に異論を唱えた批判はほとんどなかった。いやいや、批判する人々は、契約条件に関する私の分析について言及することさえなかったのである。ところが実は、私がＩＲＬＥにこの論文を発表することになったのは、この問題に焦点を当てることが目的だったのである。

むしろ逆に、批判する人の中には、私が現実の売春契約を調査していないと文句をつける者もいた。実際に私の論文を読んだ読者は、私が実際の契約書のデータ一式を持っているなどとは主張していないことを分かって下さっているはずだ。私の知っている限りでは、実際に使われた契約書が戦後まで残っていた例は皆無に等しい。論文の中でも明らかにしたことであるが、私が利用したのは、政府文書の中に残っている売春婦契約に関する情報であり、戦時の回顧録であり、新聞の広告であり、慰安所の会計日誌の要約などである。

また、私の論文の引用文には不正確・不適切・解釈の間違いが多いと言って、そのリストまで提出した人もいた。それに対しては、私は以下で、いちいち反駁をする。間違いだという指摘はほとんど全部指摘が間違っている。少数ながら、私に非のある個所もあった。しかし、そういう欠陥は、契約条件の分析には影響を及ぼしていない。

たいていの批判者は、慰安婦制度が不道徳であると強調する。特に、騙されて慰安婦にされたり、慰安所の経営者に詐欺的手法などで虐待された女性たちがいるのに、私がそういう事実に目を向けていないと主張する人が少なくない。しかし私は論文の中で、きちんとそういう点に触れている。論文の原文を読んで下さった方は、そのことをよく理解なさっているだろう。

批判者の大半は、多数の韓国人女性が、朝鮮に駐留していた日本軍によって、強制的に徴用(銃剣を突き付けられ、あるいは意志に反して連行され)されたと主張する。私のIRLEの論文では、この問題には触れなかったが、今回この反論で論じてみよう。批判者のこのような主張は偽りである。朝鮮人女性たちは、朝鮮駐留の日本人兵士によって計画的・強制的に徴発されて、慰安所へ送り込まれたわけではなかった。強制的な徴発があったという証拠は、当時の記録には全く残っていない。1945年に戦争が終わった後も、35年間にわたって、そのような証拠は出て来なかった。1980年代の末になってようやく、韓国人女性の若干名が、強制的に徴発されたという苦情を口にし始めたのだった。

1983年に椿事が出来《しゅったい》した。吉田清治という日本人文筆業者が、著書を出版した。日本人兵士の集団が、朝鮮人の女性たちに銃剣を突き付けてレイプし、その後で、性奴隷として働かせるために連行したという趣旨だった。吉田自身もそれに加担したのだという。1996年の有名な国連の報告書は、朝鮮人女性の強制連行に関するものだったが、この吉田の著書がタネ本だった。そして、この著書が出た後、少数の韓国人女性が、自分たちがその被害者で、強制連行をされたと訴え始めた。しかるに、その女性たちの中には、以前には違う証言をしていた者も混じっていたのだ。吉田は死ぬ前に、その著書全体が虚偽であったと認めた。吉田が捏造記事を書いていたことは、アジアを含めた世界各国で相当な注目を惹《ひ》き、ニューヨークタイムズもこれを取り上げた。

そもそも慰安婦論争というものは、吉田のこの詐欺的行為によって始まった。にもかかわらず、私を批判する人たちは、日本と韓国の専門家でありながら、この決定的な捏造報道については気づいていながらこれに言及しないのだ。

戦時の売春に関する研究について
（ゴードン／エッカート、ソク＝ガーセンへの反論を含む）

私は、国際学術雑誌「International Review of Law and Economics（IRLE）〈法と経済学の国際レビュー〉」の2021年3月号に「太平洋戦争における性サービスの契約」という8ページの論文を発表した。（本書［第3論文］）。この論文の中で、私は、日本人および朝鮮人の女性が戦時の「慰安所」で働いていた契約の構造を研究した（Ramseyer 2021）。ここで言う慰安所とは、1930年代に始まり、第二次世界大戦の終結に至るまでの間、日本軍基地の近くで営業していた（一般的には日本人か朝鮮人が経営）売春宿のことであった。

私のこの論文は、甚だしい論争の的になった。学界の従来の習慣によれば、他人の論文に異議を唱える人は、反論を書き、独立の論文として他の研究者による査読を経る必要がある。ところが、私を批判する人々は、こうした手続きを踏まず、学術雑誌の編集部に私の論文を撤回するよう要求した。現在、日本と韓国は歴史をめぐって微妙な関係に陥っている。そのような事情を反映して、私を攻撃する人々の多くは、男女を問わず、韓国人、また韓国と連携する西欧人学者である。

そういう批判をする人たちは、私の言いたいことが分かっていないのではあるまいか。私の主題は、「売春宿と売春婦の契約関係の経済学的根拠」であった。この論文で、私は二つの疑問を提出した。

（i）「売春宿および募集業者は何故《なにゆえ》に多額の前払金を支払ったのか」、（ii）「女性たちの契約期間の長短は契約のどのようなメカニズムによって決まったのか」という点であった。いずれの点についても、批判者たちはこれを無視している。

その代わりに、批判者たちは、「私にとっては捏造としか思われない主張」と「真実ではあるが、私が取り上げていない主張」の二つを故意に混同しているということである。批判者によっては、証拠書類と、原資料の引用の限界を指摘する人もいた。こういうご指摘には感謝の意を表明したい。しかし、大半は、私が一番問題にしている（i）と（ii）の疑問点には触れていないのである。

さらに具体的に言うならば、批判者たちは、三つの主張を行っているように見える。第一に、ある批判者たちは、慰安婦は契約して働いていたわけではないという。私が集めた資料を見れば、そのような指摘が間違っていることは一目瞭然である。日本人売春婦も朝鮮人売春婦も、戦前から契約を結んで仕事に従事しており、戦時中になっても契約が継続していた。私は原論文で、この点について重要な証拠を提出した。今、この反論をするに際して、さらなる証拠を提出したい。言うまでもなく、契約を結んでいたからといって、その契約が公平かつ公正なものであったという証拠にはならない。しかし、（この反論の中で何度も述べるが）、私の論文はかくあるべしという規範論を語っているのではない。

第二に、批判者の大部分は、日本軍が朝鮮人女性に銃剣を突き付けて、慰安婦として働くことを強要したと主張する。日本軍が犯した戦争犯罪を弁護するつもりはなくても、このような主張もまた真っ赤な嘘である。朝鮮でそのような犯罪が行われたという当時の証拠を私は全く見いだせなかった。あるいは前線ではそのようなこともあったかも知れない。しかし、私の論文は日本人、朝鮮人の女性に限って論じているのである。朝鮮人女性の中には、強要されたと主張している人もいる。彼女たちの証言には耳を傾けなければならない。しかし、耳障りではあっても、これから詳細に述べることを読んでいただければ分かると思うが、彼女たちの証言が信頼できるものであるとはとうてい思われないのである。

第三に、私を批判する人々は、慰安婦が募集業者に騙されて、慰安所の経営者に虐待されたこともあったと主張する。この点は事実であり、特に注意する必要はある。だからこそ、私は、原論文でその点についてきちんと指摘したのである。しかし、忘れてならないことは、慰安所経営者が当初の契約条件に違背するリスクがあったからこそ、女性たちは、相当の前払金を要求したという事実である。ここが重要なポイントである。このことについて、私は再三再四、明確に述べたつもりだ。私の主張の基礎となっているのはこの点なのである。

慰安所で働く慰安婦は日本人も朝鮮人も（日本人のほうが多かったが）、長期にわたる年季奉公の契約を結んでいた。一番普通には、慰安所の経営者は、多額の前払金を払って、最大2年間の拘束をすることになったが、慰安婦が十分の額を稼いだ場合には、早期に退職する権利が与えられていた（IRIE,［第3論文C］）。こういう取り決めは（批判者たちは触れようとしないが）経済学の論理に照らして合理的なものであり、間然《かんぜん》する余地はなかった。もちろん、経営者が慰安婦の労働意欲を掻き立てるために将来の収入の予測を実際よりも過大に言うリスクはありえた。そこで、女性のほうも、多額の前払金を要求したのだった。また、前線に送られるリスクもあったので、契約期間はなるべく短くすることを望んだ。一方、業者のほうは、女たちがいったん雇用された後にきちんと仕事をしなくなるのではないかという懸念があったから、働けばトクになるという契約条件を作成することを望んだ。（IRIE,［第3論文C］）。私の論文の主旨は、この契約を経済学的に分析することだった。

この導入文において、私は批判者たちが一番よく取り上げる問題に答えるつもりである。すなわち、「朝鮮人慰安婦は、銃剣で脅されて売春をさせられたのであり、契約を結んで働いたのではなかった」のではないかという問題である。この問題に答えるに当たって、私が第一に焦点を当てたのは、ハーバード大学の歴史学者アンドルー・ゴードン（Andrew Gordon）とカーター・エッカート（Carter Eckert）の主張である。このご両人は、二つの経済学的に間違った概念に束縛され、その誤解の上に私の原論文批判を構築したのではないか思われるのである（B参照）。私は、ある朝鮮人女性が、自分のした選択を説明した例を示す（C参照）。その上で、ゴードンとエッカートに対して、出て来た証拠がどのようなものであるかを説明し、銃剣で脅したというまともな証拠などまったく存在しないということを論じてみたい（D参照）。その後さらに、ソク＝ガーセン（Suk-Gersen）の批判について論じてみたい（E参照）。そして、最後に、英語で書いている学者たちがよく言うこの問題について、学問的な『合意』が存在するという考え方を議論して、この反論を終わることにする。実際のところ、明らかな合意とは単にもしそれと違うことを書くと周囲から叩かれるということに過ぎない（F参照）。

私は、この反論に、若干の補遺《ほい》を付けた。スタンリー（Stanley）などへの反論（2021a）（補遺Ⅰ）。吉見への反論（2021a）（補遺Ⅱ）。そして、入手できた契約関係の証拠のいくつか要約である。（補遺Ⅲ）。

A　断り書き

まずは前もって断り書きを若干付けておく。何よりもまず、これはもっぱら実証的な研究である。性サービス産業の中で、男女が関係を結ぶ際の契約の背後にある経済的な論理を私は探求する。政府が買春を合法化したり許可したりしてよいものかという問題にはここでは触れない。また、こういう契約に対して、司法がどう対応すべきかについても論じない。吉見（2021a）やソク＝ガーセン（ツイッターで）のような批判者は、長々と道徳的な説教を垂れる。しかし、そんな感情的な言い分は私のテーマへの反論にはなっていない。そういう感情を持ってはいけないなどと言うつもりはない。私の論文はもっぱら（一にも二にも）事実を述べているだけである。道徳的な判断を下すということは素晴らしいことではある。しかし、我々は学者として、現実世界の男女がなにゆえにあのような契約を締結するに至ったかを解明する努力をしなければならない。このような契約の道徳的性格を評価することは、私の研究対象から遠くはずれることになる。

第二に、私の分析は明確に日本人と朝鮮人の女性に限定している。大衆ジャーナリズムに掲載された批判の大多数（マイケル・チュー（Michael Chwe）の「憂慮する経済学者たち」の申し立て［2021］）や学者たちの議論（Gordon ゴードン［2003］や Stanley スタンリー［2021a］）は広範なアジア出身の女性たちへの虐待を十把ひとからげに扱っている。1930年代には、朝鮮は日本の一部であり、朝鮮人は日本国民だった。（二級国民だったという説もあろうが）。戦場で銃を突き付けて駐屯していた国の女性に何らかの強要をしたという明白な証拠はある。特に明白なのは、インドネシアの捕虜収容所だった。しかし、戦場や捕虜収容所で敵国の女性をどのように扱ったとしても、自国民の女性を虐待したという証拠にはならない。どちらも重要な問題ではある。もちろん、私は捕虜を虐待した日本人を許す気持ちにはなれない。ただ私の論文が対象とする範囲は限られている。私は日本人と朝鮮人の慰安婦の問題を論じているのである。

第三に、ＩＲＬＥの論文（本書〔第3論文〕）は、慰安所や国内の売春宿で使われていた契約にしぼって論じているのである。私がもともとＩＲＬＥに寄稿した文は2倍の長さで、内容も違っていた。その論文は、慰安所や売春宿の実態を歴史的な流れの中で詳述し、それに関する歴史学的な論争を調査したものだった。この長いほうの論文は、ＳＳＲＮ（Social Science Research Network／法律学社会科学関係の世界最大のオンライン研究発表ネットワーク）で検索可能。(https://papers.ssrn.com/sol3/papers.cfm?abstract_id=3822439)〔これは本書〔第2論文〕とは別の論文である〕。

ゴードンとエッカートは、私が「より大きな政治的経済的な状況を無視している」ということに「驚いた」とクレームを付けている。そのより広い政治的経済的な状況と、歴史学的な論争に関心のある読者には、この長いほうの原稿を読んで頂きたいと思う。

第四に、私は断じて、朝鮮人慰安婦の契約と日本人慰安婦の契約を比較しようなどとは思っていない。ところが奇妙なことに、ゴードンとエッカートは、その比較が私の論文の根底になっていると言っているように思われる。それは間違いである。付随的にも書いてない。そんな比較は私の論文のどこにもない。それについては、後のD3で理由を説明しよう。

第五に、言う必要はないのだが、敢えて言おう。私の結論に不満のある方は、論文を書いて反論してほしい。発表するのは、査読付き学術誌にすべきである。「(リー(Lee)・斎藤(Saito)・トヅレス(Todres)のケースのように)」。残念ながら、このように言うことが論争のタネになっているようである。この米国でもまた韓国でも。私の論文に対する反応を理解するためには、韓国政府がどの程度までこの問題の論議を制限しているかを知る必要がある。漢陽(ハンヤン)大学副教授のジョセフ・イー(Joseph Yi)と延世(ヨンセ)大学副教授ジョー・フィリップス(Joe Philips)は、次のように書いた(2021)。

韓国では、「慰安婦」に関する調査研究や議論をすると、社会や国家体制の中で、グループ思考に陥ってしまい、通常のような自由な議論ができなくなる。学者が敢えて「慰安婦」の強制連行について、公然と論争を挑んだりすると、活動家からいやがらせを受けたり、大学からの調査が入ったり、政府から起訴されたりすることがある。

ジョセフ・イー副教授の言うところ(2021)によると、慰安婦問題は、この韓国という通常では大衆の意見を尊重する国で、最後のタブーになっているとのことである。学者が、このタブーに挑戦しようとすると（例 Park 朴 2014、Lee 李 2019、2020、Yi イー 2018）、その代償は驚くべきものである。ジョー・フィリップス、ウオンドン・リー（Wondong Lee）とジョセフ・イー（2019, 452-53）は、そういう代償について語っている。

２０１３年には、世宗大学教授パク・ユハ（朴裕河）教授は、その著書の中で、慰安婦の様態が様々であったこと、証言の中には信頼できないものがあることを指摘した。これに対して、慰安婦活動家９人が、名誉毀損で民事と刑事の訴訟を起こし、検察側は懲役３年の求刑をした。ソウルの民事裁判所は、朴の韓国語の著書を調査し、名誉毀損に対して９０００万ウォン（７万４０００ドル）の損害賠償を命じた。刑事裁判については、ソウル刑事裁判所は、名誉毀損について、朴に無罪の判決を下した。しかし、文在寅が大統領に選出された後、２０１７年10月27日には、ソウル高等裁判所は、一審の無罪判決を覆して、１０００万ウォン（８８４８ドル）の罰金刑に処した。検察側は上告し、改めて懲役３年を求刑した。２０１７年４月26日、国立順天大学のソン（Song）教授は教室で、韓国女性の中には「たぶん」自ら志願して慰安婦になった者もいたと語った。大学はソン教授を解雇し、法廷は懲役６ヵ月の判決を下した。

もっと最近になってからの話だが、延世大学の社会学者 Lew Seok-choon（リュウ・ソクチュ柳錫春）は、大学での講義中、慰安婦は日本軍によって強制連行されたのではなく、「売春の一形態」だったと述べ、名誉棄損罪で刑事事件として起訴された。（Martin & Yoon マーチン、ユーン［2021］（原注1）

（1）ウォール・ストリート・ジャーナルにマーチンとヨーンの論文が出た後、リュウ（Lew）は、フェイスブック（Uooru 2021）にコメントした。「ウォール・ストリート・ジャーナルは私の問題に大いに注目してくれた。両陣営からのコメントを入れたから、これで公平を保つことができる。しかし、私はインタビューに応じ、元慰安婦たちの話がコロコロ変わったこと、国連のクマラスワミ報告書が吉田清治の著書『私の戦争犯罪』（捏造であることが明白になった）に依拠していること、挺対協とユン・ミヒャン（尹美香）が今では横領の容疑で起訴されていることなどを詳細に説明した。なんということか、ウォール・ストリート・ジャーナルは、その内容を全く記事にしてくれなかったのだ。」

韓国では法体制がこんなふうになっているために、大部分の学者は自分の意見を述べることができなくなっている。イーとフィリップスとリーは、さらに次のように語る。

社会的環境と法的環境がこんな具合であるために、異論を唱える学者や、ジャーナリストや人々は、メディアや限定されたフェイスブックで匿名で主張を述べている。

私の論文に対する攻撃が米国で起こっていることに関して、イーとフィリップスとリーは、次のように述べている。

明確な反論が比較的に少ないために、たいていの韓国人は反日キャンペーンをやすやすと受け入れてしまう。海外在住の韓国人も同断である。そのために、日本は駄目だ、駄目な日本人が選んだリーダーも駄目だという考えに凝り固まってしまうのである。

こうした攻撃にもかかわらず、勇気ある韓国の学者が次第に主張を表に出し始めている。その結果、韓国では慰安婦問題について活発な知的な議論が行われるようになっている。わたしは、ここアメリカで主張しているが、学問の自由に対する脅威はあからさまである。

もし、マイケル・チュー（Michael Chwe）か誰かが、私に対して異を立てるのならば、正しい抗議の方法は、論文撤回を要求したり、編集者にいやがらせをすることではないはずだ。学者としての適切な対応策は、（2021年にリーや斉藤やデロスがしたように）、反論を書いて、査読付き学術誌に発表することであるはずだ。

慰安婦問題について、通説になっている意見に反対する者を刑事犯罪として起訴することは、韓国特有の現象であろう。しかし、西欧の人文科学学界の日本研究の偏狭なことは韓国の学界と大差はないように思われる。（原注2）11月半ば、著明な韓国人経済学者・李宇衍（Lee Wooyoun イ・ウヨン）は、アジアに焦点を当てた雑誌『ザ・ディプロマット』に寄稿し、朝鮮人慰安婦は強制連行されたのだという意見に反論した。デービッド・アンバラス（David Ambaras）（補遺Ⅰに付けた攻撃文の共著者）はツイッターに李宇衍の論文のスクリーンショットを載せ、「慰安婦否認論者は軽蔑に値する」とアンバラスは言い、かつ「@Diplomat_APAC」はなぜこんなクソ記事を掲載したのか」と言い募った。エイミー・スタンリー（Amy Stanley）（同じく共著者）はこの論文をリツイートした。茶谷さやかも同調した。その数時間後、同誌の記者ミッチ・シン（Mitch Shin）がアンバラスに返信した。「この問題を私は解決したい。申し訳ない」。それだけでは足りないと思ったのか、さらに続けて、「この記事は撤回する。このような恐ろしい受け入れがたいミスをしたことを本当に遺憾に思っている」（原注3）と述べたのである。念のためにと思ったのであろうか、シンは、さらにツイートをして、「我が社のウェブサイトにこのような記事を載せたことを心からお詫びする。記事は撤回した」（原注4）と述べた。読者から賛同の投稿があった。「よいニュースだ。なかなか素直な撤回はできないものだ」。ディプロマットの問題の記事は今では全く痕跡をとどめていない。（原注5）

（2）この問題に対して、米国の人文科学学界はとめどのない検閲によって言論の自由を奪っている。少なくとも私にはそう見える。H-Japan は“H-Net Humanities & Social Sciences Online”の中の日本関係のウェブサイトである。学者、大学院生、教授たちに、日本の歴史、文化、宗教、社会について、自由に討議する場を提供することを目的にしている。２０２１年11月20日、ポーラ・カーティスはこのサイト（Curtis 2021b）で私を攻撃した。11月23日には、ジェイソン・モーガン（Morgan 2021a, 2021b, 2021c）が、慰安婦問題に関して、早稲田大学の歴史学者・有馬哲夫とのインタビューを三回に分けて行い、それをこのサイトに載せてくれと依頼した。ウェブサイトの編集者と歴史学者のジャネット・グッドウィンは「この記事はポーラ・カーティスの論文に対する返答であると考える」と返事をくれた。その上で、「本サイトは、慰安婦が契約をしていたということに関連して、具体的な論争を提起したり、その証拠を持ち出すような記事を掲載する余裕はない」というよく分からない根拠で、モーガンの依頼を却下した。

（注3）https://twitter.com/dambaras/status/1460099767279755269. 李（2021b）は自分の経験を語っている。「慰安婦問題を解決するためには、第一に、事実から目をそむけてはいけない。第二には、聞きたくないこと、意見だからと言って封殺してはいけない」

（注4）https://twitter.com/dambaras/status/1460112141684559875

（注5）アンバラスにとっては、これでも十分ではない。「編集部は、まず第一に、こんな論文がなぜ公開されることになったのか、第二にこの過ちがその後も大手を振って歩くことを阻止するためにどんな手段をとったのかを説明する義務がある」と述べたのである。これに対して、シンは返答した。「デービッド、すぐに公的なアカウントで説明します。再び言いますが、お詫びの言葉もありません。私は南北朝鮮に関する主任通信員でもあることですので、組織の外部からの寄稿者の論文を見直すに当たっては、編集部一同、もっと丁寧な仕事をするように、全力を尽くすつもりでおります」。アンバラス「ありがとう、ミッチ。歴史修正主義を扱う段になると、よくよく気を付けなければならないのだよ」。しかし、シンはまだ謝り続けた。「最後に、皆様にお礼を言いたいと思います。この問題を取り上げて、直接私と我が社に遅くなり過ぎないうちに策を講じるように注意して下さった方々のおかげで助かりました。これからも、我が社の行動をチェックして、ことあるたびにご意見を下さるようにお願いします。ありがとうございます」。

https://twitter.com/dambaras/status/1460266541434429455/photo/1.

アンバラス、スタンリー、チャタニ（茶谷）がディプロマット誌に検閲を強要した記事に興味のある読者は、

Lee（2021b）、及び https://archive.ph/20211115071637/https://thediplomat.com/2021/11/anti-japantribalism-on-the-comfort-women-issue/ を参照のこと。

私の論文はさんざんに攻撃されたが、最後に、そのうちの四つについて触れておこう。まずはアンドルー・ゴードンとカーター・エッカートからのクレームだ（2021）。次がソク＝ガーセンがニューヨーカー誌に寄稿する人気アカウント（Suk 2021）。3番目は、エイミー・スタンリー、ハンナ・シェパード（Hannah Shepherd）、茶谷さやか、デービッド・アンバラス、チェルシー・センディ（Chelsea Szendi）による長文の非難（2021a）。4番目が吉見義明のエッセーだ（2021）。この四件を選んだ理由を説明しておこう。ゴードン／エッカートは、「ラムザイヤーは契約の証拠書類を持っていない」という線で攻撃を始め、大衆ジャーナリズムでの攻撃の主役となった。ソク＝ガーセンは、韓国の一部の人々の間では幅を利かせている超国家主義の歴史観と人権派の日本研究家たちの個人的な日本攻撃とを結びつけている。スタンリーを始めとする他の学者たちは、30ページを超える長文で、学問的な装いを凝らしている。そして、吉見は、慰安婦問題を騒ぎ立てる陣営の中では、断然一番の著名人である。他の学者たちからの非難も、アジア太平洋ジャーナルの Japan Focus に出ている（https://apjjf.org/）。これは、前述の四件ほどには注目を集めていないが、大筋に於いて、ゴードン／エッカートやスタンリー一派の言うことと重複している。

1930年代の朝鮮で、何が起こったのかということは、すぐれて学問的な問題である。従って、大衆ジャーナリズムに寄稿して私の論文を批判している連中を、私は眼中に入れないことにしている。こういう大衆ジャーナリズムに載った批判の中で一番有名になったのは、「憂慮するエコノミスト」のアピール（2021）であろう。これは奇怪な声明文であり、おそらくマイケル・チュー（Michael Chwe）が書いたものであろう。その内容は、「何十万人もの女性たちが、慰安婦制度の中に強制的に組み込まれた。年齢は11歳から20歳。そのうちの4分の3がレイプされたり拷問されたりして死亡し、戻って来なかった」というものである。まことに胸の悪くなるような反日の歴史であり、いささかなりとも学問的な根拠に基づいているものではない。なんとそれなのに、この声明文は、ＩＲＬＥに対して、私の論文を撤回するように要求したのである。これに同意する署名をした学者は数千人に上った。

B　経済学的な誤解

1　契約構造の決定

後記のＣで詳述するヒュン・ビュンスクは元慰安婦であり、この人が契約条件について、交渉をして、自ら取り決めに参加したことは間違いない。金額と、年季についても交渉した。さらに、慰安所が彼女との契約を譲渡する権利についても交渉した。たいていの新参者は、おそらく特定の個々の条件について交渉することはなかっただろう。そして、私を批判する人々の間で、慰安所の取り決めについての誤解は、契約構造を決定するに当たって、明確な交渉が務めた役割について誤解があることから来ているのであろう。

経済学の素養のある読者なら、このポイントを本能的に理解できるはずだ。市場には競争があるのだから、売り手も買い手も、明確な交渉のあるなしにかかわらず、少しでも効果的な契約条件を模索することになる。たとえば、労働市場に雇用者と労働者が十分にいる場合を想定してみよう。両当事者が使う契約を使用者側が決める習慣になっていると仮定しよう。この世界では、労働者を引き付けるために、雇用者同士が競争しなければならない。賃金ベースの競争が一番顕著である。しかし、契約構造の中で、賃金以外にも労働者にとって重要だと思われる要素があったら、雇用者はそういう要素にも気を配らなければならなくなる。競争に勝つ雇用者とは、両当事者にとって一番利益の上がる価格金額と契約条件とをセットにして提示する雇用者である。

これが経済学のＡＢＣである。コースの定理の変形だと言ってもよかろう。例外は無数にある——そして、その例外というのがことごとく重要なものなのである。特定の事例を分析していくと、そういう例外の多くが当てはまることがある——言うまでもないことだ。

しかし、この経済学の基本が、多くの批判者にとっては、基本にはなっていないように思われる。二十世紀の朝鮮や日本の農業社会は貧困に喘いでいた。特に朝鮮では、識字率の低さは目を覆うばかりのものがあった。どんなに悲惨な状況であったかは、歴史学者なら分からないはずはない。歴史学者は、そのような社会から出て来た人々が、募集業者や慰安所の経営者と、他の契約条件について交渉することなどできるはずがない、と主張する。その結果、出て来た契約条件が、農家の福利を改善することになると言われても彼ら歴史学者は本能的に拒絶するのである。しかも道徳的に攻撃的な態度で。

2　限界労働者、限界以下労働者

批判者の中には、契約条件を決定する際に、「限界値」が大きな役割を果たしていることを見落としている人が多い。労働市場に多くの労働者と多くの雇用者がおり、自由な競争があるとも う一度仮定しよう。ここでもまた、賃金以外の要素は無視してみよう。平衡点に達した賃金というものは、限界収入と限界コストが釣り合う賃金である。今、雇用主側は金額差別をすることができないと仮定してみよう。低賃金でも喜んで働いていたであろう労働者は、限界労働者が雇用契約を受け入れるようなより高い賃金を受けとることになろう。もし、労働者が、雇用契約の中の賃金以外の要素をも気に掛けるようになれば、この平衡プロセスの理屈から言って、雇用者は限界労働者の賃金以外の要素でも競争せざるを得なくなる。

経済学では、これも基本的なことである。ここでまた、無数の例外が出てくる。さらにまた、こういう例外が大きな問題となってくる。しかし、こういう限界分析を批判者の多くは理解しないようである。

ところがまた、このような限界分析をしなければ、詐術を用いる募集業者や金のことしか考えない親が売春婦の労働市場で果たしている役割は理解できないのである。この論文の中で、私は繰り返し指摘しているのだが、慰安婦の中には騙されてこの業界に入った者がいたことは間違いない。親に売られた娘もいた。（その親たちの中には、娘がどんな目に遭うかをきちんと理解している者も、していない者もいた）。そして、親に売られた場合には、前払金が少なくなったであろうと考えられる——所詮、業者が個別的に金額を決めるからである。（したがって、金額差別があった）。

しかし、募集業者は価格差別をすることができたとはいえ、標準的な契約様式に従ってはいた。金額の差別はあったが、一般的には、契約条項に関しては、差別はなかった。契約条項の差別がなければ、結果として出来上がった契約条件は、限界労働者にとっては、一番受け入れやすいものになっていたはずだ。こういう面から考えると、詐術に誘われた女性たち、親に売られた女性たちは、限界以内だったのである。業者は、自分たちのしていることを理解している女性を相当数雇用しなければならない。そうなると、労使双方の福利を促進する標準契約様式に従わなければならなくなったはずだ。

もっとも、それだからといって、女性たちの悲惨な状況が改善されることになるわけではない。私がこういうことを言うのは、一にも二にも、私がなぜ、一般的に仕事の内容を理解している女性たちに焦点を当てているかを説明するためなのである。彼女たちは「限界」労働者なのである。ミクロ経済学では、契約構造を決定する目的のためには、問題となるのは女性たちなのである。

C　予備的な実例

朝鮮人慰安婦だったヒュン・ビュンスクは、自分が選択した契約の例を説明している。これをちょっと見てみよう。このインタビュー記事は2003年に出版されたが、著明な経済史学者李宇衍（イ・ウヨン）によって引用された。読みやすくするために、私が話し手を特定し、カッコ内にコメントを入れることにした。

問：その店からどのくらい金をもらったのですか。

ヒュン：500ウォンです（朝鮮のウォンと日本の円との交換レートは1対1だった）。2年契約で。その500円を私は両親に渡しました。2年後に家へ帰りましたが、ぶらぶらしていても何にもなりません。そこで、別の場所へ行って、金を稼ぎ、両親に渡したいと思いました。村にずっといようとは思いませんでした。

ヒュン：私は博川（パクチョン）へ行って、パク・カという人に会いました。旅館へ行って、「女を買いに来ている人がいると聞きましたが、その人はどこにいるのですか」と尋ねました。すると、「向こうのほうの旅館だよ」というのが答えでした。「その人は中国から女を買いに来たんだよ。行ってみたらどうだね」と言われたので、訪ねて行ってみますと、そこに男が座っていました。「女を買いに来たのですか」と私は訊《き》きました。「何のことだね。お嬢さん」という返事だったので、「中国へ行って、お金を稼ぎたいのです」と言いました。

問：おばあさん。その当時、中国のどこへ行くのかは分かっていたのですか。ヒュンさん。

ヒュン：分かっていました。

問：たくさんの日本兵を相手にすることも分かっていましたか。

ヒュン：もちろんです。

問：そのことをどこで聞いたのですか。

ヒュン：噂で聞きました。いろんな話を聞きました。さんざん捜し回ってからやっとその人を見つけたのです。私はその人に、「私を買ってくれますか」と訊きました。「もちろん買ってあげるよ。いくら欲しいのかね」と訊き返されました。「両親が困るので、3年契約にしたいのですが、それだったらいくらもらえますか」と訊くと、「2000ウォンあげよう」ということでした。「2000ウォンでは、年に1000ウォンにならないじゃないですか。私は年に1000ウォン欲しいのです」と言いました。すると、「いいよ。3000ウォン払おう。家へ帰って両親の許可をもらっておいで」と言ってくれました。

［著者注：金額と契約期間についてはっきりと交渉していることが分かる］

問：ご両親の判をもらいましたか。

ヒュン：もちろんです。両親を連れて来たら、金をあげると言うのです。でも、祖父母の判も必要だということでした。その当時は、細かいことにまでうるさかったのです。

問：あなたは何歳だったのですか。

ヒュン：16歳になったばかりだったと思います。私は父を川の土手へ連れて行き、話をしました。「お父さん。女を買いに来ている人がいるの。金額もちゃんと言ってくれた。遠くへ行ってお金を稼いで来る」。私は父の生活を楽にさせてやりたかったのです。好きな物を食べさせてあげたかった。「お父さん。私、働くわ」。

［著者注：当時の売春宿の説明では、16歳の女性はまれで、たいていは20代だった］

李：親が自分でやって来ない限り、前払金は払ってもらえなかったのです。両親だけでなく、祖父母の同意も必要でした。父親以外に、母親や祖父母の判まで必要だった理由が分かりません。多分、共同親権を持っていたのでしょうね。

ヒュン：「そういうことなら、行かせてあげよう」と父は言いました。そして、両親が署名をして、判を押しました。父と一緒に博川へ行きました。父は男に言いました。「娘をあなたに売ろう。ただ、他の所には売らないでくれ」。「父はこう言っています」と私が言うと、男は「了解した」と答えました。「じゃあ、行きますよ」と私は言いました。

李：この人は、最初の場所ではあまり客が付かなかったそうです。本人は、容姿がよくなかったせいだろうと言っています。そこで、中国の奉天へ移ることに決心したとのことです。

ヒュン：それしか仕方がなかったのです。最初の場所では、お客さんは一人も付いてくれませんでした。私は魅力的ではなかったのです。お客さんはみんな美人を選びました。パッとしない娘を誰が選ぶでしょうか。私は、そこまで連れて来てくれた男の息子に言いました。「ここに残っていても、借金の返済はできません。他の場所へ連れて行ってくれませんか」彼は、「しかし、あなたのお父さんに、他の場所へは連れて行かないと書面で約束したんだよ」と答えました。「私本人が同意すれば問題はないのではありませんか」と私は言いました。「そうだね。では、奉天の紹介所へ行ってみよう。客が付けば金が入る」と彼は答えました。「利息はどうなりますか」と私は訊きました。「利息は要らないよ」と彼は言いました。「一生懸命働けば家に帰れる」。

［著者注：彼女は、3年の契約期間が経過する前に、借金を返済して家に帰れるかどうかを心配していた］

李：可哀想なことに、彼女は奉天でも、金を稼ぐことができませんでした。そこで、今度は、軍隊の後を追って、中国国内の別の場所の慰安所へ移動しました。そこの経営者も朝鮮人でした。

李：前払金の額は、交渉で決まりました。契約期間の長さもはっきり決まっていました。移動に関する条項もありました。家長の同意と判が必要でした。慰安婦とその両親は、日本の兵士相手にどんな仕事をするのかを理解していましたし、移動した場合に、前払金の債権者が新しい経営者に変わることも分かっていました。これが契約であったことを証明するのに、他にどんな証拠が必要だというのでしょうか。

D　ゴードンとエッカート

1　その主張

私の論文に対する批判者の中で、一番顕著だったのは、ハーバード大学の歴史学者アンドルー・ゴードンとカーター・エッカートだった。この二人は、批判文の中では、朝鮮でどんなことが起こったと思っているかについては論じていないが、ゴードンは他の場所（Gordon 2003）でこう書いている。

終戦直後には、戦争の被害者の中では、この朝鮮人女性たちほどに一般の注目を浴びているグループは他にはなかった。戦争の最前線の近くまで連れて行かれて、「慰安婦」という婉曲的な名で働かされていた少女たち婦人たちは何千何万といた。そのうちの80％が朝鮮人。残りは中国人、日本人。少数ながらヨーロッパ人もいた。女性の中には、募集業者に、ウェイトレスや女中として働くのだと言われていた者もいた。さらに慰安婦に銃剣を突き付けて確保した。いったん前線に出ると、女性たちは全員、日本軍のための慰安婦として働かせられた。兵士たちは、ふつうは、その売春行為の対価を支払わなければならなかった。彼らの観点からすると、慰安所は、日本本土の到る所に存在する認可された売春宿とはいささか趣を異にしていた。しかし、対価をもらえない女性も少なくなかった。もらえても軍票の場合が多かった。軍票というのは、石鹸や食料のような日常必需品を買うのにしか使えなかった。こういうふうに、女性たちは、売春婦というよりは奴隷に近い境遇で働かされていた。そういう女性たちが、十万人から二十万人もいたのである。

これだけの所説を引用するにしては、脚注が一つしかないこと、その典拠が二つしか取り上げられていないのはまったく理解できないことである。二つに英語資料のうち、一つはジョージ・ヒックスのものであるが、以下に詳細に紹介する。伝聞を事実であるように伝える人であり、これも資料分析に厳密な立場を取る人から見ればおかしなことである。大変な捏造部分があるのに、ゴードンはそのことには触れていない。これを取り上げれば、慰安婦の話全体が信憑性をなくしてしまう。このことについても、以下で触れる。

この反論文で私が説明していることであり、また、ゴードン／エッカートが必死で出版を邪魔しようとしたIRLEへの私の寄稿でも触れていることであるが、2003年のゴードンの説明はすべて嘘である。女性の大多数は日本人であって朝鮮人ではなかった。20万人という数字は、北朝鮮政府の主張（クマラスワミ報告）に過ぎず、実数はおそらく、10万よりもずっと少ないであろう。認可を受けた朝鮮や日本の売春婦と同様に、慰安婦は巨額の前払金を受け取り、さらに職に就いてからも相当な金額の報酬をもらっていた。正規の報酬の外に「軍票」をもらう場合もあったが、報酬はもともとの現金での前払金の返済に使われた。さらに、実家に送金したり、貯金を持って実家に帰ったりした女性も少なくなかった。「酌婦」という言い方はごまかしではない――この時期には売春婦のことを婉曲にそう呼んでいたのだ。（原注6）そして、日本人であれ、朝鮮人であれ、「銃剣を突き付けられて連行」されたものは只の一人もいなかった。

（6）ゴードン／エッカートは、「酌婦」という言葉を使ったことで誤解を生じた向きもあると仄《ほの》めかす。元満州国の警察官僚だった鈴木武雄（Hosoya 2019, 33, 35）は、この当時、女性たちは「売春婦」でも「慰安婦」でもなく、「酌婦」と呼ばれていたと証言している。早稲田大学の歴史学者で、政府関係文書の専門家である有馬（2021c, 153）は、ゴードン／エッカートが「酌婦」という言葉が曖昧だと示唆しているのは、「基本的知識がなかった」ために、読み間違えているのだろうと書いている。

カーター・エッカートの慰安婦に関する叙述（1996）も同じような虚言である。次のように書いているのだ。（Eckert 1996,n.34）

> 陸軍は帝国内および占領地域で、何千何万もの女性を徴発した。中には、12歳の少女たちもいた。この女性たちが、日本軍将兵の性的需要を満たすために奉仕させられた。婉曲に「慰安婦」と呼ばれたこういう女性たちの80％が朝鮮人だった。

ゴードン（Gordon 2003）と同じように、エッカート（1996）もヒックス（Hicks 1994）の資料に依存している。そして、これまたゴードン（2003）と同じように、エッカートの記述は、ほとんど全部が虚言である。12歳の女性などはいなかった。大半は20代だった。80％が朝鮮人というのも嘘で、大半は日本人だった。さらにまた、日本人であれ朝鮮人であれ、軍によって「徴発」された者は皆無だった。

ゴードン／エッカートは、自分たちの主張を強弁するためには前払金の証拠などは見て見ぬふりをして、こんな言い方をする。

（ラムザイヤーの論文は）理屈に合わない比較の上に成り立っている。一方では、1938年から1945年までの間の、朝鮮人が大半を占めるいわゆる『慰安婦』を持ち出し、もう一方では、日本本土や植民地朝鮮での合法的な通常の売春とでも言うべきものを取り上げて、その両方の契約を比較しているのである。

さらに、こんなことまで言っている。

学問的な基準に従うならば、どんな理屈で考えても、ラムザイヤーは論文の中で、朝鮮内で締結された朝鮮人女性との契約書の現物もしくはそのサンプルさえ見たことはないというべきである。また、契約に関する第三者の証言もほとんど見聞きしなかったし、資料がこんなふうではそこからの判断には限界があるということを認めなければならなかったのだ。

（原注7）

そういう理屈を並べ立てて、彼らは、ＩＲＬＥが私の論文を撤回すべきだと要求したのだった。

（7）ゴードン／エッカートは、［第3論文C］で、私が資料の名を間違えていると言っている。この指摘は正しい。正しくは米国戦争情報局の「尋問報告書」（№49　1944年10月1日）であり、「女性」（1998, vol. 5, 203-09）」に収録されている。これは私のミスであり、指摘して下さったことを感謝したい。

私は、契約書の現物を持っているなどとは一度も言ったことがない。私は契約に関する歴史的な証拠を使っただけだ。それにもかかわらず、ゴードンとエッカートは、私に向かって、「現物もサンプルも見たことがないと白状せよ」と迫るのだ。論文の中で私はくどいほどに、私の持っている情報には限界があるということを述べた。私の論文の「要約」の行間まで読み取って、署名付きの契約書の現物を持っているとでも想像したのだろうか。勇み足が過ぎるではないか。また、私が朝鮮人慰安婦と日本人慰安婦の待遇の違いを比較しようなどと試みたことが全くないことに注意してほしい。私の論文はそんなことには手を染めていない。

しかるに、ゴードンとエッカートは、こんな虚妄の前提の上に、私の論文は掲載されるべきではないと言い募るのである。

2　存在する証拠

私の論文では、契約の内容に関するデータを使っている。（補遺Ⅲで証拠の詳細に触れる——リストは全5ページ〔本書では389～399ページ〕になる）私は自分の知っている限り明確にどこまでデータがあるかを明らかにし、契約の性格をあぶりだすために使うつもりだ。ゴードンは私的には、慰安所と慰安婦が契約を締結したことを認めている。「編集者に出した手紙の中で、我々は、契約が存在しなかったとか、締結されなかったとかは言っていない。いや、契約は存在していたのだろうと思う」（ゴードンからの私的なeメール。2021年2月7日）（原注8）

（8）ゴードン／エッカートは、今では、サイトで公表した文書の中で、このことを認めている。この断り書きは、彼らがウォール・ストリート・ジャーナルに送った撤回要求の中にはない。

私が契約書の現物を持っていない理由は単純だ。契約書が残っていないからだ。契約書は（政府ではなく）慰安所が保管していた。慰安所と慰安婦（ときには慰安婦の親）だけが当事者であり、それ以外の人が契約書を持っているはずはなかった。東京は二度焦土となった。一回目は1923年の関東大震災の後であり、もう一回は、戦時中の絨毯《じゅうたん》爆撃の結果だった。ソウルなど韓国の主要都市は、朝鮮戦争によって破壊された。慰安所の経営者たちは1945年の後半に朝鮮と日本に逃げ帰り、そのドサクサの中では、売春婦との間で締結した契約書など持ち帰ろうと思う者は皆無に等しかった。

だから現物は存在せず、私は代わりに、他のデータをまとめて結論を出した。私の理解する限りでは、この情報によれば、日本政府は日本本土や朝鮮植民地での認可による売春制度の延長として、慰安婦の制度を作り出したと思われる。重要なことは、日本にとって、戦争とは、1930年代の中国への侵入によって始まったものだったということである。私は、手に入ったデータを分析して、政府が慰安婦制度を作るためにモデルとした日本国内の売春認可制度とはどのようなものであったかを解明するつもりである。日本の売春認可制度については、大量のデータが残っている。

この論文の中で、私はさらに進んで、この時期の朝鮮で日本政府が維持していた同様の制度を解明する。これに関しては、日本本土ほどにはデータは残っていない。しかし、それでも、結論を引き出すのに十分な資料はある。最後に、私はこういう手掛かりを繋ぎ合わせ、かつ、慰安婦制度に関する限られた情報を使って、この制度が契約を基礎として動いていたことを明らかにする（下の4を参照）。何度も言うようだが、私は、女性たちが正当な取り扱いを受けていたと言いたいのではない。そんな開き直ったことは言っていない。この契約関係の実態をできるだけ正確に再現し、実際にどう機能していたかを分析するだけだ。

ソク＝ガーセンはニューヨーカー誌で、ゴードンとエッカートから、私（ラムザイヤー）の情報源について、次のような指摘を受けたと言っている。

戦時の慰安所では、（ラムザイヤーが）引用しているような朝鮮人女性がかかわった契約などは全く行われなかった。さらに、そのような契約があったという二次的な情報源もない。当該の条項を確認するような第三者の証言もない。

慰安婦（日本人についても朝鮮人についても）の契約に関する情報を私は山ほど持っている。それを補遺Ⅲに掲載した。そのリストは5ページにも及ぶ。［本書では389～399の頁］（原注9）

（9）読者は奇妙なタイミングの意味についてそれなりの解釈をできよう。私の論文が最初に公にされたのは2月1日（日曜日）のことだった。ゴードンが私に、ゴードン／エッカートの撤回要求を完全な形で私に送って来たのは、2月7日（日曜日）だった。その間の一週間、ハーバードの図書館はすべて、コロナのために閉鎖されていた。そして、ハーバードからの資料のコピーは、ハーバードの私のオフィスの床に山積みになっていた。ゴードン／エッカートが公に攻撃を仕掛けて来たのは私に送ったよりも後のことで、それが、2月7日にウォール・ストリート・ジャーナルに送った撤回要求だった。私に送って来たものよりも、内容は膨らんでいた。

戦前は、日本でも朝鮮でも、売春は認可を受ければ合法の職業だった。政府は、健康や安全に関する法規に従い、また警察の調査を利用して、この産業の関係者に関する広汎《こうはん》なデータを集めていた。さらに、女性や売春宿がたがいに相手を訴えることもあった。訴訟になると、関連する契約の条項が法廷に出てくる。その結果、日本における認可された売春の契約構造と施行状況について、私は膨大なデータを持っている（特に東京関係が多い）。

朝鮮は、当時は日本の領土であり、朝鮮人は日本国民だった。したがって、政府は、朝鮮での認可された売春の実態についても、似たようなデータを集めていた。ここでもまた、健康関係・安全関係の規定法規および警察の調査が情報源になっている。

私はＩＲＬＥに寄稿した論文の中で、分析の資料としたデータについて明確に述べてた。引用部分を見てもらえば、私が使った情報がいい加減なものではないことが分かるはずだ。それらはみんな、日本政府およびさまざまな学者たちが集めた契約の実情に関する資料であるのだから。その資料は、日本と朝鮮の両方の性市場および慰安所を対象としている。特に日本国内の市場については、私が証拠とした資料に記載されているのは、契約の最長期間、実際に雇用されていた期間、女性が契約に違背して仕事をやめる頻度、慰安所が契約の当初に支払った金額などであり、さらに、契約の有効期間内に、慰安所と女性がどのような比率で収益を分配したかの記録も残っている。それに比べれば、慰安所の契約についての情報はあまり完全であるとは言えないが、それでも相当なものである。ここでもまた、慰安所の契約に関する詳細を示してくれる情報のリストは5ページになる（補遺Ⅲ）。さらにまた、私は、慰安婦の契約について、日本の場合と朝鮮の場合を比較しようなどとはしていない。

次ページの【表1】には、1938年の政府の覚書にある契約書式を翻訳したものを載せてみた。この覚書は、茨城県庁が作成したもので、神戸のある売春宿主の慰安婦募集活動について論じたものである。

次の点に注意されたい。(a)．契約期間は最長で2年である。(b)．前払金は500円から1000円の間である。(c)．新規の女性たちは、上海の陸軍慰安所に勤務することになっていた。(d)．女性たちの年齢は16歳から30歳までだった。

いくつか注目すべき点は、第一に、この契約には、女性が前払金をどのように返済して行ったかの計算が示されていない――通常は、女性が稼いだ金額の40%ないし60%を前払金の返済に充《あ》てる。（詳細については、英語による計算を参照／SCAP1945, 151-53）。第二に、この契約は、食費と被服費と故郷へ帰る旅費は、慰安所が負担すると明記している。契約書式には、こういう規定が含まれているとは限らなかった。第三に、この契約には、慰安婦は16歳の場合もあったと書いてあるが、実際には、慰安婦の大半は20代だった。

注意してほしいことがある。この契約は、女性が2年間の年季を終え、あるいは前払金を返済する前に職を辞する可能性があることを予期している。つまり、そういうことができたのである。さらに、女性がその方法を選んだ場合には、慰安所に対して未返済部分を返済する義務を負い、ペナルティを課せられることが規定されている。これは異常な規定である。

ここに出てきたデータだけでは限界があるというのは、まことにもっともな批判である。ゴードン、エッカート、その他どの批判者も、私の論文の主張に対して、自由に反論して頂きたいが、その際、私の結論が間違っているということを証明するに足る、この時期の契約書の現物を呈示すべきではなかろうか。また、私が間違っているということを証明する他の証拠書類なども自由に提出して頂きたい。私は、証拠の再調査をするのにやぶさかではない。新しいデータが出てくれば、学問的な議論を建設的に進めることができる。現在までのところ、そのようなデータは全く提出されていない。

表1　契約書式のサンプル

契約

一、契約期間［下記の通り2年］
一、前払金［下記の通り500～1000円］
一、上海駐屯の第四軍の慰安所で、慰安婦（酌婦）として働く。
一、賞与は年収の10％（半分は貯金に回す）

一、食事、衣服、備品などは慰安所主が負担する。
一、この契約が満期になる前に解消された場合には、未返済の前払金、罰金（残留元金の10％と以下に規定されている）、および雇用の際の諸費用は返済しなければならない。

条件

一、契約期間　2年
一、前払金：500円ないし1000円。ただし、前払金の20％は控除され、臨時の支出に充てられる。
一、年齢—16歳ないし30歳。
一、［両親の同意が必要］
一、前払金と返済の規定は、年季が明けた時には無効になる。言い換えれば、契約者が病気のために働くことができなくなった場合には、前払金は年季が明けた時に返済されたものとみなす。
一、契約期間中は利息は発生しない。契約者が契約期間中に退職した場合には、月1％の利息が発生する。

一、罰金は1年につき、前払金の10%とする。
一、契約者が契約期間終了前に退職した場合、清算は日割りで行う。
一、契約期間が終了した場合、本国へ帰る旅費は慰安所主が負担する。
一、収益［純益を指すと思われ］の10%は月の給与として契約者（女性）に支払われる。
一、契約期間が終了した場合、相応な感謝金が、契約者の収益（かせぎ）に応じて支払われる。

出典：茨城県知事,1938「上海派遣軍内陸軍慰安所に於ける酌婦募集に関する件」1938年2月14日。「女性のためのアジア平和国民基金」より政府調査「従軍慰安婦」関係資料集成 vol. 1, 47-52, at 50, 52（東京：1997）

3　強制があったという主張

（a）はじめに

ゴードン／エッカートは、私を批判するに当たって、ソク＝ガーセンのニューヨーカー誌への寄稿や、マイケル・チューの「憂慮する経済学者たち」の申し立ての背景にある超民族主義的な歴史観を基本的にベースにしているように思われる。それは、本質的には、日本軍が朝鮮人女性に銃剣を突き付けて連行したという主張である。ゴードン／エッカートは、論文撤回の要求をした際には、この強制連行の件には触れていないが、ゴードン（Gordon 2003）もエッカート（Eckert

1996）も、あからさまにこのことを言っている。つまり、ゴードンは「日本兵が銃を突き付けてさらに慰安婦を確保した」と言っているのである。この主張なくして、私はゴードン／エッカートが一体どうして「ラムザイヤーは自分が契約書を持っていないことを読者に告げていない」などといえるのか理解に苦しむ。右に述べたような理由で、私の要約を読んだ読者は、私が署名のある契約書を秘匿しているなどとは決してお思いにならないだろうと信ずるのである。この強制連行のクレームは、ゴードン／エッカートの攻撃の基本的な土台となっているようなので、私は3でその拠ってくるところを検討してみた。その意味するところを理解した上で、4ではそれがもつ契約構造理解のための意味を示した。

もう一度言わせてほしい。日本兵が朝鮮人女性に銃剣を突き付けて連行したというクレームに異を唱えたからといって、日本軍が戦時中に悪事を働かなかったという弁護をしているわけではない。また、他の場所で、強制連行をしなかったと言いたいわけでもない。私の言いたいことはただ、この特定の両国で起こった特定の事件が、本当に起こったことなのかどうかを事実として明らかにしたいと思っているだけなのだ。全般的に日本軍がどういう存在だったかなどと大掛かりな話を持ち出そうとしているのではない。私の論文も研究も、話を一般論に置き換えようという意図はないのである。

(b) 吉田

朝鮮で、銃剣を突き付けて強制連行をしたという主張は、吉田清治という日本人文筆家が1983年に書いた書籍から始まったと言っても大過あるまい。この著書の中で、吉田は、兵士たちと一緒に朝鮮の済州島へ渡り、銃を突き付けて若い女性を駆り集め、レイプし、それから船に乗せて慰安所へ送ったと語っている。日本の著名な新聞(朝日新聞)が、この作り話を詳細に紹介して取り上げた。(「吉田証言」2014;秦 2018)。

初めから終わりまで、吉田が創作した物語だった。まことに面白い偽回顧録を書き、長々とした会話まで付けている。著名な歴史学者たちは、そもそもの初めからこんな話には疑義を呈していた。(秦 1999, 2018)。歴史学者の一人は、調査のために済州島を訪れた。しかし、日本軍に襲われたという話など誰も覚えていなかった。「こんな狭い島だ」とある老人が語った。「日本軍が本当に女性たちを誘拐して売春をさせたりしていたら、誰も忘れはしないだろうよ」。他の歴史学者やジャーナリストもここへやって来た。日本人も韓国人もいた。誰一人として、吉田の話を確証する証拠を見つけることはできなかった。吉田は当初は、本当に起こった事件だったと言い張った。しかし、最後には、捏造だったことを認めた。

ここが重要なポイントである。ジョージ・ヒックスは、全般的にかつ明確に吉田の捏造した物語に沿って主張を展開した。(原注10) そして、今度は、ゴードン(2003)とエッカート(1996)がヒックスの虚言に乗ったのである。しかも、ヒックス本人は日本語を読むことができず、翻訳に依存していたのだった（秦 1999, 266）。ゴードン（2003）は、日本軍が朝鮮で「さらに娘たちを銃剣を突き付けて捕まえた」という主張をするに当たって、ヒックスの著書を引用し（エッカート〔1996〕も同じことをした）、かつ Hicks（ヒックス）〔1994, 1996〕は、吉田の著書を引用していたのである。しかし、朝日新聞も、１９９７年までには、吉田の文書の信憑性を確かめることは不可能だと言明するに至っていた（秦 1999 : 238）。ゴードンが彼の説を発表した２００３年には、この分野の学者たちはとうに、吉田の話は捏造の塊だということで意見が一致するようになっていた。（原注11）そして、２０１４年にとうとう決着がついた。朝日新聞が、吉田の報告に基づいた慰安婦の話は全部「偽り」だったと認めたのだった。（原注12）

（10）特に、ゴードンは、ヒックスの１９９６年版の慰安婦の数を引用している。ヒックスの初版本は１９９４年。

（11）ソー（Soh）（2008: 152-55）は丁寧な年表を出してくれている。ニューヨークタイムズはとりわけ私（ラムザイヤー）の意見に反対の論陣を張っていた。朝日新聞は２０１４年に、慰安婦報道に間違いがあったことを認め、取り消し記事をだした。このときニューヨークタイムズはファックラー（Fackler 2014）の記事を掲載し、「吉田は20年前に信用を失っていた」と書いた。これは明らかに、１９９４年のことを指摘している。

（12）「吉田証言」（2013）：自由（2014）、済州島（2014）：朝日新聞元記者（2014）。秦は吉田から時間をかけて聞き出し、吉田証言がどのように崩れて行ったかを如実に解説している（Hata 1999）。

（c）「証言の検証」

ここに一つ重要な話がある。時期は、吉田が著書を発表してから朝日が記事を撤回するよりは前のことだった。数人の年配の韓国人女性が、日本に損害賠償を求め始めたのである。ちょうどこの時期に、国連が厳しい報告書を出して問題になった――それは明らかに吉田の記事をもとにした報告書だった（U.N.1996）。韓国系米国人である人類学者のC・サラ・ソー（Soh 2008：154）は言う。「吉田の著書は、国際的な人権団体や国連が慰安婦問題のストーリーを構築するために重要な資料となった」。ここが重要なところであるが、悲しいことに、証拠物件を見直してみると、これらの最も目立った女性たちは整合性のある話をしているとはとても思えないと判断するしかなかったのである。

この懐疑的な判断をおもわしく思っているわけではない。また、誰が悪いということも言いたくはない。しかし、この時期の朝鮮半島で起こったさまざまな出来事を超国家主義者がかたる場合には、ことごとくが自叙伝の寄せ集めのようなものになってしまう。こういう申し立てを注意深く検証することが重要である。しかしもっと重要なことは、こういう申し立てをしている女性たちの大半がさる老人ホームの世話になっており、かつその施設の関係者が、途方もない金額の詐欺（慰安婦から掠め取った）の容疑で起訴されており、しかも、ずいぶん昔から、北朝鮮とのつながりを噂されている怪しげな場所だったのである。（北朝鮮のためにスパイまでしたと言われる（e）を参照）（原注13）

(13) スパイ説は結局は否定された。

こういう女性たちの話はコロコロ変わる場合が多い。ところが、サラ・ソー（2008）は、どういうわけか、そういう女性たちの話を立証しようとする。特に顕著な例をご紹介しよう。ご紹介するのは、特定の女性たちを貶めるためではない。客観的に見て、コロコロ変わる矛盾点があるということは、同時期の他の資料と突き合わせてみなければ、そうそう信用することはできないということになるからである。

金学順（キム・ハクスン）は、もともとは売春をするようになったのは継父のせいだと言って非難していた。彼女は、母親が再婚した相手が好きではなかった。彼女の説明によると、夫を嫌う彼女を母親が売り飛ばしたのだということだった。ところが後で話が違ってきた。詳しく言っただけだということもできるかも知れないが、母親は彼女を「養父母」の所へ送り、養父母は彼女を朝鮮版の芸者（妓生）に育て上げる訓練をしたというのである。養父は慰安所を経営していた。ある日突然、養父は姿を消し、彼女は慰安婦になった（Soh ソー 2008 : 127 ; Yi イー 2018）。しかし、慰安婦問題が日本を席捲するようになると、金（キム）はまったく違う話を始めた。養父が北京旅行中に日本兵に逮捕され、彼女は慰安所へ送られたというのである（Howard ハワード 1995 : 34 ; Soh ソー 2008 : 127）。

金承鈺は、初めは、質問に対して、自分には「子供時代がなかった。七歳の時から四回も売られた」と言っていた（ソー 2008）。募集業者たちが、私の家へやって来て、両親を説得するのだった」と彼女は回想する。「『私は、両親に、どこへも行きたくない。もう売り飛ばさないで』と頼みました。本当に、『自殺する方法をいろいろと考えました』」。しかし、両親は結局は彼女を売り飛ばしてしまい、最後には満州の慰安所に落ち着くことになった。ところが、1996年に国連人権委員会のヒアリングを受けた時に、彼女は国連特別報告官ラディカ・クマラスワミに対して、自分は「日本軍に誘拐された」と証言した（Devine デヴィン 2016／ソーから引用）。「憂慮する経済学者たち」が主張の根拠とした国連の報告書の起草者であるクマラスワミ（1996）は、明確に、吉田の著書を証拠として引用している。

金学順と同様に、金君子（キム・クンジャ）も、初めは、自分が慰安婦にされたのは養父のせいだと言っていた。養父が彼女を「売り飛ばした」のだと彼女は回想した。彼女は「日本軍よりも父親のほうが憎かった」（ソー 2008: 67, 101; KIH 2016 a）。ところが2007年、彼女は米国の下院で（Protecting 2007 : 30）、自分は日本軍に誘拐されたのだと証言した。当時は「鉄道の駅の前」にある家で暮らしていた、と説明した。17歳の時に、一緒に暮らしていた家族から、「お使いに出された」。そこで、彼女は捕まって、汽車で連れて行かれた。列車には「たくさんの兵士が乗っており、たくさんの女性たちが連行されるところだった」。

2010年代までに、慰安婦十字軍の一番のスポークスウーマンは、李容洙（イ・ヨンス）になっていた。イは初めは、夜中に友人といっしょに家を出た、と言っていた。その友人が彼女に、「早く行こう」と言ったので、家を「そっと抜け出て」付いて行った、とのことだった。出て行くと、日本人男性が待っていて、「箱に入った赤い着物と革靴」をくれた。あんまり嬉しかったので、「簡単に」かつ「深く考えずに」、男に付いて行った（Soh ソー 2008 : 12-13, 98-100 : Howard ハワード 1995 : 89 ; イ 2018 ; イ 2020）。

次の10年までに、李容洙は、日本に金を要求するキャンペーンに参加していた。そして、今までとは全く違う話を始めていた。2002年には、彼女は日本の国会を訪れて、自分は「14歳の時に、銃剣を突き付けられて連行された」と証言した。（Moto 2002）〔元慰安婦への補償を〕。2007年には、米国の下院で証言し、「16歳の時に日本兵に誘拐された」と述べた。米国を訪れた直後には、東京での記者会見で、「日本兵は、私を家から引きずり出し、母親を呼ぶことができないように口を塞いだ」(Fackler ファックラー 2007；ソー 2008：100-101 を参照；Protecting 2007：17)。

しかし、この2年間で、慰安婦キャンペーン内部の人間関係が崩壊してしまった。そして、それとともに、グループの結束が(予期せぬことだったろうが)ゆるんで来た。2020年、イは、日本軍慰安婦支援団体「日本軍性奴隷制問題解決のための正義記憶連帯」(正義連、旧挺対協)の前代表であり、「ナヌムの家」で元慰安婦たちの世話をしていた尹美香(ユン・ミヒャン)を慰安婦の金を盗んだということで告発した。尹はこれに反駁して、多くの関係者(およびたいていの学者たち)がすでに結論付けていたと述べた。つまり、李容洙が自分の人生について真実を語っていないと言ったのだった。尹は、自分のフェイスブックに、初めてイに会った時の記憶を載せた。イは電話を掛けてきた、と尹は言う。イは自己紹介をして、「私は犠牲者ではありませんが、友達が……」と言った。ここは極めて大事なことなので強調したい。要するに、尹(「日本軍性奴隷制問題解決のための正義記憶連帯」[正義連、旧挺対協]の代表)が、公然とイ(自分が立ち上げた慰安婦団体の代表)の履歴を全部偽っていたと非難したのである(山岡 2021；室谷 2021)。

人間の記憶は時とともに移ろうことがある。この女性たちは明らかに苦しんだのである。私は、彼女たちに疑惑を突き付けたくはない。侮辱をしたくはない。むしろ、慰めを見出してほしいと願っている。第二次世界大戦は、世界中の何百万の人々にとって恐ろしい災厄だった。我々が現在、異なった時代に生きているのが僥倖《ぎょうこう》なのである。

(d) 同時代の証拠

それでも、私は、こういう口頭の証言を分析しなければならない。なにしろ、私の知っている限りでは、日本軍が朝鮮の女性を強制連行したという証拠は他には全く存在しないのだから。これには驚かずにはいられない。日本軍が本当に相当数の若い女性に銃剣を突き付けて拉致したという事実があったならば、その当時の証拠となる記録が残っていないはずはない。新聞や、警察の報告や、個人の日記に、多少なりと触れられていると考えるのが当たり前ではないか。ところが、そういう記事は、吉田の1983年の著書が出た後のものばかりなのである。しかも、その吉田の著書は捏造だということがすでに明らかになっている。

木村：当時の資料を見てみると、詐欺的な募集業者が甘言を弄して、若い女性を売春婦に仕立て上げた証拠はいくらでも出てくる。慰安所の経営者が契約条件について嘘を言ったという報告もある。それなのに、日本軍が朝鮮の女性を強制連行したという当時の証拠は見つかっていない。しかも、日本の敗戦後の数年間に発表された記事を見ても、強制連行のキョの字も見当たらない。

神戸大学の木村幹教授（2014, 表1-1）は、1945年から1990年までの『朝鮮日報』を調べ上げた。その結果、この45年の間、「慰安婦」への言及は一例も発見されなかった。

ソー：（C・サラ・ソー）（2008：159-69）は、戦後のメディアの記事について、もっと詳細に論じている。彼女もまた、1964年以前には、慰安婦に関する記事を見つけてはいない。この1964年に、彼女（2008, 159）は、『韓国日報』に慰安婦の記事を発見して、引用している。そこには、ある慰安婦が「日帝の統治時代に、強制的に東南アジアへ連れて行かれた」と書いてあった。この女性は前年の1963年に亡くなっていたので、ソーはそれ以上は、この女性がどのようにして慰安婦になったかを調べることはできなかった。

ソー（2008, 160）は続ける。

「慰安婦問題に関する韓国の文献は、ほとんど全部が、1965年、日韓の間で二国間協定が調印されてから表に出てきた。その文献のほとんど全部が独立後の民族主義的な立場を取っており、日本が処女を『挺身隊』として動員したことを非難している。挺身隊というのは、実質は慰安婦だったと韓国では今でも主張されている」

ソーは韓国の大学を出たが、今ではサンフランシスコで人類学を教えている。彼女は公に、「韓国の出版社が自分の著書を翻訳出版してくれるとは思われない」と述べたことがある。

ソー（2008：160）は、韓国で、慰安婦について「公開講演」が行われた最初は、1970年の記事だったと言っている。彼女は記事の内容については多くを語ってはいない。この問題に関してときどき出版される文献についてはコメントを続けている。（千田夏光の韓国語訳をも含む）。彼女はこう書いている。

それにもかかわらず、韓国の慰安婦を題材にして韓国人が執筆した著作が初めて一般向けに出版されたのは、1981年になってからのことだった。

この著作についても、ソーはあまり触れておらず、彼女（2008:166）は、この著書の中の慰安婦は2000ウォンを稼いだと記す。そして、次のように言う。

著者が、スン・イが受け取った金を2000ウォンと特定したことも驚くべきことだ。補償金を要求する運動が始まった後では、女性たちが性的なサービスをして報酬を受けていたということは禁句になっていたからだ。

最後に、ソー（2008, 166-67）は、韓国のメディアが、タイで暮らしていた、ある韓国人慰安婦に大いに関心を寄せていることに話を向ける。この元慰安婦は次のように報告している。

私は1942年に日本人警察官に強制的に引き立てられてシンガポールへ行かされました。そこで、三年間慰安婦として働かされました。

1963年記事以後でソーの著作の中で、女性がはっきりと、「強制的に」連れて行かれたと主張している例はこれが最初である。思い出しても頂きたい。吉田が著書を出し、それを朝日が積極的に喧伝したのが1983年のことだった。そして、韓国のメディアがこの女性の話を報告したのが1984年だった。さらに、この話を報道した新聞社は朝日新聞だった。

朱：朱益鍾（チュ・イクチョン）教授は、李承晩学堂の歴史経済学者であり、ハーバード大学の招聘教授を勤めたこともある。教授は私の要請を好意的に受諾して、他の新聞二紙を検索して下さった。左ページに示したグラフは、教授の調査の結果であり、京郷新聞および東亜日報の紙面に、「慰安婦」という言葉が何回現れたかを示したものである。白色は、「慰安婦」全般への言及を示す。薄い黒アミは、米軍基地で働いていた慰安婦、黒ベタ日本軍基地で働いていた慰安婦を示している。1991年以前には、日本軍のために働いていた慰安婦への言及はこの二紙にはほとんど全く見られない。

1982年、1984年、1989年には、この2紙は10回にわたって、いわゆる「挺身隊」に言及している。「挺身隊」というのは日本政府が朝鮮人を工場などへ動員した組織のことであり、1944年末から1945年にかけての国民徴用令に基づくものだった（この法では日本人も動員された）。短期間のことではあったが、この挺身隊が慰安婦と混同されていた時期があった。（秦[1999：366-76]を参照）。1970年代には、「挺身隊」という用語が数回現れる（年に6回以上現れた例はないが）。しかし、こういう記事の大半は2本の創作映画を現実のこととして扱っているのである。1本は沖縄の売春婦（強制ではない）に関するドキュメンタリーだった。もう1本は、「女子挺身隊」というタイトルのポルノ映画だった（Soh ソー 2008：162, 165を参照）。この資料を見つけて下さったことで、私は朱教授に本当に感謝している。

韓国新聞での「慰安婦」記事の掲載数

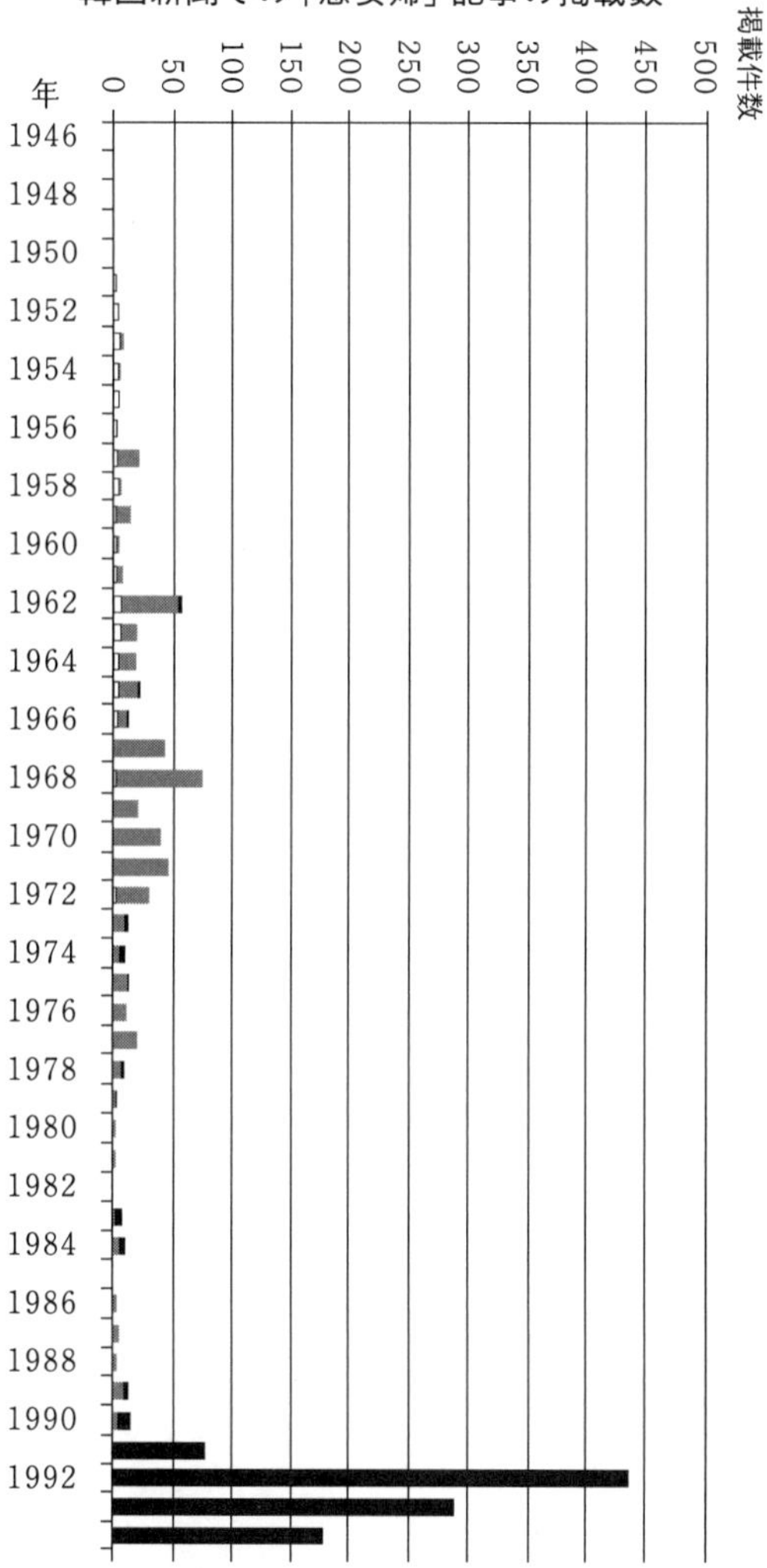

出典：京郷新聞（Kyunghyang Newspaper）
東亜日報（Dong-a Ilbo Newspaper）

【結論】問題点は単純である。

戦後の韓国の新聞は、日本占領下で、銃剣を突き付けた強制連行があったなどということを全く論じていない。そもそも、第二次世界大戦の時期に、売春が行われていたなどという記事自体、ほとんど見当たらないのである。性産業のことを論じることがあっても、だいたいは米軍のための売春婦と売春宿のことである。

1945年4月、3人の朝鮮人捕虜が米軍の尋問に答えているのが、強制連行がなかったことの当時の実証だと言ってよかろう（Military Intelligence 1945）。その証言では、彼らが見た「朝鮮人売春婦は、ボランティアか、または親に売り飛ばされた者たちばかりだった」と彼らは答えた。「日本軍が女性たちを直接に徴発するような無法を行っていたら、老人たちも若者たちも耐えることはできなかっただろう。男たちは怒りのために立ち上がり、どんな結果を招くことがあろうとも、日本人を殺していただろう」。

ゴードン／エッカートの批判（2021）およびゴードン（Gordon 2003）とエッカート（Eckerd 1996）の右に引用した文へ戻ってみよう。（二人ともヒックスを出典とし、ヒックスはまた吉田を出典としているのだが）、二人の報告のどの部分を読んでも、吉田の著書が出るまでは、慰安婦たちのクレームはされてはいなかったということには触れていない。女たちの中に、前言を翻《ひるがえ》した者が少なからずいたという事実にも口を噤《つぐ》んでいる。一番重要な元慰安婦は老人ホームに住んでいるのだが、そこの経営者が、前々から北朝鮮との癒着を噂されているいかがわしい人物であるということを読者に告げてはいない。また、吉田が著書を出す前には、この問題に関係しているジャーナリズムが強制連行についてほとんど全く論じていなかったことにも口を拭《ぬぐ》っている。一番重要な点は、この問題は一から十まで吉田が捏造したお話だということも隠している。それどころか、そもそも吉田の存在さえ知らないかのように振る舞っている。（原注14）

（14）残念ながら、日本史の分野では、こういうことはごく普通に行われているようである。この慰安婦の分野では長老の学者であり、日本に関する卓越した知的な学者であるコロンビア大学のキャロル・グラック（Gluck 2021）でさえ、その「文献一覧」の中で、慰安婦問題のキャンペーンが、吉田の詐欺から始まり、詐欺師まがいの老人ホームの経営者が片棒を担いだことには全く触れていない。逆に彼女は、慰安婦の強制連行がなかったという説は、日本の「右翼のナショナリスト」の捏造だと言い張っている。

（e）挺対協（韓国挺身隊問題対策協議会）

現在の日本との論争の中核に一つの団体が居座っている。残念ながら、それは、日本との和解に情け容赦なく反対して強引な論争を挑む組織である。この組織は前々から「挺対協」（ＣＤＨ）という名で知られていた。正式名称は「韓国挺身隊問題対策協議会」（KIH 2016d）である。近年になってからは、「日本軍性奴隷制問題解決のための正義記憶連帯」（正義連）と名を変えたようである。挺対協は、ソウルの日本大使館の前で毎週行われていた抗議集会を組織化し、世界中に慰安婦像を建て始めた。さらに、日本が提供した賠償金を元慰安婦が受け取らないようにと圧力を掛けた（KIH 2018b）。また、西欧の学者の間で熱心に語られている「性奴隷」という物語に疑義を唱える学者には暴力的な攻撃を掛けた。（Ji Man-won チ・マンウォン 2005; Gunji）。

この団体を長期にわたって牛耳っていたのが尹美香だった。挺対協は、慰安婦の公の証言に工作をした。そんなことができるのも、「ナヌムの家」という老人ホームを共同経営していたからだった。挺対協の指示通りの証言をした女性は、この老人ホームに住めることになっていた（Soh 2008: 96）。政治社会学者のジョセフ・イ（Joseph Yi）は、「強制連行されたという流布している物語は、活動家たちと密接な関係にある少数の女性たち（1990年代に生存していた元慰安婦238人のうちの16人）の口頭の証言に基づいている」と。つまり、シェアハウス［老人ホーム］：挺対協（Yi イ 2018）、ナヌムの家の経営にかかわっていたからこそ、挺対協は、学者やレポーターを誰に会わせるか、女性たちに何を言わせるかを独断で決めることができていたのである。

慰安婦の中には尹などの挺対協幹部を恨んでいる人が少なくない。2004年には、数人の元慰安婦がこの運動のリーダーシップを取り戻すために、挺対協を訴えた。しかし、挺対協は支配力を維持し、残っている女性たちの大部分を脅迫によって従わせた。挺対協を激しく非難していた韓国の歴史家のパク・ユハ（朴裕河）は、何度も女性たちとのインタビューを申し込んだが、ただの一度も会わせてもらえなかったと告白している。（KIH 2016b）。

21世紀に入ったばかりの頃、私は挺対協（CDH）が、生存している元慰安婦たちを「ナヌムの家」という名の老人ホームに監禁していると聞いて、再び慰安婦問題に関心を持つようになった。元慰安婦たちは外部の人と話をすることが許されたのは、国連特別報告者や米国の政治家に対して証言をさせるために、この女性たちを必要とするようになった場合だけだった。

しかし、どういうわけか分からないが、私は2003年のある日、彼女たちと言葉を交わすことを許された。

朴はナヌムの家の女性たちが挺対協に非常な不満を抱いていることに気づいた。朴は続ける。（KIH 2016b）。

この場所に監禁されていることに女性たちが深い不満の念を持っていることが察せられた。一人の女性（ペ・チュンヒ）は私に、日本人兵士とのロマンスのことを懐かし気に語ってくれた。彼女は自分を売り飛ばした父親が憎いと告白した。また、女性たちは、挺対協の指示で虚偽の証言をしていることに憤りを感じており、不承不承その命令に従っているだけだとも述べた。

挺対協は、このように女性たちを恫喝して従わせているのに、1995年に日本が初めて補償金を提供した時には、開き直って自己正当化を図った。やがて、和解が達成されると読んだ挺対協は、破壊工作に取り掛かり、慰安婦たちに、その金を受け取らないようにと指示した。それでも、受け取る女性もいた。朴は次のように語る（KIH 2016b）。

日本が1995年に、アジア女性基金を通して、補償金を提供した時には、元慰安婦61人が、挺対協の指示に背いて、金を受け取った。この61人は国賊扱いをされることになった。名前も住所も新聞にさらされて、売春婦の汚名にまみれてしまった。余生を恥辱の中で生きることを強いられたのだった。

サラ・ソー（2008：101）は、元慰安婦たちの恐怖がどのようなものであったかを再現してくれた。中には、新しい話を捏造して、マスコミにもてはやされる道を選んだ者もいたが、まともな女性たちは、政府の確認のための聞き取りが終った後は、それ以上のインタビューを受けることを拒絶した。ソーは説明する。「（彼女たちは）『下手なことを言って』登録を抹消され、福祉援助金が打ち切られてしまうことを恐れているのです」。

日韓の和解を妨げようとする挺対協の真の意図は奈辺《なへん》にあるのだろうか。それは北朝鮮の政治的目的を支援することなのであろう。挺対協は、慰安婦問題を政治的目的のために使っている、と朴は説明する。すなわち、安全保障に関する米日韓のパートナーシップに楔《くさび》を打ち込むことである。挺対協は共産主義者によって組織された気配があり、一時は韓国政府から、北朝鮮関連団体に指定されていた（KIH 2016b）。長期にわたって代表を務めている尹美香本人も、２０１３年に、北朝鮮との関連に関して当局の尋問を受けている。その上、現在は、金銭問題で同じように尋問を受けている（慰安婦から金を横領したという容疑）。この人の家族の中には、北朝鮮のスパイであるとの噂が立ち、裁判沙汰にまでなった人が複数名いる。（裁判所は２０１８年にそのような疑惑はないとの結論を出した）。しかし、これが、元慰安婦の公の発言を管理している団体の実態なのである。

４　私のアプローチ

（a）はじめに

慰安婦契約の論理を明確に再構築したければ、日本政府が国内で行っていた認可システムを雛型として参照するのがよかろう。米国の韓国系人類学者サラ・ソー（Soh 2008 : 117）は、日本は「国内の売春認可制度を長期の戦争に出ている軍のために応用して、慰安婦制度を認めることになった」と書いている。ソウル大学の歴史経済学の名誉教授李栄薫（イ・ヨンフン）〔2019 : 233, 258-59〕も同様に、「日本の慰安婦のシステムは、１８７０年代に始まった認可売春制度に基づいていた」と説明している。

そこで私はまず、日本国内の売春制度を要約してみたい。朝鮮で行われていた制度についても述べるが、日本国内のものと大差はない。そして、私は慰安婦のシステムについても、入手できる情報はいかなるものでも採用し、さらに、慰安所でどんなことが行われていたか確認するために、日本と朝鮮の慰安婦制度の実態について分かっている事実をすべて呈示する。

ここでまず、二つのことを宣言しておく。第一に、私はこのアプローチについて、いささかなりとも隠し事をしない。第二に、当時の慰安婦制度の契約構造は、日本国内や朝鮮の認可売春制度と質的に異なるところはない。当時の第一次的資料に当たってみても、その見方を覆す証拠は出て来ない。西欧の学者の中には、両者の契約構造は異なっていたと主張する者が少なくない。私の論文に対しては、当然出てきそうな反論だ。そのような学者たちの意見には敬意を表するが、少数の元慰安婦の話を鵜呑みにしている誹《そし》りは免れまい。何と言っても、彼女たちは、日本に対して損害賠償を要求し、しかも、晩年になってからの証言が、最初の頃に言ったことと矛盾するようなことを言う人たちなのだ。

認可を受けた日本の売春婦（最低年齢18歳／朝鮮では17歳）は、伝統的な書面による雇用契約の下で働いていた。売春宿は女性に（あるいは家族）に、多額の前払金を支払った。女性はそれに応じて、年季一杯働くことに同意した（年季は日本では6年だった）。女性が十分に稼いだ場合には、早期に退職することが認められた。たいていの女性は現実にその金額を稼いだので、日本本土の場合、3年勤めると辞めて行くのが通常だった。（第3論文B2日本、B3朝鮮、参照）。

海外――特に前線――で働いていた場合には、いろいろな意味で危険な目に遭うことが多かった。そういうリスクに鑑みて、慰安婦の契約は年季は短く、前払金は高く（雇用期間比で）なっていた。終戦の数ヵ月前になると旅行すること自体が困難になったから事情は違うが、それ以前には、慰安婦たちは、年季が明けるか、または早期に前払金を完済して、辞めて行ったようだ（IRLE，第3論文C）。私が論文の中で述べるのはそのような事情についてである。もちろん、私が頼った資料に限界があることは率直に認める。その資料がどのようなものであったかは、補遺Ⅲに記してある。アンバラス、スタンリー、茶谷は、ディプロマット誌を恫喝して掲載をブロックしようとしたが、最近の同誌には、著明な韓国の経済学者李宇衍（Lee 2021b）が寄稿して、この経緯を見事に要約している。

「慰安婦」は「ハイリスク・ハイリターン」の職に従事していた。膨大な金額を稼ぐ者もいた。そして、相当数の者が年季が明けた後は朝鮮へ帰るか、あるいは通常の職業に復帰した。日常生活に制限はあったが、それは、軍人や公務員や看護婦などの、戦場で働く人々に共通のレベルだった。結論を言おう。慰安婦は性奴隷ではなく、基本的には、今日の性産業労働者とほぼ同じような性関係労働者だったのだ。

もう一度言っておきたい。私の述べていることは事実に即したものである。このやり方についいての正当性を判断してもらうつもりはない。

(b) ゴードン／エッカート

ゴードン／エッカートは、私が慰安婦制度を説明するために、日本と朝鮮の認可制度を持ち出したことに反対している。彼らがそういうことを言うのは、単純な理由からである。もしも、女性たちが強制されて慰安所で働いていたものならば、日本や朝鮮での通常の売春宿の契約と慰安所の契約とを比較する理由がないということになるからである。そして、慰安婦契約に関する私のデータが不完全なものであるならば、私は結論などを出すべきではない、とゴードン／エッカートは言い募るのである。

ゴードン／エッカートの批判を読んでいると、二人は、吉田の主張と声高な一部の元慰安婦の言いがかりを額面通りに受け取っているとしか思われない。そもそも、私が日本本土と朝鮮内部の雇用状況を分析することから始めようと思い立ったのは、吉田の主張が捏造であり、口やかましい元慰安婦たちの言いがかりが信頼できないと見切りを付けたからだった。ソウル大学の歴史経済学名誉教授・李栄薫（イ・ヨンフン）〔Lee 1999, 233〕は、「日本政府は慰安婦を規制する制度を、国内の認可売春宿をモデルにして作り出した」と明確に述べている。彼は次のように説明している。（フィリップス、リー、イー　Phillips, Lee & Yi, 2019, 453より引用）。

慰安婦のシステムは、認可された売春制度であり、軍の監督を受けていた。――慰安婦は性奴隷ではなかった――朝鮮人慰安婦はポン引きのようなやくざ者に勧誘されて業界に入ったが、一つには前払金に誘われたのであり、またその際、募集業者があからさまな詐術を弄《ろう》したこともあった――20万人の慰安婦がいたという証拠はない。概数は5000人程度であったろう。

日本政府は兵士が慰安所へ通うことを止めることはできないと信じていた。（それでも、性病の蔓延だけは防がなければならないと思っていた。そこで、基地の近くに売春宿を認可するシステムを思いついたのだった。コンドームの使用を強制し、定期的に健康診断をした）。資料を読むと、政府は国内の認可制度をほとんどそのまま戦地に持ち込んだようだった。その実情（および慰安婦制度全体）がどうだったかを英文で読みたければ、秦（2018）が最適である。

ゴードン／エッカートは、「慰安婦の契約構造は日本国内と朝鮮での認可制度を反映している」という私の所論の証拠を出せと急き立てる。その要求は、ブーメランとなって、彼らに跳ね返って行くだろう。ゴードン（2003）とエッカート（1996）こそ、吉田の捏造した物語を鸚鵡《おうむ》返しに言っているだけではないか。私に証拠を出せとは口幅ったい。（ヒックスの著書を丸写ししているのだが、そのヒックスが吉田の丸写しなのだ）。（原注15）逆にゴードン／エッカートのほうが、慰安所の制度が国内の制度の模倣ではないということを証明する義務を負っている。

（15）もっと正確に言おう：ゴードン（2003）は、慰安婦の推定人数の出典としては、ヒックス（Hicks 1966）の外には一人の著書しか挙げていない。異なった主張をする人の資料は全く取り上げていないのである。

さらに、ゴードン／エッカートは、どうも、私に対して、朝鮮人慰安婦が日本人慰安婦と変わらない待遇を受けていたことを証明する責任を負わせたいようだ。初めに書いたように、私はそんなことは一言も言っていない。私が論文のどこで、そんな主張をしていると言うのか。日本人女性と朝鮮人女性が同一の契約をしていたなどとは誰も思うまい。言うまでもないことだが、朝鮮は日本よりも貧しかった。したがって、応募者の求める賃金水準が低かったことは否めまい。しかし、強制連行があったなどというのは全くの嘘であり、私の持っている証拠（補遺Ⅲを参照）のどれを見ても、朝鮮人女性と日本人女性の契約は質的に非常に似ていたとしか思われない。いずれにせよ、私は、ＩＲＬＥに載せた論文の中で、待遇が同じだったということは言っていない。そんな比較は断じてしていない。ゴードン／エッカートがこの点に関して証拠を出して、雇用契約の両グループの比較をしようと言うのなら、私は歓迎する。学問とはそうやって進歩していくものなのだ。

くどくど言うのも気が引けるが、もう一度問題点を確認しておきたい。この学問的な論争は、事実かどうかを争っているだけだ。私は、日本の認可売春制度を支持しているのではない。いや、道徳的な判断などするつもりはないのだ。ただ、この雇用関係の当事者たちが実際に使った契約の実情を理解したいだけなのだ。

5　吉見

私が吉見義明について何も言わないことで、批判する歴史学者もいる。吉見は、慰安所に関して日本政府に批判的な歴史学者の中で、一番有名な人物だ。(私は、補遺Ⅱで、彼の反対意見を紹介した)。2015年に、日本政府は、マグローヒル社の高校用教科書の慰安婦の記事について、苦情を申し立てた(ダデン Dudden 2015)。ゴードンやその他学者は、日本政府を激しく攻撃し、特に吉見を取り上げて、この問題に関する「注意深い研究」を行っているとして、絶讃した。実のところ、こういう歴史学者たちは、吉見の著作をきちんと読んではいないのだ。吉見は、日本軍が朝鮮人女性を強制連行したわけではないと、はっきりと認めているのである。最近の毎日新聞のインタビュー(吉見 Yoshimi 2019)で、彼は次のように言っている。

では、慰安婦はどうやって集められたのか? 大雑把に言って、方法は三つあった。第一には、軍の選んだ募集業者が女性の家族に金を貸し(前払金)、女性は慰安所で働くことになる(人身売買)。第二に、募集業者は女性を騙して、ホステスか看護婦のような仕事をするのだと故意に誤解させる（誘拐）。第三に、政府の役人か業界人が、脅迫か暴力を使って、女性を徴発する。朝鮮半島は植民地だったので、第一、第二の方法を取るのが普通だった。政府による徴発は、中国や東南アジアのような占領地域で行っていたということを示唆する証言や裁判資料がある。

軍は、中国や東南アジアでは、女性たちを強制連行したのかも知れないが、朝鮮ではそういうことはなかった、と吉見は明確に述べている。2021年の末には、そのインタビューをインターネットで読むことができるようになった。摩訶不思議にも、毎日新聞か吉見（どちらであるかははっきりしない）が、この記事を抹消しようと躍起になっている様子が見られる。今ではもう、毎日新聞の公式のホームページで見ることはできない。

6　ソー、市場と奴隷制について

ソーは、日本の売春に関する私の著作について詳細に記述している（ラムザイヤー Ramseyer 1991）。「ラムザイヤーが学者たちに警告しているのは、「売春が野蛮な制度だからと言って、農民の女性たち、いや男性たちも、この方法によってしか、最悪の事態を効果的に回避する方法はなかった事実から目を逸らしてはならない」ということである。ラムザイヤーは、「認可された売春婦たちは、他に魅力的な選択肢を持たない女性たちだった。また、売春はよい収入を得られる道だった」と指摘している。ラムザイヤーの研究によると、戦前の日本の女性たちは、6年間の年季奉公契約を締結し、認可売春婦になったのであり、「たいていの売春婦は奴隷になったのではなかった（強調は原典）ということである」。逆に、彼女たちの大部分は、契約期間が満期になると退職した。中には、3年か4年で、借金を完済して退職することができる者もいた」。

ソーは結論付ける。

朝鮮人慰安婦の生きた経験は、ラムザイヤーの研究結果の正しさを立証している。しかし、彼女たちの個人的な歴史は、現代の政治的環境の下では、戦略的に「抑制された知識」になってしまっている。

ソーの文の前半「生きた経験はラムザイヤーの結論を実証している」に対して後半「個人的な歴史は顧みられなくなっていること」は、ソーが性産業の理解に関して、我々の理解を根本的に分かつものとなっている。

慰安婦に関しては「商業セックスvs性奴隷」という対立図式が出来ているのだが、これが、日本社会に亀裂を作る原因になっている。大衆が判断を下すにしても、事実としてどう見るかについても、日本人は真っ二つに分かれるのである。

こうした論争が、私の論文に敵対する一部の人たちの見方を促進していないとは考えられない。

E　ソク゠ガーセン

私を批判する人々の中で、一番多くの人から支持されているのは、ソク゠ガーセンであろう。その原因は、私を攻撃する際にも、いかにも公平であるかのようなオーラをまとっていることであろう。ソク゠ガーセンが、ニューヨーカー誌に寄稿した論文は、冒頭でまず読者に、自分が作り出した「解放後の民族主義」の歴史を吹き込んでいる。この歴史観は韓国の一部の人々の間で非常な人気を得ている。これはチューが語る歴史なのであるが、ソク゠ガーセンは、これを使って、「慰安婦問題に関する歴史的なコンセンサス」を主張したのである。

少女を含めた慰安婦のうち、前線の「慰安所」へ送られた者たちは、日本帝国陸軍の兵士たちのために性的サービスを提供させられることになった。アジアの内外で、女性たちは暴力あるいは詐術によって、連行されて行った。特に朝鮮からが多かった。被害者の数は、概算で数万、あるいは十万を超えるとも言われる。それ以来、この人道に対する罪は、実際には何が起こっていたかをめぐって、論争のタネになり、あるいは日本側が否認したりして、泥仕合を展開している。

ソク゠ガーセンには、知っているのに書いていないことがある。私は2021年2月3日に、彼女にそれに関する資料を渡したのだから、知らないはずはない。つまり、朝鮮人慰安婦が日本軍に強制連行したという主張を始めたのは、1983年に吉田が著書（すでに詳細に論じた）を出版して、日本軍が朝鮮で「慰安婦狩り」をしたと述べてからだったという事実に頬かむりをしているのである。日本で一番信頼されているジャーナリズムということになっている朝日新聞が、話を何層倍にも膨らませたということは今では誰でも知っているのに、知らぬふりをしているのである。吉田の話は全部捏造であるということももちろんソクは知っているはずだ。

1996年に国連は、吉田の詐欺的告発を全面的に信じる日本叩きの報告書を発表した。ソクはそのことも知っている。ソクはこの報告書には一切触れていない。まことに巧妙な手口である。ソクが知っていて知らぬふりをしていることはまだある。朝日新聞はさんざん調査をした挙句に、とうとう2014年、吉田が虚言を弄していたと結論付けないわけにはいかないという発表を行い、吉田関係の一切の記事を取り消した。また、朝鮮人慰安婦の中で一番有名な数人は、日本から損害賠償が取れると分かった後で、証言を変えた。そういうことをみんな、ソクは知っているのだ。

ソクは何もかも承知の上で、長い長い慰安婦物語を書きながら、都合の悪いことには一切触れなかったのである。逆に、日本に対する悪意に満ちた創作を発表して人気を博し、これを「歴史のコンセンサス」と称したのである。しかも、日本研究者に面接して、人道について語った。それでいて、自分は偏っていない、中立であると強弁するのである。

この3週間、私はラムザイヤーの異議に関して、学者たちと会話を続けた。その結果、この人々の学者としての良心と研究に対する誠実さに触れて感動するところが大きかった。ラムザイヤーの主張を読むと、多くの人は愕然とせざるを得ないが、学者たちの関心はそういう情緒的なところにはなく、ひたすら真実を探求することだった。

ソク＝ガーセンは、ゴードンやエッカートとも接触して、ラムザイヤーは見てもいない契約書のことを語っていると吹き込まれたようだ。それを真に受けて、彼女は次のような結論に達した。

ラムザイヤーの脚注をよく見ると、戦時中の朝鮮人女性がかかわる契約など一つも実例を挙げていないし、そういう契約があったという補強証拠になる二次的な資料も出していない。さらに、ラムザイヤーが言うような条項を確認できる第三者の証言さえ見当たらないのである。

思い出してみてもほしい。ゴードンのこの説は私がこれを批判したようにたった2点の英語資料の裏付けしかないということ。そしてこの一つはヒックスの著書で、日本語の読めないヒックスは吉田のウソ話を翻訳者から聞いてまとめたものである。（ヒックスHicks［1994］を参照）。さらにまた、慰安婦の契約に関する資料の一覧表は　補遺Ⅲに載せるが、それは5ページ［本書では389～399ページ］にもわたるものである。

ソク＝ガーセンは、5人の若い学者と接触し、この人々は、私の8ページの論文の中に間違いがたくさんあるということで、それを指摘しているが、その指摘だけで30ページ余りにも及んでいる。私は　補遺Iで、そのリストを検討する。敢えて言いたいが、そのうち本当に間違っていたのは3か所だけで、しかもどれも重要な間違いではない。しかし、ソク＝ガーセンは、これによって、彼らの結論の正しさが立証されたと言い張るのである。5人の若い学者の1人はデービッド・アンバラス。ディプロマット誌で、韓国人経済学者の論文を検閲した御仁である。ソクはアンバラスに接触して、彼は私の論文の他の何点かにも取り組んでいるということを知ったのである。

学者たちは、ラムザイヤーが最近の数点の論文を書くに当たって、歴史的な資料を誤用しているのを発見した。それは特に、日本国内でひどい差別を受けて来た少数グループに関する記述である。少数グループとは、部落民、沖縄と韓国の人々を指す。

ソクは、アンバラスがいかに中立な立場にあり、学者としての良心に従っているだけだということを示そうとする余りに、「デービッド・アンバラスはアンチ・ファシストだ」という当人のツイッターのハンドルネームを紹介している。ソク＝ガーセンが頼りにする5人の中には、アンバラスの外にも、「学者としての良心に忠実」になる余りに、ツイッターで私のことを「白人至上主義者」（原注16）と誹謗して憚《はばか》らない。自分たちのことを何様と思っているのか知らないが、何とでも言うがよい。しかし、２０２１年という時代になってなお自分を「アンチ・ファシスト」だと喧伝する人はどんな存在なのか興味を惹かれる。彼が、あるいは彼らが、旧派のシカゴの法経済学の教授の論文に暴力的な弾圧を加えている様子を見ると、到底学者としての良心に従っているとは思われない。

(16) E.g. https://twitter.com/SzendiChelsea/status/1379969613631393794

ソク＝ガーセンの論文は、李容洙（イ・ヨンス）の話で締めくくっている。ソク＝ガーセンは、李容洙を「グランマ・イー」と愛称で呼び、イが15歳の時に慰安婦として徴用されたと説明している。また、イが最近ハーバード・ロー・スクールで講演したことも紹介している。さらにソクは、その講演の直前に、私を擁護してイを「ニセの慰安婦」だと誹謗するｅメールを受け取ったと言っている。読者に、ｅメールを送って来たのは、少数の極右の跳ね上がり分子だと印象付けたかったのだろう。

どうせ最後を飾るなら、もっと適切な例を持ってくればよかったのにと思われてならない。しかし、そんな例を探し出すことはできなかったのだろう。声高に叫ぶ慰安婦の中には、日本から金を受け取れると思ったら、途端に１８０度話を変えてしまう人も少なくない。すでに述べたことだが、その中でも李容洙（イ・ヨンス）が一番したたかだ。初めのうちは、歴史学者たちに向かって、自分は友達と二人で、真夜中に家を出たと言っていた。友達が「早く出よう」とせかしたということだった。そこで、抜き足差し足で家を出て、友達の後を付いて行ったはずだった。出て行くと、日本人男性が待っていて、「箱に入った赤い着物と革靴」をくれた。あんまり嬉しかったので、「簡単に」かつ「深く考えずに」、男に付いて行った（Soh ソー 2008：12-13, 98-100；Howard ハワード 1995：89；イ 2018：イ 2020）。

それから十年が経った頃には、李は日本に金をよこせというキャンペーンに参加していた。話はコペルニクス的に転換していた。２００２年に、彼女は日本の国会を訪れ、「14歳で銃剣を突き付けられて連行された」と断言した。２００７年には、米国の下院で証言し、「日本人兵士に誘拐された」と語った。米国から日本へ戻ったすぐ後には、東京で記者会見を行い、「日本人兵士が私を家から引きずり出し、手で口をふさいで、母親を呼ぶことができないようにした」とも言ったのである。（Fackler 2007）。

ソク＝ガーセンはこのことを知っていた。私がソクに提供した資料の中に記録されている。いや、ソクが見たはずなのに、その事実を認めないのはこの話だけではないが。（原注17）

（17）すでに述べたように、ＣＤＨのリーダー・尹美香（ユン・ミヒャン）に対する批判が高まるに連れて、尹と李容洙（イ・ヨンス）の関係は齟齬《そご》を来たして行った。２０２０年代の中葉、李（ＣＤＨの慰安婦の代表者）に反駁して、尹（ＣＤＨのリーダー）は李が自分の経歴を偽っていたとして公然と非難した。尹は自分のフェイスブックに、李との最初の出遭いの記憶を掲載した。尹の記憶によると、李は尹を訪問して、「私が被害者なのではなく、私の友人が……」と自己紹介をしたということだった。山岡（2021）、室谷（2021）。老人ホームの関連団体が李の説明を公にしたことについて、漢陽大学のジョセフ・イー教授は「李の説明は、疑わしいと知っていたものだった」と書いており、さらに、李の証言は長年の間に変化したと述べている。

F　見せかけの「コンセンサス」

残念ながら、慰安婦に関する正統的な解釈に英語圏で疑義が呈され、学者たちが激しい反発をしたのは、これが初めてのことではなかった。すでに述べたように、２０１５年に、日本政府はマグローヒル社の高校教科書に対して不満の意を表明した。この教科書は、慰安婦制度をマイケル・チュー顔負けの奇怪な嘘で塗り固めている。14歳からの20万人の女性が、「天皇からの贈り物」として軍隊に届けられたというのである。しかも、その女性たちは、それっきり戻って来ない者が多かった。一つには、「作戦の秘密が漏れるのを恐れて、軍が慰安婦を虐殺した」からだったという。日本政府は、同社に対して、事実に反しているとして、遺憾の意を表明した。これに対して、ゴードンなど20人の歴史学者がアメリカ歴史協会の会報で、日本政府に激しい反発を示した。（ダデン Dudden 他［2015］；Suk-Gersen［2021］でソク＝ガーセンが絶賛した攻撃［2021］）。日本政府の行動は検閲であり、自分たちはこの検閲に対して断固として戦う、というのである。この20人の言うところによると、慰安婦制度は、「国家がスポンサーとなった性奴隷制度」なのであった。日本政府は「慰安婦に関する確定された歴史に異を立てている」と彼らは主張するのである。

彼らの狙いは何だろう。ソク＝ガーセンは、英語圏の歴史学者で、日本の「軍が銃剣を突き付けて朝鮮人女性を連行した」という事実に異論を唱える者はいないと言っている。なぜこんなことを言うのだろう。日本人学者の熊谷奈緒子（2015；Multiple Authors 2015b）は、やはりアメリカ歴史協会の会報で、マグローヒル社の教科書は間違っていると述べた。これに対して、ゴードンやその同僚たち（Multiple Authors 2015a）は、熊谷を歴史修正主義者として非難した。ジェイソン・モーガン（Morgan 2015）は、ウィスコンシン大学の日本史研究科の博士課程の大学院生だった。日本で学んでいたが、やはりアメリカ歴史協会の会報のゴードンたちの意見に反論した。米国の学者たちは日本の学者の誰よりも非寛容だ、と彼は書いている。モーガンの指導教官（女性）は、同学部内の関係者にeメールを送り、モーガンが慰安婦問題について騒動を起こしたことに困惑していると述べた。この指導教官は、マディソンのフルブライトの担当者と相談して、東京のフルブライトの責任者に、慰安婦問題に関して、このような意見を述べたことで、モーガンを叱責するように要請した。

理解していただきたい。このひどい非寛容は、西欧（特に米国）の大学の産物である。日本軍が慰安婦を強制連行したという「コンセンサス」を日本専門家に押し付けることができるのは、西欧においてだけである。銃剣を突き付けて強制連行したというおとぎ話は吉田清治の回想録の嘘八百で始まった。韓国がそれを輸入し、枝葉を付けて、壮大な物語に仕立て上げた。しかし、日本人はさすがに詐術は詐術だと見破っている。吉田の回想録が嘘だらけで、朝日新聞の記事が砂上の楼閣だったことは、今では誰もが知っている。まだ強制連行だなどと言っている連中は、ほんの少数の活動家か左に偏った歴史学者だけである。いくらでも嘘を信じるのはかまわないが、そんな嘘の記事を撤回しろとジャーナリストに迫る人はいない。

韓国では、物言えば唇が寒くなる。そのレベルは日本よりひどく、かつ月ごとに事態が悪化する。銃で脅して連行したというほら話に異議を唱えると、大学から懲戒処分を受けかねない。それでも勇敢な学者たちは、必死で声を挙げている。クビになる人もいる。いや、刑事訴追を受ける危険さえある。現に、少なくとも一人は実刑を食らった。彼らは講演を行い、論文を書き、著書を発表して、伝説は伝説だとはっきり言う。考えてみれば、この捏造報道は、吉田清治が泥を捏《こ》ね、それを、慰安婦の老人ホームが固い日干し煉瓦に変えてしまったのだ。これが「コンセンサス」の正体だ。

補遺Ⅰ　スタンリー他への反論

エイミー・スタンリー、ハンナ・シェパード、サヤカ・チャタニ（茶谷さやか）、デービッド・アンバラス、チェルシー・センディ・シーダーによる「太平洋戦争における性サービスの契約：「学問的な過誤のゆえをもって、撤回を求める」」に対する回答。

A　はじめに

30ページを超える私をまじめに弾劾するこの文章に焦点を当てる。攻撃文の文脈をまとめてみよう。

私がＩＲＬＥに寄稿した論文は２０２０年に世に出た。「限界革命」誌がウェブサイトで取り上げてくれたので、多少の注目を浴びることができた。ここが取り上げてくれなかったら、世間から無視されていただろう。

しかし、去年（2021）の1月末に、日本の日刊紙が論文の要旨を掲載してくれた。論文がウェブサイトに載ったのは、1月28日（木曜日）のことだった。日曜にはこの新聞の紙面に載った。2月1日（月曜日）、私は起床するとすぐにeメールをチェックした。ヘイト・メールの洪水が始まっていた。韓国のメディアが日本の新聞に載った私の論文を紹介したのだった。日付が変わる頃には、ヘイト・メールの数は77に達していた。大半は口汚い悪意に満ちた反日メールだった。その後2か月にわたって、ヘイト・メールは続いた。日に何十通にも及ぶことがあった。ヘイト・メールをもらって、ハッと気が付いて、ＩＲＬＥのウェブサイトの論文をチェックしてみた。すると、「エルゼビア」誌が山のようなツイートを掲載しているのが見つかった。私の論文は1200回ツイートされていた。過去には、誰も、ラムザイヤーの論文をツイートしてはいなかった。ただの一人もしていなかったのだ。ツイートを見つける方法さえわからなかった。

ツイッターのアカウントを開ける方法を息子が教えてくれ、やっと検索できるようになった。すぐに分かったことは、米国の学者、米国をベースにした学者たちが、韓国のメディアで私の論文のことを知り、怒り狂ったのだった。おそらくは、エール大学助教授のハンナ・シェパードがその第一号だったろう。彼女は月曜の早朝に、ツイートして、こうつぶやいたのである。「どこから手を付けたらよいのか分からない。三菱に買収されたハーバードの法律学教授が、慰安婦はみんな売春婦だったと主張している」と。一時間後に追伸があった。「こんな論文は無視すればよいのだが、韓国の新聞の一面に掲載され、一つ一つの記事にハーバードの名が出て来るのだから、無視することもできないし、また無視すべきではないのである」。エイミー・スタンリー、デービッド・アンバラス、チェルシー・センディ・シーダーがこの陣営に加わった。彼らは一日中ツイッターのやり取りをしていた。一人は「ラムザイヤーはホロコーストもなかったと言っているのだろうか」とつぶやいた。別の一人は、「ラムザイヤーは、〔英語圏右翼のファシスト〕」と評してくれた。アンバラスは、「ラムザイヤーは、白人男性の優越的地位が批判され始める前からこんなふうだった」と仲間たちに喧伝した。現在ＵＣＬＡ（カリフォルニア大学ロサンゼルス校）にいるという、ポーラ・カーティスという博士課程修了後の研究生は、私の「忌まわしい文書」について、仲間たちとツイッターを交換していた。（原注18）

（18）彼らは礼儀正しい方だった。しかし、授業の学究的なものをいつもあてにすることはできない。コロンビア大学の日本史の助教授であるポール・クライトマンは、私（ラムザイヤー）の論文を、「偏見に満ちた狂気の沙汰」と評した。

火曜の朝を迎える前に、ツイートを交わしている連中は、私の論文を撤回させるキャンペーンをしようということで話がまとまっていた。スタンリーとシェパードはそれを実行に移し、まだ月曜のうちに、個人的に撤回を求める文書を送っていた。シェパードは自分の手紙を誇らしげにツイッターに掲示し、他の人々に、これを見本にして要求書を作れと使嗾《しそう》したものだった。やがて、彼女はこの「サイト検閲プロジェクト」のグループに参加することになったが、すでに私の論文に気づいた日に、ただちにＩＲＬＥの編集者にメールを送って、撤回を要求していたのだった。「ラムザイヤーのしたことは結局、日本の極右の歴史修正主義者たちの主張を、学会誌で鸚鵡返しに言っているだけではないか」。

ツイートを送って来る学者たちは、カーニバル並みの大騒ぎをしていた。「ヘイ。少なくとも女が5人、編集者に手紙を送ったぜ。ＪＭＲ（ジョン・マーク・ラムザイヤー）の恐ろしい論文のことなのさ（みんな俺たちと同意見だ）」とカーティスはがなり立てる。「男の学者は何人が同じことをしたんだ?」ＩＲＬＥの編集者は私に書いてよこした。「やあ、マーク。こいつらはみんな君を憎んでいる。今日、ｅメールを50通も受け取ったよ」。2～3週間後には、5人組（冒頭に挙げたエイミー・スタンリー以下の5人）は、集団的に取り消し要求を送ってよこした。

学問の世界のはずなのに、何ということなのだろう。

この連中は徒党を組んで、自分たちと違う考えの者の出版の自由を奪おうとしているのだ。すでに述べたように、2021年11月半ばに、韓国の著名な経済学者・李宇衍（イ・ウヨン）は『ディプロマット』誌に論文を発表した。彼は私と同様に、性奴隷説に異議を唱えている。性奴隷説というのは、ゴードンやスタンリーが英語世界で受け入れ可能な唯一の解釈だと喧伝している考え方である。デービッド・アンバラスは李宇衍（イ・ウヨン）の論文のスクリーンショット（画像）を載せている。「慰安婦否認主義者は軽蔑すべきだ」と彼は訴える。『ディプロマット』誌はいったいどうして、こんなクズの論文を掲載するのだろうか」。エイミー・スタンリーはこの論文をリツイートした。他の連中がそれをまたリツイートした。サヤカ・チャタニ（茶谷さやか）も書き込んだ。数時間のうちに、「ディプロマット」誌のミッチ・シン記者は、ツイッターで返信をした。「撤回します。申し訳ありません」。さらに、それだけでは不十分だと思ったのか、「もう撤回しました。このような恐ろしい受け入れがたいミスを犯して、本当に申し訳ないと思っています」とまで書いた。（原注19）これだけではまだ叩かれると恐れたのであろう、さらに、謝罪を付け加えた。「こんな話を我が社のウェブサイトに載せたことを心からお詫びします。もう撤回しました」。（原注20）それに対して第三者が賛同の意を示して書き込んだ。「よいニュースだ。よく撤回してくれた」。

ところが、アンバラスはそんなことでは満足しなかった。「編集者は社会に対して、説明責任がある。第一に、なぜこんな論文を発表させたのか、第二に、このミスがこれから社会を侵食して行くのをどうやって防ぐつもりなのか。返答を要求する」。これに対してシンは答えた。「改めて、オフィシャルアカウントで正式な返答をします。デービッド。もう一度言いますが、お詫びの言葉もありません。私は、南北朝鮮に関する主任通信員です。今後は、外部の寄稿者の論文を掲載するに当たっては、編集者ともっとよく相談致します」。アンバラスの返事は、「ミッチ。了解した。修正主義の論文を扱う場合には、みんなよくよく注意を払わなければならないのだね」。

しかし、シンはまだ謝り続ける。「最後に深く感謝の意を表したいと思います。皆様がこの問題を持ち出して下さったおかげで、私も我が社も、遅くなりすぎないうちに行動を起こすことができました。今後とも、私どもの発表するものをよく監視して、機会ある度に優れた御意見を賜れば幸いです。ありがとうございます」。（原注21）

（19）https://twitter.com/dambaras/status/1460099767279755269
（20）https://twitter.com/dambaras/status/1460112141684559875
（21）https://twitter.com/dambaras/status/1460266541434429455/photo/1.
アンバラス、スタンリー、チャタニ（茶谷）が「ディプロマット」誌に検閲を強要した記事に興味のある読者は、Lee（2021b）及び、https://archive.ph/20211115071637/https://thediplomat.com/2021/11/anti-japantribalism-on-the-comfort-women-issue/ を参照のこと。

ポーラ・カーティス（Curtis 2021a）は、歴史学者が法学界、経済学界をどんなふうに見ているかを示す例である。彼女の説によると、私がこんな論文を発表することができるのは、「こういう所論を保護してくれるエコシステム」の中で私が仕事をしているからであり、そのエコシステムは閉鎖回路になっている、というのである。さらに、「こういうグループは、特権、組織、ネットワークを利用して、生き残っている。たいていは老人の白人で、エリートの組織に勤めており、自分の地位を悪用しているのだ」と憎々し気に語る。そして、彼女のような学者たちは、こういう「老人の白人」の支配をはねのけて、大学を「改革し、独立させる」ために、戦っているのだということである。

こういう筆者たちのうちの３人（スタンリーなど、Stanley 2021b）は、ラムザイヤーが「憎しみのスパイラルを作り出した」と書いている。それは私が「何十年もの歴史研究の流れに逆行」しているからだそうだ。馬鹿も休み休み言うがよい。私は、「ウォーク」の記事のような売春肯定論にははっきりと反対した。日本の帝国主義などにも厳しい目を向けているつもりである。しかし、前述のエッセイのFに記したように、「何十年もの歴史的研究」に基づいたコンセンサスが英語圏だけに存するという主張を否認するようになった。むしろ、英語圏に「コンセンサス」が存するのは、こういう解放主義者たちの独りよがりが、他の意見を持つ者を悪意を以《もっ》て叩き潰しているからに過ぎない。日本の学者たち、いや韓国の多くの学者たちの主流の意見に対して、経済学者・李宇衍（イ・ウヨン）などが反論しているのを見ても、合意などというものは全く成立していないと私は断言する。

B　論争

1　初めに

この後、私は、スタンリー等（Stanley 2021a）が提起した反対意見に答えよう。彼らの反対意見の中核をまとめると次のようになる。

ラムザイヤーの主張の基礎となる事実に2つのポイントがある。いずれも事実認識の問題である。一つは、女性たちと慰安所の経営者の間には、契約による合意があり、経営者は女性たちに多額の前払金を支払ったという認識である。もう一つは、慰安所の女性たちは、借金を完済すれば早期に退職することができたという認識である。いずれもその証拠はない。ラムザイヤーが援用する証拠は、こういう主張とは矛盾するものばかりである。この主張は、完全な間違いである。

私は、こんな無様な間違った議論を続けることを拒否したかったが、しかし、スタンリー等は「学問的な過誤」と戦うと称して、利己的な主張を繰り返すのである。私も逃げるわけにはいかない。第一に、ゴードンとエッカートに起こっている問題は、スタンリー等のこういう説明にそっくり当てはまる。彼らは、明らかに、彼らのいわゆる「修正主義」に取りつかれている。しかし、彼らはこれでもかこれでもかと証拠らしきものを突き付けるが、一つだけ、決して読者に知らせたがらない事実がある。それは慰安婦が強制連行されたと言い出されたのは、吉田が著書を出してからのことだったという事実である。吉田のスキャンダルのことは口を拭って知らぬふりだ。また、強制連行されたと主張する女性たちのうちの数人が、昔から北朝鮮とのつながりを疑われている女性とつながりのある老人ホームで暮らしているという事実も読者には告げていない。(しかも、この疑惑の女性は、日本への攻撃を発表する前に慰安婦基金の金を横領した容疑で告発されているのである)。驚くなかれ、まだまだある。吉田の著書が出る前には、韓国のマスコミには、慰安婦の記事は皆無と言っていいほどに載っていなかった。そして、強制連行されたと主張する慰安婦の多くは、以前には全くそれとは矛盾する話をしていたのである。それもこれも、この一派は読者の目から隠そうとしているのである。

第二に、この一派――カーティスによれば学問的誠実さのモデルだということだが――の言うことには、取材源についてひどい間違い、もしくは嘘がある。彼らは、私がある売春婦(慰安婦ではない)の証言を取り上げていないと攻撃する。その女性はオサキという名前で、初めて客を取らされた時の証言である。私はこの証言を採用しなかった。そして、そのために今こんなに叩かれている。この一派は、この女性の証言を重視する――しかるにその一方では、これから述べるように、読者には大事なことを告げていない。実は、この段落の数ページ前で、オサキは自分で、この仕事がどんなものであるかの大筋を知りつつ、職に就いたと明言しているのである。オサキの姉妹も従姉妹《いとこ》も、みんな海外で売春婦として働いていたとは、これが驚かずにいられようか。

まだ終わりではない。スタンリー等は、文玉珠（ムン・オクジュ）という慰安婦に関する私の意見について、詳細にその非を鳴らしている。何を言うのか。私は文玉珠について、一切間違いを言ってはいない。この連中は、最後にどんでん返しがあったことを読者には秘密にしている。実は、文玉珠は、契約期間が満期になって、朝鮮へ帰る自由を得た後、港まで行ったが、そこからまた引き返したのである。彼女は、全く強制のなくなった後で、自分の意志で、金を稼ぐために慰安所へ帰る決心をしたのである。その詳細については以下に述べる。

スタンリーは、5月のウェブサイトで、私を攻撃するつもりで、インドネシアの悪名高い日本軍戦争捕虜収容所の話を詳述している。この収容所の兵士たちは、自分たちのために「慰安所」を作り、若い捕虜の女性たちを常習的にレイプしていたというのである。私の論文は、日本人、朝鮮人（朝鮮は日本の一部だった）の慰安婦の話に限定するはずだった。また、場所も「慰安所」に限るはずだった。それはさておき、インドネシアの収容所では、明らかに、慰安所の規律にも、戦争捕虜収容所の規律にも違背して、そういう性犯罪を繰り返していた。日本軍は、軍規が厳しいことを誇りにしていた。司令部は、この無法な「慰安所」の存在を知ると、ただちに閉鎖を命じた。

しかし、真面目な歴史学者が、日本軍の司令部が、無法なことをしている「慰安所」の閉鎖を命じたと指摘すると、スタンリーは、彼らを「歴史修正主義者」だと言って叩くのである。スタンリーは仲間と一緒に、オサキや文玉珠の件を取り上げる時、重要な情報については読者の目に触れないように気を付けている。ウォーク誌の記事とは逆に、スタンリー等は、日本軍司令部は女性への暴力に対して見て見ぬふりをしていたと言いたいようである。ところが実際には、日本軍司令部は、事実を知るとただちに、収容所の「慰安所」の閉鎖を命じたのである。問題はまだある、スタンリーは読者に次の事も話さなかった。一人の看守が以前の若い女性戦争捕虜の強姦を続けようとした時に、新任の部隊長は収容所全員を集合させ、その看守を先頭に呼んだ。部隊長はその看守に拳銃を手渡し、看守が粛々として自分の頭を打ち抜くまでそこに立っていた。(ラフ-オハーン Ruff-O'Herne 2008)。スタンリー、まさか知らなかったと強弁するわけではあるまい。

他の間違いについても指摘する。続けてお読み頂きたい。

1　前払金

スタンリー等は、まず第一に、「契約による合意があった。慰安婦は多額の前払金を受け取っていた」という私の主張に戦いを挑んで来る。

残念ながら、彼らがどういう意図を持っているのか、私にはよく分からない。第一に彼らは、女性たちの相当部分が巨額の前払金を受け取っていたという事実を否認するのだろうか。それとも、マイケル・チューの「憂慮する経済学者たち」のように、朝鮮の女性たちはみんな強制されてこの職に就かされたと言いたいのだろうか。あるいはまた、朝鮮の女性たちは、日給または月給をもらえれば、前払金なしで働くことに同意したと主張するのだろうか。そんな記述はどの文献にも見られない。最後にまた、女性たちは、前払金を受け取ったが、契約に署名はしなかったと主張するのだろうか？　募集業者や慰安所経営者が、証拠書類を要求しないで、多額の前払金を与えたとはとうてい考えられない。慰安婦たちが現実に多額の前払金を受け取るという契約の下で働いていたという証拠は、補遺Ⅲを見れば十分であろう。契約の資料のリストは5ページ［本書では389〜399ページ］にもなる。もう一度言わせてもらいたい。私は事実を述べているだけだ。多額の前払金が払われていたからと言って、私はこの制度が道徳的に許容できるものであったなどと言うつもりはない。私は、道徳のために学問をしているのではない。

2　退職

私は「慰安所の女性たちは、自分の稼ぎで借金を完済した場合には、早期に退職することができた」と書いた。スタンリー等はこれをも間違っていると言う。こんなことに異議を唱えて何になるのだろうと不思議でならない。契約によって奉公期間が決まっていたという事実を否認するのだろうか。あるいは、女性たちは、借金を完済しても退職することができなかったと言いたいのだろうか。どちらにしても、全く間違っている。韓国の経済学者・李宇衍（イ・ウヨン）が「ディプロマット」誌に書いているように、アンバラス、スタンリー、チャタニ（茶谷）は、編集者を恫喝して、検閲を行っているのである。

「慰安婦」は「ハイリスク・ハイリターン」の職に従事していた。膨大な金額を稼ぐ者もいた。そして、相当数の者が年季が明けた後は朝鮮へ帰るか、あるいは同じ売春という職業に復帰した。日常生活に制限はあったが、それは、軍人や公務員や看護婦などの、戦場で働く人々に共通のレベルだった。結論を言おう。慰安婦は性奴隷ではなく、基本的には、今日の性産業労働者とほぼ同じようなその関係の労働者だったのだ。

私は、ボルネオの売春宿で働くために、シンガポールの売春宿を去って行った3人の売春婦を紹介した。スタンリー等は、この記事にも反駁する。私の論文［第3論文B2］では、シンガポールの売春宿に不満を持つ3人の売春婦（慰安婦ではない）のことを論じた。彼女たちは、港まで行き、ボルネオ行きの船に乗り、ボルネオで新しい売春宿を見つけた。そのうちの2人は、ボルネオの経営者を説得して、シンガポールの経営者から借りていた借金を完済してもらった。そして、ボルネオの売春宿に留まることになった。もう1人は、ボルネオの経営者を説得することができなかったので、シンガポールへ帰って行った。私の論文のこの部分の趣旨は明白である。「女性たちは退職することができた。しかし、借金を完済できていない場合は、まだ支払いを続けなければならなかった」という趣旨だ。こういうやり方を契約というのである。

スタンリー等は、戦時中に女性たちが、現実には日本や朝鮮に帰ることが難しかったことを強調したいようだ。そういう現実問題があることは間違いない。だからこそ、私は、IRLEに寄せた論文で、この問題について明確に論じたのだ。しかし、この問題は戦争に関連しているという事実を忘れないでほしい。契約の内容が悪かったわけでもなければ、きちんと履行されなかったわけでもない。

女性の退職する権利については、慰安婦の契約書式のサンプルの次の条項を見て頂きたい（スタンリー等がすでに読んだと主張している資料の中で見つけたもの）。(原注22)「契約期間が継続中に契約が解消された場合には、残った元金と違約金（他の箇所で年利は元金の10％と規定されている）と採用の際にかかった費用を慰安婦が支払うことになる」という条項である。

（22）女性 vol 1, 50 に再録されている。茨城県知事室が作成した「上海の慰安所に売春婦として雇用した女性たちについて」（1938年）より。

どの契約を見てみても（少なくとも私が確認した限りでは）、女性は、前払金を完済しさえすれば、契約期間が満了する前に、退職することができた。そして特に、このサンプルの慰安婦契約では、女性は、前払金を完済していなくても、契約期間満了前に退職することができたのである。前払金の残額は負債として残るが、ともかくも合法的に退職することはできた。

日本本土では、認可売春婦は、自分の望む時にはいつでも退職することができるという司法判断が出ていた。すでに1896年に、大審院は、女性が認可売春婦として働くように合意を強要することはできないと判示していた。裁判所はたびたびこの点を強調していた。日本国内では、女性は、負債を完済していなくても、退職することができた。例えば、次のような判例がある。武蔵野きよ 対 櫛いき（大審院1896年3月11日判決）、坂井フタ 対 山田耕一（大審院1900年2月23日判決）を見なさい。ソウル国立大学の経済歴史学者・李栄薫（イ・ヨンフン）は、私と全く同じことを指摘している。「慰安所とは実に流動的な場所であった。慰安婦たちは自由に去って行った。契約期間が終わった時、目標の貯金額を達成した時、前払金を完済した時、彼女たちは慰安所を去って行った」。ここでもまた、前に述べたことを反復させてもらうが、契約の文言がどう言っていたとしても、契約が道徳的に正しいかどうかとは関係がない。私の論文は事実を述べているだけだ。

C　詳細

スタンリー等が編集者に私の論文を撤回しろと要求しているそのほかの点を一つ一つ詳しく調べてみたい。次の3つの異議を別にすれば、私の言っていることが間違いだという彼らの主張は根拠のないものである。第一に、私はオサキの伝記経歴を誤解していた。この間違いは、私の論文の価値を損なうほどのものだとは考えない。しかしそれでも、ともかくも甚だ困惑していることは事実だ。第二に、スタンリー等は、私が内務省の書類にあった前払金の額を表にしたものが間違っていると指摘した。[5（a）]。第三に、彼らは、私が別の書類を論ずる際に、実際には日本陸軍が許可した請願のことを言っているのに、朝鮮総督府に対して行った請願だと言っていると指摘する（9参照）。

印刷ミス以外で、スタンリー等が私の論文の中に見つけた間違いはこの3つだけである。いずれも、これが間違っていたからと言って、私の分析の非を鳴らすほどのものではない。ところが、以下の記述に注意されたい。5月11日に、スタンリーはツイッターで嬉し気にこうつぶやいている。

嬉しいお知らせです。ニューオーリンズのアメリカ歴史協会で、我々の会議「戦おう　学際的な共同研究によって歴史修正主義と対決する」が開催される運びとなりました。ラムザイヤー説の崩壊とそのあとにくるもの!! を聴講して下さい。

スタンリー等にとっては、日本軍が銃を突き付けて朝鮮人女性を連行したという主張に疑義を呈する者は「歴史修正主義者」、そして、「歴史修正主義」という常套句を持ち出せば、私と同じような論文を掲載しようとする編集者に際限のない攻撃を仕掛けることができるというわけだ。

そして、どうやら、アメリカ歴史協会もこの連中に加担しているようだ。

スタンリー等の言いがかりに対抗するために、私も反論をしなければならない。

1 証拠がないということを認めない

(a) 現実の契約はなかった

ゴードン/エッカートは、朝鮮人慰安婦も日本人慰安婦も契約をした上で働いていたということを認めている。スタンリー等は、契約が存在したことは認識していると私は思っている。彼らの主張によると、私は、「慰安所で働くための署名付きの契約書を持っていない。しかも、持っていないことを認めようとしない」と主張しているらしい。そもそも、ゴードン/エッカートの手紙自体、誤解を誘導しようという意図が見えるのだが、この主張もまた同じような策略を企んでいる。私は、契約書を持っているなどとは一度も言ったことはない。慰安所と慰安婦が交わした私的な文書や契約書などは、みんな戦争で失われてしまったようだ。そのことは、この分野の学者なら、誰でも知っていることだ。そこで、失われた証拠文書の代わりに、私は、手に入る限りの歴史的証拠から類推し、かつ基本的な経済学の原理に従って論理立てをしているのである。スタンリー等は、ゴードン／エッカートと同様に、その点においてごまかしをしているとしか言いようがない。どちらも、私が所論の根拠とした歴史的な証拠が最善のものではないと言っているわけではなく、また、もともと証拠能力を欠いていると言っているわけでもない。

(b) 代表性

スタンリー等は「ラムザイヤーは、読者を誘導して、自分の挙げた事例が、現実の慰安婦の代表的な例であって、例外的なものではないと思わせようとしているが、代表的な例だというのは何の根拠もない自己主張に過ぎない」と言い募る。私の論文［第3論文C2とC3］を見て頂きたい。私はさまざまな事例を無選別に集めている。自分の持っている事例が一般的なものであるとも主張したことはない。いや、逆に、私は、私の持っている資料を紹介し、それに基づいて作業をしているだけだ。補遺Ⅲに紹介する契約の事例のリストを見て頂きたい。

より大局的に言うならば、朝鮮は日本の一部であり、朝鮮人は日本国民だった。何十年にもわたって、朝鮮の認可売春婦は、日本の認可売春婦と同じパターンの契約の下で働いていた。慰安婦が認可売春婦が使ったのと同じパターンの契約書を使っていたのは、決して偶然のことではない。日本政府は、慎重に国内の認可売春婦制度をモデルにして、慰安婦制度を作り上げたのだった。「日本軍は、朝鮮人慰安婦を募集する際に、日本人慰安婦の募集とは違う方法を使った」と言う意見の根拠は、少数の元慰安婦の晩年になってからの証言だけなのだ。この論文で詳細に論じたのと同じ理由で、彼女たちの証言は信用できない。反対の趣旨の証拠がない以上は、論理的に成り立つ推論は私の立てた推論以外にはありえない。すなわち、慰安婦（朝鮮人も日本人も）は、国内の認可売春婦と同じパターンの契約の下で働いていたという推論である――そして、それを、補遺Ⅲに示そう。

批判する人々が、私が詳細に検討した事例が例外的な事例だったという証拠を出したいのならば、ぜひそうして頂きたい。そのようにしてこそ、学問は進歩するのだ。しかし、一言言わせてほしい。私の挙げた事例が代表的な事例ではないと考える理由はないのだ。

2　山崎の性格付けの過ち

（a）作業の性質の認識

スタンリー等は、オサキという名の少女の事例を紹介するに当たって、間違いを犯したと主張するが、それについてはその通りである。オサキは、個人的な売春婦（慰安所とは無関係）として二十世紀初頭に海外へ働きに行った。そして、1972年に、山崎朋子という作家が、オサキに面接して、非公式な回想録を書いた。Bでは、私は、オサキは詐術に騙されたのではなく、「この仕事がどんなものであるかを知っていた」と書いた。それに対して、彼らは、彼女が最初にセックスをするように要求された時にショックを受けた、と反論したのだった。

この反論は正しい。スタンリー等は、オサキの申し立てを指摘した点では正しかった。そうは言っても、読者には、スタンリー等が隠蔽している事実を理解して頂きたい。私が解説した、87ページにわたる回想録の中で、オサキ（姉妹も従姉妹も、みんな海外で売春婦として働いていた）は、仕事がどのようなものであるかは誰も教えてくれなかったが、実際には、売春婦としてどんな仕事をすることになるかは大雑把に理解していた（日本語では「うすうす見当が付いていた」）と述べている。152ページに著者の山崎は、同様なことを書いている。すなわち、オサキは、伝統的に海外志向の強い売春婦の出身地である島で生まれたので、どんなことをする仕事なのかは大雑把に理解しながら（日本語では「うすうす承知の上で」）、ことさらにこの職に就くことを選んだのだった。

オサキの訴えを無視するということは、私としては戸惑いを感じないではいられないが、論文の中心的な主題にさほどの影響を与えるものではない。私が彼女の話を入れたのは、無味乾燥な主張ばかり並んでいる中に、生活感のある証言を含めたかったからだった。この話は、日本人にせよ、朝鮮人にせよ、慰安婦の契約の経済学的理論とは無関係である。オサキは、認可されていない売春宿で働いていた。慰安婦ではなかった。そして、第二次世界大戦の前に、何度も洋行した経験があった。

(b) 慰安所の会計

私を批判する人々は、慰安所内部の会計処理についてもっと語るべきだったと指摘する。彼らは、オサキの回想録から9行を引用している――しかし、会計に関する記述は92ページから97ページに及ぶのである。さらに、この著書の中の会計に関する記述を見ると、批判者たちが言うほどには、一方的な搾取ではなかったことが分かる。オサキは毎月100円を返済できていたと私は書いた――それはオサキが自ら言ったことだった。もちろん、会計処理の際に慰安婦が騙されることはあったろう。そこを私はごまかしてはいない。彼女の当初の負債300円が、2000円まで膨らんでいたことを私ははっきりと記述した。私が論文の中で書いたことであるが、詐術は行われた。慰安所の経営者が女性たちの弱みに付け込んだこともあった。そのことはきちんと頭に入れておかなければならない。道徳規範の問題としてこれを見過ごしてはならない。とは言っても、言わせてほしい。私の論文はひたすら事実だけを述べているのである。そして、募集の時点において(意識的に)締結された契約の構造の解明に的を絞っているのである。

（c）退職

私は、「海外でも、売春宿での仕事がいやになった場合は単純にやめることができたし、実際にそうしていた」と書いた。この記述が証拠の使い方として批判されるのは結構だが、私は考えを変えるつもりはない。すでに述べたように、オサキのパトロンが年季証文を買い取ることを拒絶したとき、友人の一人は、もとの売春宿へ帰って行ったのだった。批判者たちは、このことを知っているはずだ。ところが、彼らは明白な事実を無視している。この3人の女性は、シンガポールの売春宿を去って、ボルネオ行きの船に乗った。オサキと友人の一人は、親切な経営者に出会い、その人が負債を買い取ってくれることになった（もう一人の友人はそうはいかなかった）。しかし、ボルネオは大きな匿名性の高い町である。人間は消えていなくなることができる。負債を買い取ってくれる人を見つける必要などないではないか、と彼らは言うのである。これは法律の問題ではなく、常識の問題である。消えてしまおうと決心したら、簡単に消えることもできていただろう。

3　文玉珠の証言の間違った解釈

スタンリー等は、私が文玉珠の証言を誤解していると主張する。どんな点から見ても、そういうことはあり得ない。この言いがかりは特に無茶なものであり、それについて、3点を指摘したい。

(a) 強制連行

第一に、スタンリー等は、文玉珠が憲兵隊に誘拐されたと言っていることを私が無視したと言って非難する。すでに私が詳細に述べたように、数人の元慰安婦も、同じ証言をしている。文もその一人だ。文がそういう証言をしていることを私は否認しない。しかし、この証言は、文が慰安所で稼いだ金について私が論文の中で述べた骨子とは関係のないことである。この問題点の重要なポイントの一つは、このような拉致されたという証言がどこまで信頼できるかということである。特に、書類などの確実な証拠がないのだから、証言の信憑性が決め手になる。

(b) 吉見

第二に吉見義明。2015年の要求（前述の［D5］および後述の［補遺Ⅱ］を参照）に名を連ねたゴードン等の名高い第一人者である。吉見本人は文の証言に疑義を抱いている。スタンリー等は「憲兵2人」が文を誘拐した」と書いている。実は、吉見自身は次のように書いている。

（文を）誘拐したのが軍人だったのか、警察関係者だったのか、それともカーキ色の私服を着た民間人だったのかを判断することは不可能である。しかし、時刻は夕暮れ方であった。彼らは２人だけだった。文は民間人の家のような所へ移された。このことから、彼女は民間人に誘拐された確率が高いと思われる。

（c）自分の意志で慰安所へ戻る

第三に、スタンリー等は、文玉珠の経歴について詳細を語ることを避けているところがある―それは、朝鮮の自宅へ帰ろうとはせずに、自分の意志で慰安所へ戻ることを選んだという事実である。スタンリー等は、慰安婦は仕事をやめることはできなかったと主張している。ところが、契約を締結した女性の中には、契約期間が終わった後でも、慰安所に残ることを選んだ者がいた。高収入が得られたからだった。文玉珠もその一人だった。１９４４年の時点で、文はビルマ（ミャンマー）に2年滞在して、前払金を完済していた。そして、自宅へ帰ることを許され、朝鮮へ行く船に乗るためにサイゴンへ行った。

最後の土壇場になって、文は船に乗ろうという意志を翻し、ラングーンの慰安所へ戻った（リーLee, 2019, 279-80；ムン 文 Mun 1996：114-22）。この事実は、なんとスタンリー等が引用している回想録そのものに出て来るのである。その回想録の中で、文は明確に語っている。退職することを許されたにもかかわらず、自分の意志で退職しないことを決めたと証言しているのである。そして、慰安所へ戻った。文は続ける。「ラングーン・ホールへ戻ると、みんながびっくりした。『なんで朝鮮へ帰らなかったの？　どうして戻ってきたの？』と訊くのだった。ともかくも、みんなが喜んでくれたので、私は嬉しかった」。（ムン 文 Mun, 1996, 122）。

（d）他の批判

批判者たちは、私が、朝鮮語の回想録（ムン　文 Mun 1996／文 1996 を参照）を避けて、ウェブサイトで見られる都合のいい英訳から引用していると非難する。彼らの言い分はこうである。ラムザイヤーは、一般の読者が、自分たちが読める資料を引用してくれていると感謝されることを期待しているのだということである。いずれにしても、批判者たちは、私が紹介する資料が正確ではないといいたいのだ。若干の事例について、これからお答えしよう。

（i）チップ vs 賃金

批判者たちは、文玉珠が、賃金よりもチップのほうが多かったと言っていることに注目する。このことには私も注目している——文がチップで稼いだと言っていることは私は明確に述べている（IRLE論文〔第3論文C5〕を参照）。第二に、チップだろうと賃金だろうと、実質に違いはないのである。ウェイターやウェイトレスとして働いたことのある人なら誰でも知っていることだが、接客産業では、チップは労働者の収入の相当部分を占める。現在の日本のレストランでは、チップの習慣はない。しかし伝統ある極めて高級な懐石料理の店では、チップは依然として義務的な習慣になっている。チップが習慣になっている場合は、労働者の正規の賃金は、期待できるチップの額を反映している（つまり、その分だけ安くなっている）。

(ii) 町へ行く

批判者たちは、文玉珠の証言について、次の部分を私が引用しなかったことを指摘する。つまり、[文は、「完全に自由に」町へ行くことが許されていたわけではなく、「週に一回もしくは月に二回韓国人経営者の許可を得て外出することができた」]という部分である。確かに、私はこの部分を載せなかった。しかし、この部分は私がもともとの論文で述べたことといささかなりとも矛盾するものではない。こういう慰安所は日本帝国の到る所に存在していた。女性が慰安所を出て町へ行くことが許されるかどうかは、さまざまな事情によって異なっていた――一つ明らかなことは、前線からの距離や地域の抗日運動の激しさに左右されていたということである。

現に私はBで、問題の点を明確に指摘して、次のように書いた。

「東京では、女性は売春宿から出て、大都会の雑踏に中に消えてしまうことができる。前線でも、それが可能である場合もある――しかし、可能かどうかは、慰安所が具体的にどんな所に位置しているかで決まる」

もっと基本的な問題を指摘しよう。韓国の経済学者・李宇衍（イ・ウヨン）が「ディプロマット」誌で説明しているように、慰安所の中には、戦闘地域に位置している所もあった。因みに、この「ディプロマット」誌の記事は、アンバラス、スタンリー、チャタニ（茶谷）が編集者を恫喝して、検閲をさせた記事である。

「日常生活に制限が課せられるのは、軍人、民間人労働者、看護婦、その他戦場にある人々全員に対してである。【訳注】慰安婦だけが制限を課せられたわけではないということ。

(iii) 虐待

スタンリー等は、文玉珠が虐待されたと証言していることを取り上げる。虐待があったことは事実である。そして、私のIRLEの論文［第3論文C2］で、私は、まさしくこの問題を論じた。この部分の引用をそのまま載せよう。

「(慰安婦は) 慰安所側の契約不履行という、はるかに重大なリスクを負っていた。東京だったならば、経営者が契約を履行しなかった場合、売春婦は、警察に駆け込むことができた。前線では、警察というのは軍の警察（憲兵隊）しかなかった。東京なら、契約不履行で、経営者を裁判所に訴えることができた。前線では、そのような選択肢はなかった。東京では、女性は売春宿から出て、大都会の雑踏の中に消えてしまうことができる。前線でも、それが可能である場合もある――しかし、可能かどうかは、慰安所が具体的にどんな所に位置しているかで決まる」。

(iv) 貯金の返還

批判者たちは、文玉珠が、終戦後になっても、自分の貯金を手にすることができなかったと書いている。「下関郵便局は、1952年のサンフランシスコ講和条約の後では、文は日本国民ではなくなったという理由で、金を払い戻すことを拒絶した」。もしそれが本当であれば――そして私はこの件についてはまだ調査していないが――そのような制限は、終戦以前に、郵便貯金口座を持つすべての朝鮮人に適用されていたはずだ。この問題は、吉見に対する返答の中で、もっと詳細に論じることにする(補遺Ⅱ)。

4 証拠としての軍の資料の恣意的な選択

(a) 応募者を詐術にかける

批判者たちは、応募者に対する詐欺行為の詳細を記した、1944年の米軍の尋問報告書を引用している。これはおそらく真実を告げているだろう。しかし、応募者に詐術を用いたというのは朝鮮内での問題だろう。私は、このことを頭に入れて、論文の中では、この点を強調した［第3論文Ｂ４］。

（b）帰国

批判者たちは、１９４５年の報告書を引用している。それによると、１９４３年までには、「戦局が悪化したために、女性たちは契約期間が満了しても帰国することが難しくなっていたとのことである。第3論文Ｃ４でわたしはそのような女性の一人を紹介している。［終戦直前の数ヵ月前までは］、女性たちは契約期間が満了して負債を完済すると帰国して行った」

（c）引用ミス

連中は私の論文のミスを見つけ出そうと躍起になっている。その努力の様子は滑稽としか言いようがない。スタンリー等は批判論文p.13の脚注28で、私が「米軍報告書49」（U.S. miliary report49）を「間違って引用している」と書いている。「報告書49」のタイトルは、「日本人戦争捕虜尋問報告書49」となっている。これが私が引用したものである。スタンリー等は、これは、「情報報告書（Information Report）」というタイトルにすべきだと書いている。彼らの提案することのタイトルは、日本人編集者がこの報告書を女性シリーズの第5巻に入れて編集した時に、付けた名前である。ご提案には敬意を表するが、やはり私は、私の付けたタイトルのほうが正確であると思っている。

5　日本内務省の書類の性格付けの間違い

(a)　前払金

ＩＲＬＥの論文［第３論文Ｃ３］で、私は慰安婦に支払われた前払金の額について論じた。スタンリー等はこれに焦点を当てている。特に、支払い額に差があることに目を付けているようだ。これは議論する価値のある重要な点だ――そして、私は、前払金の額を推定するにも限界があったということは明白に述べておいた。私は、「１９３７年の上海の慰安所に雇用されることになった日本人女性の契約書のサンプルでは、前払金は５００円ないし１０００円が支払われた」と書いた。また「１９３８年の内務省の文書では、上海へ行った日本人女性の前払金は６００～７００円で、１人が７００～８００円、２人が３００～５００円を受け取った」とも述べた。

私は、５００～１０００円という金額の出所は「契約のサンプル」だったと説明している。批判者たちは、これを「間接的な証拠」だと言ってケチをつける。つまり、「実際の契約条件について特定の具体的な情報を含んでいない」と言うのである。この批判はなるほどと首肯できる――しかし、私は他のことは何も主張していない。

重要なポイントが一つある。スタンリー等は、1938年の報告書には、700～800円の前払金についての記述はない、と言う。私は、元の文書を調べなおしてみた。その結果、この点はそのとおりだという結論に達した。これは、私の間違いであった。間違いについては謝罪し、この部分は撤回する。喜んで撤回するが、だからと言って、金額は500～1000円の幅だったという、私の主張の根本が崩れるわけではない。

(b) ページ数

批判者たちは、私が引用文書の名を記しても、何ページにあるのかを示していないと攻撃する。報告書は14ページになるので、その中の何ページにあったかを示したほうが親切だったということは認めよう。(「ロー・レビューズ」〈法学雑誌〉ではピンサイトという)。しかし、スタンリー等は、このせいで「確認」ができなくなってしまう、という——私に言わせれば、それはいささか大袈裟な苦情ではあるまいか。所詮、この文書は14ページしかないのだ。

(c) 正しい引用

スタンリー等は、当該の1938年の内務省文書の「正しい引用」は、国立公文書館のものに準拠したほうだと言っている。たぶん、それは正しいであろう。スタンリー等がどうしてもと要求するなら、私は、国立公文書館の文書を引用するほうが「正しい」ということまで譲歩するのはやぶさかではない。私のもともとの論文では、国立公文書館の資料は使わずに、手に入りやすい間接的な書類を読者に呈示した。読者も、政府関係の国立公文書館よりも、主要な大学図書館のほうがとっつきやすいであろう。

6 支那1938と軍慰安所1938の誤解

（a） 翻訳

スタンリー等は、政府の規定を私がえり好みして訳していると非難する。

私のIRLEの論文のBに私は次のように書いている。

「売春の目的で渡航する女性は、北支中支が目的地である場合に限って許可される。ただし、現在認可を得て現に売春婦として働いており、年齢が21歳以上で、性病などの病気に罹患していないものでなければならない」

批判者たちは、正しい翻訳は次のようであると主張する。

「売春をする目的で渡航する者は、～を目的地とする場合に限り、当分の間は黙認の許可を与える」

要するに、私が省略したことを示す注釈語をつけずに限定語を落としたということだ。しかし、実は、日本語の原文では、イタリック体の限定語句その一文の文末に出てきて、したがって、きちんと私の省略の範囲内にある。

そればかりではない。［第3論文B4］で論じたことから明らかになったはずだが、私がこの規定を引用したのは、強調したい点があったからだ。それは、政府が、慰安所に雇ってもらうために応募できる女性を、すでに性産業で働いていた女性に限ったということである。しかも、政府がそういうことをしたのは、国内に前々から、買春禁止を目指す団体が存在していたからだ。そういう人々の圧力を回避しなければならないと政府も考えていたのである。

私の言い分を擁護するためには、「当分の間は」なのか、「永久的」なのかは問題でない。所詮、政府は、名目的に永久的な規定であっても、廃止することは簡単なのであるから。また、許可が「黙認」なのか、もっとはっきりした許可なのかも問題ではない。私が言いたいことは、政府が慰安婦を、すでに売春婦として働いていた女性たちに限ったという事実である。

(b) 国際条約

この論争の後、批判者たちは規定された年齢制限と国際条約との関係について長い説明をしている。これがたとえ本当だとしても、この協定の契約としての性格について、私が解明してきたことに対して、何らかの影響を及ぼすとは思われない。

実は、これは本当ではないのである。早稲田の歴史学者・有馬哲夫（2021a；2021c, 161-64）は、日本政府の文書についての専門家であるが、スタンリー等が、当該文書の重要なポイントを完全に読み間違えていると指摘する。

（c）（改革者）売春禁止論者

批判者たちは17〜18ページで、「改革者」について、長々と論じているが、私のもともとのIRLEでの重要なポイントを誤解しているように思われる。［第3論文B］で、私は日本の認可売春婦についての私の研究にふれた。戦前の何十年間、活動家（私は改革者と呼ぶが）たちは、売春を禁止するために努力してきた。キリスト教会とかかわっている人が多かった。スタンリー等はおそらくこの人たちのことは知らないのだろう。このセクションでは、私は、政府が配慮をしたのはこのグループからの圧力があったからだと述べた。

私は自分の議論を読み直してみた。私は不明瞭なことは言っていないと思う。しかし、今、ここではっきりさせることができて、お役に立てたならば、よかったと思っている。

7 「朝鮮人慰安婦の帳場人の日記」の悪用

私はこの日記を悪用してはいない。私が「チェ」という名で紹介したのは、崔吉城（チェ・キルソン）の『朝鮮出身の帳場人が見た 慰安婦の真実』［The Truth About Comfort Women, as Seen by a Korean Receptionist］（ハート出版、2017）である。私は、帳場人が慰安婦に替わって送金し、受領確認の電報を受け取ったと書いた。批判者たちの主張によると、帳場人はそんなものを受け取ってはいないということである。いや、事実、彼は確認電報を受け取っていたのだ。崔は次のように書いている。

「女性たちは一人一人、金を受け取ると、朝鮮に電報で送り、確認の電報を受け取った。結婚して、暫くの間慰安婦の職を離れた後、また慰安婦になった女性たちもいた。しかし、完全に家庭に入った女性たちもいた。概して自由であり、彼女たちは映画を見に行くようなことをしていた」

もっと後になって、Choe 崔（2021a；2021b）は、日記に関して、私の解釈が正しいと確認してくれた。そして、こう書いている。

「ラムザイヤーの論文は、日記に一致し、また、多くの場所での私の調査とも矛盾するところはない。突き合わせてみると、〔慰安婦は売春婦だった〕というのが客観的な結論になろう」

批判者たちは、「強制的に貯金させられた金は、朝鮮の戦時労働者たちの日本人雇用主によって、彼らが逃げるのを防ぐために使われてしまったのであり、そのことは広く知られている」と書いている。しかし、慰安婦・文玉珠の証言［第3論文C］の長い引用を読み直してほしい。彼女は完全に自分の意志で、貯金通帳を開き、これだけ溜まったと自慢している。

批判者たちは、戦後、貯金を現金にすることのできなかった慰安婦が多かったと書いている。そうだったこともあれば、そうでなかったこともあろう。しかし、それは彼女たちが慰安婦であったこととは関係がない。私は、吉見への返答（補遺Ⅱ）の中で、このことについては詳細に述べた。

8　武井2012の第一次資料のごまかし

［第3論文B3］で、私は、「1932年に最初の慰安所が開設されるよりもずっと以前から、朝鮮人女性は海外に出て、売春婦として働いていた」と述べた。その事実に対しては、大筋は、批判者たちも異議を唱えることはなかろうと私は思料《しりょう》する。いや、異議を唱えるとは思えない。B3および、それに付けた脚注の4（本書の222ページ）では、私はこの意見に関して、さまざまの資料を紹介しているのであるから。もう一つ、ランダムに資料を紹介すると、李東振［イ・ドンジン Lee Dong-Jing］（2020, tab.5）は、次のように書いている。「1940年の満洲国では、1万9059人の中国人女性が〔酌婦〕（売春婦の婉曲な言い方）として働いていた。日本人も2264人、朝鮮人も3586人が酌婦をしていた」。歴史学者の秦郁彦（1999：51）は、「1930年には、上海で売春婦として働いていた女性は、日本人が712人、朝鮮人が1173人だった」

と述べている。

ところが、批判者たちは、上海に朝鮮人慰安婦が12人、無認可の朝鮮人売春婦が527人という数字に異を立てているように思われる。私が脚注4に資料として掲載した武井（2012）は、インターネットから引いたものである。批判者たちは、これはもう今では使えない資料になっていると言う。彼らはどうも、これをキャッシュ・ウェブページの中で見つけたらしい。しかし、私はそこにも見つけることができなかった。いずれにしても、私が言いたいことは、朝鮮人女性が売春婦として働くために、大挙して渡航していたということであり、この点については、スタンリー等も異議を唱えないだろうと信じるのである。

9　北支那1938記述の誤り

ここでスタンリー等は、B3に対して攻撃を続ける。またまた、朝鮮人女性が売春婦として大挙して渡航していたという主張を彼らが覆すことはできまいと私は信じている。その点を正確に指摘している他のデータを見つけることもさほど難しくはない。すぐ右に紹介したばかりの、Lee 李（2020）および秦（1999）などがそれである。

いずれにしても、私は、B3で、90人の朝鮮人女性が、天津で売春婦として働くための旅行許可証の申請をしたと述べた。批判者たちは、90人という数字は、現に許可を得られた人数だと指摘する。それはその通りである。どうも、渡航申請をした女性の数はもっと多かったらしい。

この指摘には感謝したい。これは全く正しいのである。喜んで訂正させて頂き、間違っていたことをお詫びしたい。申請者の数が私の言ったよりも多かったということは、多くの朝鮮人女性が売春婦として働くために渡航したという私の主張の反証とはならず、逆に傍証となるのである。

スタンリー等は、また、渡航許可を出したのは、日本の統治のための朝鮮総督府ではなく、日本陸軍だったと指摘する。これもその通りである。やはり、感謝して訂正させて頂く。

しかし、この二つのクレームは正しいものであるとはいえ、それを訂正したからと言って、私の主張の正しさを揺るがすことにはならない。繰り返して言うが、最初の慰安所が開設される前に、多数の韓国人女性が売春婦として働くために、渡航していたのである。

スタンリー等が、なぜこの訂正によって、私の主張が揺らぐと思っているのかについて、私が見落としている点があったら、謝罪しよう。この問題については、いくらでも議論する用意がある。

10　金‐金資料の選択的引用

批判者たちは、私が金‐金（2018）から引用した資料が「正確である」と書いている。それにもかかわらず、彼らは、私が、二人の著書の論じていることを無視し、事実についての指摘をも看過している、と主張する。こういう批判はどうしても理解できないのである。ＩＲＬＥの論文で、私は、金＆金の提出した資料を引用している。私が強調していることに矛盾する点を含んだ二次的資料である。これがなぜ問題であるのか、私には理解できない。私は、金‐金が私のＩＲＬＥの論文の論旨を補強してくれているとは言っていない。それらしきこと一切言っていない。私はこの書の中の、特定の資料だけを引用したのである。どちらかといえば、私は、学者というものは、自分の論旨や結論に反対する著者の作品を読んだり引用したりするほうが好ましいことだと考えている。

スタンリー等の批判を駆り立てている重要点は――ここでもまた――日本軍が朝鮮人女性を強制連行して、慰安所での労働に従事させたという彼らの主張である。すでに述べたように、この主張に対して、私はＩＲＬＥの論文では、何も反論しなかった。しかし、すでに述べているように、ここは明らかにスタンリー等が間違っている。日本軍は、朝鮮人女性を強制連行などしなかった。そして、私が読んだ限りでは、金‐金も、強制連行があったとは主張していない。朝鮮には以前から、詐欺的な労働者募集業者が存在するという問題点があった。日本軍は、こうした詐欺によって搾取するどころか、それをやめさせようとしたのである。金‐金の言うことはそれを裏書きしている。

11　秦の記述違いと選択的引用

私は秦の資料を歪めたりはしていない。ＩＲＬＥ［第３論文Ｃ］で、私は「売春宿や最高級のレストランが閉鎖し始めた」と書いた。批判者たちは、私が〔「売春宿」と「慰安所」を区別せずに使っている〕と指摘し、なぜそれをしてはいけないのかを説明している。

区別せずに使ってはいけないことは、重々承知している。だからこそ、そんな過ちは犯さなかったのだ。「売春宿」と書いた時は、「売春宿」の意味で使ったのであり、「慰安所」の意味で使ったことはなかった。私は売春宿の閉鎖が始まったと書くつもりだったし、実際そう書いたのだ。私の記述が売春宿と慰安所を混同しているとは、理解できない言いがかりである。

補遺Ⅱ　吉見への反論

吉見義明のＪ・マーク・ラムザイヤー「太平洋戦争における性サービスの契約」に対する批判への答え

Ａ　はじめに

西欧の読者は、この論争に於いて、吉見義明が中心的な役割を果たしていることを理解する必要がある。朝鮮人慰安婦を強制連行したという吉田の捏造記事が出てから、数人の慰安婦が日本に損害賠償を要求し始めたことを思い起こしてほしい。そして、朝日新聞が吉田の捏造話を大々的に喧伝したことを思い起こしてほしい。慰安婦制度に日本政府に責任があるということを証明する書類を発見したと触れ回った学者が吉見だったのだ。

吉見は、政府に責任があることを証明したと主張し、それによって、一躍、慰安婦関係の学者としては、並ぶ者なき名士に成り上がった。彼の著書は日本語の学術書であるが、２００２年にコロンビア大学出版局が英訳版を出版した。マグローヒル社の教科書の慰安婦関係の記事について、日本政府が抗議した時、ゴードンたちは、日本政府を非難したが、この時、吉見の「注意深い調査」（ダッデン Dudden 2015）を絶賛したものだった。今春（2021）、日本のある知的な雑誌がＩＲＬＥの私の論文を攻撃する記事を掲載することに決めた時、この雑誌が選んだ学者は吉見だった。チャタニ（茶谷）〈スタンリーなどの共著者〉［2021a］がこの論争の概略を紹介し（茶谷2021）、吉見はそれにつづく文章を書いた。

吉見からＩＲＬＥに宛てた手紙は、基本的にはこの記事の翻訳だった（吉見 Yoshimi 2021b）。朝鮮人慰安婦の主張を支援する学者たちの中では、吉見が一番役に立ったようだ。しかし、この言いがかりは謎に満ちていた。ＩＲＬＥの論文では、私は、性産業で使われた契約の背後にある経済学的論理を理解しようと努めた。この点について吉見の書翰《しょかん》は、全く不適切なものだった――人権に関する規範的な記述も、何十年にもわたる慰安婦制度に対する日本政府の責任を論ずる意見もこの問題は全く関係なしであった。吉見が重要な法的な主張、あるいは事実に関する主張をしている場合でも、単純に間違っていると断ぜざるを得ないところが数か所あった。

B　吉見への返答

はじめに

第1段落

吉見は批判論文の脚注5で、、軍が慰安所を「所有」していたと断言している。私は戸惑いを感じないではいられなかった。ひょっとしたら、軍が建物を所有していて、それを娯楽関係の業者に賃貸していたという意味なのかと思った。崔吉城（2021a）『朝鮮人慰安婦の帳場人の日記』（前述）によれば、慰安所の建物そのものは、買うこともでき、また売ることもできたと言っている。吉見は、慰安所の建物の所有権にはいくつものモデルがあったと主張する（p.9）。それはなるほどと思われる──前線の近くでは、軍は私的な娯楽産業を招致することは難しかったろう。

私の論文では、慰安所の中でも、特に日本人と朝鮮人の慰安婦を雇用していた慰安所ばかりを扱った。私の読んだ議論による限りは、こういう慰安所では、経営者が所有者だった。この人々は男であることもあれば女であることもあり、夫婦一緒に経営していることもあった。彼らは、軍に定額の家賃を払っていたかもしれないが、慰安婦に契約による前払金を支払うのも彼らだった。また、基本的に経済リスクを負うのも彼らだった。リー（2019, 275）は、この点を確認している。

第2段落　吉見の3つの主張

(ⅰ) 吉見は、私が、「実際の契約書のサンプルを全く提供していない」と書いている。私はこれまでの文章で、このことについて詳細に説明したので、もうここでは論じない。

(ⅱ) 吉見は、私が、「慰安婦たちが、自分の自由意志で行動したことを前提としている」と書いている。そんなことはない。私は、女性たちの中には親に言われて泣く泣くこの仕事に就いた者もいた、とはっきり述べた（[第3論文B1] 参照）。しかし、私は、女性たちのうちの相当な人数が、自分の意志でこの職を選んだことは前提にしている。これについては、左記の1-1で詳述する。

(ⅲ) 吉見は、慰安婦の契約は「一種の人身売買であって、通常の市民社会の合法的な契約ではない」(p.2) と書いている。私は、この論文では、この業界で使われる契約構造の背後にある経済学的論理を説明しようとした。したがって、私は、事実関係に関する問いを発したのだ――この業界に関与する男女が、このような取引にかかわった理由はどんなものだったのだろうか、と。

こういう契約が「合法的」だったかどうかは、今私の問うところではない。逆に、男女を問わず、人々がなにゆえにああいうことをしたかを解明することに全力を注いだ。事実関係を問題にしたただけであるから、日本政府が売春婦に認可を与えるべきだったたか、あるいは、裁判所はこういう契約を認めるべきだったか、などという問題は関与するところではない。さまざまな事情に鑑みて（次の1‐1参照。私は「ラムザイヤー1991」で、その様々な事情について論じた）、裁判所はこの前払金契約を合法と認めたのだった。吉見は、たびたび道徳的な主張をさしはさむ。私は事実だけを究明しているのであるから、こんな道徳的なコメントを突き付けられても無意味だというしかない。ここまでお読みになった読者はうんざりなさると思うが、私は、「起こったかも知れないこと」を正当化しているのではない――道徳的な主張をするつもりは全くない。吉見から道徳的な話を蒸し返される度に同じことを答えるのは、私もうんざりする。そういうことについては、もう今後は触れない。

1‐1 当時の法的な問題点

吉見は、日本人の認可売春婦は、親族によってこの業界に売られたのだと主張する。

(a) はじめに

東京の認可売春宿の売春婦たちは、年季奉公契約の下で働いていた。彼女たちはまず最初に多額の一括払いの契約金を受け取った。契約期間は最長で何年（通常は6年）というように決められていた。そして、売春宿のほうは、女性たちが売春宿で働いて得た金で前払金を完済した場合には、早期に退職することができるという条項に同意していた（IRLE［第3論文B］）で経理問題について詳述した）。

吉見はいろいろな所で何度も、女性たちは「売春婦になる契約を締結する際に、自由を行使することは決してなかった」と言っている。自由の行使ができていたと考えるのは「事実に反する」と彼は書いている。女性たちの中には、心ない親によって、この業界へ送り込まれた者もいたという事実はあった。――実は、契約の性質の経済学的論理は女性の判断ばかりでなく、親の判断にも当てはまるのである。親が関与していることについては、私は明確に論じている（IRLE,［第3論文B］）。私は、「その通り。親が娘を売ることもあった」と書いている。

実は吉見は、事実に反すると知りながら書いているのではなかろうか。1995年の吉見の日本語の著書では、女性の中には、実際に、自分の選択で慰安婦になった者もいたと書いている。彼が扱った女性は、サイパンとパラオで売春婦として働いていたが、1939年に日本へ帰った。彼女はこう考えた（吉見の言葉）。「よいビジネスがあれば、金儲けができる」（吉見 1995, 89）。そこで、彼女は中国へ行き、南京の慰安所で、慰安婦として働いた。（彼女の年齢を考えると、おそらくは売春と他の仕事を兼業していたのだろうと吉見は推測しているらしい）左の（c）で述べるような理由で、すべての女性が親に強いられてこの業界に入ったと考えるのは無理がある。

(b) 年齢

日本では、認可売春婦になるためには、18歳以上でなければならなかった。大多数は20代だった。未成年者(18、19歳)は、両親の同意がなければ、この職に就く契約を結ぶことはできなかった。しかし、20歳に達していれば、それは不要だった。日本では、成人の女性は、自分の意志で自由に契約を結ぶことができた。その原則とはウラハラに、たいていの売春宿は、女性が20歳を超えている場合でも、契約のためには両親の同意を要求していた。その理由は簡単である。巨額の前払金を払うのだから、本人以外に債務の保証人が必要だったからだ。

(c) 退職する権利

日本の認可売春婦は、法的には、自分の望む時に退職することができた。前払金を完済していなければそれは借金として残ったが、その場合でも、売春宿は女性に、売春婦として働くことを強要することはできなかった。心ない親のために売られて、売春婦になっている場合でも、敢えて退職する者はいたはずだ。売春宿が親を訴えて金を返せと言ってくれれば、復讐ができるというものだ。女性は自分の資産を持っていないのが普通だから、売春宿は結局は、その両親を訴え、家や資産や土地(持っていればの話だが)を差し押さえていただろう。親が無理矢理に売春をさせた場合には、女性のほうも親を追い詰めることにためらいはなかっただろう。儒教の倫理だって、そこまでは要求はしていなかった。現実には、親を破滅に追い込むということは滅多になかった。そして、女性が負債を完済する前に退職することが滅多になかったという事実を見ても、自分の意志に反してこの業界に入った女性は非常に少なかっただろうと私には思われるのである。

退職する法的権利について、吉見の著述は誤解を招くものであると言わざるを得ない。いろいろな箇所で、吉見は、日本の認可売春婦は、前払金を完済しなければ退職することはできなかったと述べている。たとえば彼はこう書いている。「退職する自由というのは、女性が望む時にはいつでも売春に従事することを止めることのできる自由の意味であるはずだ。ところが、この女性たちはそういう自由を持っていなかった」。この言いようは、完全に間違っている。

大審院は1896年にはすでに、売春婦は、前払金を完済していようといまいと、自分の望む時にはいつでも退職することができるという判決を出している。たとえば、武蔵野きよ 対 櫛いき（大審院1896年3月11日判決）、坂井フタ 対 山田耕一（大審院2月23日判決）参照。大審院の論理は単純明快である。雇用契約は、前払金契約と個人的な労働契約とを包含している。そして、この二つの契約は別々のものである。前払金契約は一般的には（この場合においても、常にではないが）履行を強制することができる。個人的サービスはそうではなかった。売春婦として働く契約は履行を強制することができない。売春婦が退職しようと思えば、売春婦（とその保証人）は、一般的に未払いの前借金の負債を負っている。しかし、売春宿は働き続けることを強制はできない。

さらに、吉見は自分の言っていることがミスリーディングであることを知っている。1995年に出した本（吉見 1995, 227）で、1900年以降は法律により認可売春婦は自由にやめることができる、と書いているのだ。彼女の売春婦として働く約束は強制できない（無効）と。負債は依然として残るので──と吉見は付け加える──満期以前にやめることは「事実上困難であった」というのである。吉見は私を非難し、「売春労働の合意は非合法であり無効である」と述べ、それにもかかわらず、女性は依然として「売春宿の支配下に置かれ、出て行くことはできなかった」と断言する。

（d）限界分析の決定的重要性

どれを取ってみても、吉見は限界分析のポイントを見落としているようだ。相当数の女性が自分の意志で売春婦になることを選択したという事実がある以上、さらにまた相当数の女性がそういう選択をしなかったかも知れないという事実は私の分析には関係ない。私の論文の趣旨は、当該の契約構造の背後にある論理を説明することだった。論文の冒頭で説明したように、売春宿は標準的な契約書式を使っていた。売春宿が女性に払う前払金の額は、人によって違っていたが、一般的には、違う契約書式を使うことはなかった。この市場では、売春宿の側も、多くの応募者の側も、双方の利益を最大にする契約書式を使うことを望んだ。この応募者とは、自分の意志で売春婦になることを選択した女性たちだった。

この問題を別の角度から眺めると、心ない親のせいで売春業界へ売られた女性たちは、限界値以下である。限界値以下なので業界で使われていた契約書式には影響を及ぼさないことになる。言うまでもなく、こういう論理は現代経済学では常識である。明らかに歴史学者はそういう専門的訓練を受ける事が基本的になく、吉見はその基本をどうみてもはっきり理解していないのではあるまいか。

(e) 戦前の民法下の家族

吉見は戦前の日本の家族法について間違って述べている。ラムザイヤー(1996)のChapter 5で、私は、戦前の日本の民法典が「家長」にどの程度の権限を与えていたかを詳細に論じた。通常言われていることとは違って、民法の下では、家族のメンバーがどこに居住するかについては、家長が実質的な命令をすることはできなかった。また、家長がメンバーの職業選択の自由を侵害することもできなかった。家長に出来たことといえば、非協力的なメンバーを法的な「家」から放逐するのがせいぜいだった(あまり実効を伴う懲罰ではなかった)。一方、長子相続が原則だったとはいえ、それは、遺言をしないで死んだ人を相続する場合だけに適用された。被相続人が、財産を家族全員に分割したいと望んだ場合には、遺言を書けば自由にそうすることができた。(「遺言に異議」のある家族のためには別の規定があった)。

1-2 売春宿の女性たちの境遇

私は、女性たちは「(日本国内の)売春宿を去って、都会の匿名の雑踏に中に消える」ことができた、と述べたが、吉見は、それは「正しくない」と書いている。

そういうことを言われては、自己防衛をしなければなるまい。第一に、(c)で述べたことだが、吉見の法解釈が間違っている。女性は負債を完済しなくても合法的に退職することができた。そして、売春宿は、その女性に仕事を続けるように強要することはできなかった。第二に、1928年までに、東京の人口はすでに500万を超えていた。男であれ女であれ、500万の雑踏の中に消えて行くことは可能だと考えるほうが常識ではなかろうか。

吉見は、「売春婦は負債を完済するか、あるいは道府県ごとに決められた最長年限の契約期間が経過した後でなければ、この業界から出て行くことはできなかった」と書いている。吉見の法解釈は間違っている。それはすでに、今までに何度も述べたことだ。さらに、道府県によっては、最長の契約期間を決めている所もあったというが、この主張については聞いたことがない。しかし、通常は、契約期間は当事者同士が契約によって決めたのである。

2　朝鮮の認可売春婦

（a）退職することはできたのか

吉見は、「朝鮮では、認可売春婦が業界から出て行くことは実質的に不可能だった」と書いている。この事実についても吉見は間違っていると私は確信する。朝鮮の認可売春婦は、3年が経過すると退職することができたし、現にそうしていた。１９２４年の、朝鮮の二つの道の統計を見てほしい（道家 1928）。

たいていの場合、認可売春婦は20代だった。吉見は、女性たちが退職することが「事実上不可能」だったと言っているが、もしそれが本当だったら、慰安所側では、20代の末まで仕事を続けろと要求していただろうが、実際に

１９２４年の認可売春婦の年齢分布
（道家 1928, 787, 800）

京畿道		
18-19歳	104人	9.45%
20-24歳	680人	61.76%
25-29歳	273人	24.80%
30歳～	44人	3.99%

慶尚南道		
18-19歳	176人	19.22%
20-24歳	415人	45.30%
25-29歳	230人	25.11%
30歳～	95人	10.37%

はそんなことはなかった。

たいていの売春婦が20代前半だったことと話が合うが、ほとんどは数年しか働かなかった。京畿道では、売春婦は4年か5年働くと退職していたように思われる。慶尚南道ではもっと短く、2年か3年だった。吉見の言うように、退職することが「事実上不可能」だったならば、もっとずっと長く働いていたはずではないか。それなのに、彼女たちは数年働くと退職していたのである。

認可売春婦の就労年数
（道家 1928, 787, 800）

京畿道		
1年未満	134人	11.17%
1年～	154人	13.99%
2年～	186人	16.89%
3年～	222人	21.16%
4年～	294人	26.70%
5年～	65人	5.90%
6年～	17人	1.55%
7年～	29人	2.64%

慶尚南道		
1年未満	328人	35.81%
1年～	198人	21.61%
2年～	158人	17.25%
3年～	99人	10.81%
4年～	65人	7.10%
5年～	44人	4.80%
6年～	20人	2.18%
7年～	4人	0.44%

同様に、Lee 李（2019, 284）の指摘によると、1924年の1年間のうちに、3494人の女性が朝鮮の売春業界に入り、3338人が退職している。1923年の末には、合計7527人の売春婦がいた。言い換えれば、毎年売春婦の3分の1が退職していたのである。李は、平均すると売春婦の就業年数は2年半だったと計算している。

（a）健康診断

吉見は、朝鮮の売春婦は「強制的に性病の検査を受けさせられた」と書いている。この問題は、私の論文とは関係がないようだが、敢えて指摘しておく。（i）この検査は売春婦の利益になった。（ii）女性たちは、この職に就こうと決めた時には、検査を受けることに同意した。

（c）募集業者

吉見は、私（ラムザイヤー）が「朝鮮の問題点は、非常に多数の募集業者がいたことだった」と言っていると書いている。私は、募集業者が多かったのが問題だったとは書いていない。私は、多数の「詐欺的な」募集業者がいたことが問題だった、と書いたのだ［第3論文B4］。募集業者の詐術が、日本でも問題になったとは私は聞いていない。台湾と満洲については、私の論文とは関係がないので触れない。

3「からゆきさん」

（a）彼女は何を知っていたのか

私のＩＲＬＥの論文では、売春婦として働く契約をしたオサキという名の女性の苦しみを論じた。この論文の中で、私は、「彼女は売春婦になる契約をした時、どんなことをさせられるのかを知っていた」と書いた。吉見は、スタンリー等と同様に、オサキは実は、売春がどんなことをするのかを理解していなかったと主張する。

吉見は、オサキが最初、セックスをするように言われた時にあわてふためいたと書いているが、これは正しい。［私もスタンリー等に対する返答として、このことを論じた。〈補遺Ⅰ、２（ａ）〉］、私の間違いであった。

このことはつまり、吉見がスタンリー等と同じように、一貫性を欠いていることを意味している。回想録（山崎 1972）の87ページで、オサキは、「どんなことになるのか、誰も実際には教えてくれなかったけれども、売春とはどんなことをするのかは『うすうす見当が付いとって』」と語っている。１５２ページでは、著者は、オサキの出身地は、外国へ売春をしに行く女性の一番多い場所だったので、これからのことは「『うすうす承知の上で』、自分の意志でその職に就くことに同意した」と書いている。

(b) それが問題なのか

オサキのことを論じるのは、私の論文とはかかわりがない。彼女は慰安婦ではなく、しかも、この回想録に出て来る出来事は第二次世界大戦よりも数十年も昔の話なのだ。この件を私が取り上げたのは、彼女の話が、読む人の胸を打つ内容であり、貧困な日本女性が海外で売春婦として働くことを選ばなければならなかった経済的な事情をよく解明してくれるからであった。

(c) 誰が署名したのか

吉見は、オサキが海外へ行くかどうかを決めたのはオサキの兄だったと主張する。それは事実ではない。オサキには姉と兄が一人ずついた。父親は死に、母親は愛人を作って、子供たちを棄てた。姉は海外へ行って売春婦になった。オサキと兄は、掘立小屋で残飯を食べて生き延びた。募集業者がやって来たので、オサキはこの職に就くかどうかを兄に相談した。兄が応募してくれと頼むので、オサキは兄が農場を開く金を作ってやるために応諾した。オサキは、自分の意志でこの職に就いたと自ら語った。どんな仕事であっても構わないと思った。兄は金を受け取って、書類に署名した。

（d）海外で働く売春婦たちはどのくらい稼いだか

私は、海外で働いていた売春婦は国内で働くよりも多額の金を得たと書いたが、吉見はこれに異議を唱える。吉見によると、私（ラムザイヤー）は、朴裕河（パク・ユハ）教授の著書（Park 2014）の451ページから引用していると言っているが、そんなページは存在しないというのである。これは私のミスで、本当は41ページである。そして、ここで、朴は実際に、慰安婦は国内で働くよりも高給を得られたと言っているのである。オサキが、毎月100円を返済することができたということを報告した。これは吉見も間違いだとは言っていない。ただ、その替わりに、会計に関する彼女の苦情に触れていないと言って、私を非難する。いや、そのことはちゃんと率直に言ってある（IRLE，第3論文B）。オサキの前払金は、当初は300円だったのが、売春婦として働き始めるまでには2000円に膨らんでいたと、私はちゃんと書いたのである。

（e）契約の譲渡

吉見は、私（ラムザイヤー）が、「彼女がいったん売り飛ばされた後でまた売り飛ばされた、という重大な事実をごまかしている」と非難する。オサキは「譲渡」された。言い換えれば、働いていた売春宿が、彼女の負債を別の売春宿に譲渡したのである。現在でも債権者は債権を譲渡することは多い。そして、20世紀初頭の日本でも、売春婦の負債が譲渡されることはあった。何の不思議もない。私はごまかしたりはしていない。

私の冒頭のエッセイに掲載した慰安婦ヒュン・ビュンスクのインタビューを思い出してほしい。ヒュンが雇用されるに至る交渉の間に、彼女の父親は、契約書の中に、債権譲渡をしないという項目を入れることを要求し、売春宿の側はこれを呑んだ。

(f) 女性は消えてしまうことができたか

ボルネオやシンガポールのような大都市では、売春婦は「消えてしまう」ことが可能だったという考え方に私は同意する。吉見はこれを「捏造」だと言う。両方とも巨大な町である。私は自分の推理を信じる。これは法的な問題ではない。私にとっては常識の問題だ。もし吉見が、ボルネオやシンガポールの匿名性を認めないのならば、どうぞ証拠を見せて頂きたい。この両都市が、実はよく統制された秩序ができていて、社会資本の密なネットワークのために、人間が消えてしまうことは不可能だという証拠を出して頂きたい。繰り返して言うが、学問の進歩を望むなら、こういう手法を大事にしてもらいたいものだ。

4-1 1938年の内務省の通達

吉見は、この一通の通達が、日本政府の慰安所に対する道義的責任を証明するものだと主張して、一躍名声を博した。私は、この通達がそんな役割を果たしているとは思わない。しかし、ともかくも吉見の主張は理解する。この点については、私は単に、この問題は私の論文の論争の主題とはかかわりがないと言うにとどめよう。私が検証したいのは、契約の経済的論理なのである。

4-2 朝鮮人募集業者による誘拐および軍・朝鮮総督

(a) 誘拐

吉見は、朝鮮人慰安婦の中には誘拐された者が少なくない、と論じている。正確に言えば、「女性を『慰安婦』として誘拐するのはごく普通のことだった」と書いているのである。現実に、朝鮮人募集業者が詐術を用いたことはあった。それについて私はきちんと書いている(B)。ここでまた、前と同じ引用をさせてほしい。私が冒頭で紹介した2019年の毎日新聞の吉見インタビューである。

問「では、慰安婦はどうやって集めたのですか」

答「通常の方法は3つありました。第一には、募集業者という業界のメンバーが出て来ますが、その人選は軍が行います。この募集業者が女性の家族に金を貸します(前払金)。そして、娘がそれと交換に慰安所で働くのです(人身売買)。第二に、募集業者が女性を騙して、女給か看護婦のような仕事をするのだと思わせるのです(誘拐)。第三に、政府の役人か募集業者が、脅迫か暴力を用いて、言うことを聞かせるのです（監禁）」

「当時植民地だった朝鮮半島では、第一の方法と第二の方法がふつうに使われていました。中国や東南アジアのような占領地域では、政府の役人が脅迫によって言うことを聞かせていたという証言や裁判資料があります」

募集業者や政府の役人が中国や東南アジアで女性を強制連行していた、と吉見は説明するのである。朝鮮では、女性たちは前払金と引き換えに慰安婦として働く契約をするか、あるいは、「騙され」て、この職に就かされるかだった、と吉見は書いている。

「嘘も方便」とはこのことだ。通常、「誘拐」と言ったら、強制的に捕まえることを言う。募集業者が嘘をついて女性を騙すことを言うには、「詐術」という言葉がある。吉見はインタビューの際に、朝鮮人女性を強制的に捕まえて慰安所へ送った者はいなかった、と明白に述べている。むしろ、時に嘘をつき、騙してこの職に就かせたことがあったと述べているだけである。これが、私がＩＲＬＥ［第３論文Ｂ４］で私が言いたかったことである。

（b）退職

米軍尋問調書（1944）.Report No. 49）の作者は20人の朝鮮人慰安婦にインタビューした。

吉見の言うところによると、この女性たちは、１９４２年の８月にラングーン（現ヤンゴン）

に到着し、1944年の8月に捕虜になった時、まだこの地にいたということである。吉見は、この女性たちは6か月ないし1年の期間で契約しているのだから、まだここにいたということは、退職が可能だったという私（ラムザイヤー）の主張が間違っていることを証明する反証になると論じるのである。

そんなことがどうして反証になるものか。第一に――極めて基本的なことであるが――吉見はごまかしているとしか思われない。関係書類は明確に次のように述べている。

「1943年の後半のことであるが、軍は、負債を完済した若干名の女性が帰国できるようにしてやれという命令を発した。このようにして、朝鮮へ帰国できた女性もいた」

第二に、私が結論（IRLE,［第3論文D］）で明確に述べていることであるが、女性たちは「終戦の数ヵ月前までには」帰国することができたのである。もうこの頃には、戦局が悪化して、旅行そのものが不可能になることもあった。

第三に、女性たちの中には、契約期間が終わっても、売春宿に残ることを望む者がいた。高収入が得られたからである。現に、文玉珠は、その典型的な例だった。この女性については、吉見が批判論文のp.14～p.16で論じている。文は1944年には、もうビルマ（現ミャンマー）に2年間滞在し、前払金も完済していた。彼女は帰国許可を得、朝鮮行きの船をつかまえるために、サイゴンへ行った。最後の土壇場になって、彼女は船には乗らないことに決め、ラングーン（ヤンゴン）の慰安所へ戻って行った（イ　Lee 2019, 279-80）。

吉見は、またまた、日本政府が朝鮮で慰安婦募集に責任があったと必死で言い募る。すでに述べたように、この問題は、私の論文とは関連外である。

4-3　慰安所設立の目的と、設立を働きかけた機関

日本軍が慰安婦制度を設立した目的は性病の防止にあったというのが私の所論である。吉見は、それは二次的な関心事だったと反駁する。また吉見は再び、慰安婦制度は、日本政府の責任があるのだと強調する。そういう問題は、私の論文と関連するものではない。

4-4　契約期間と収入

(a)　高収入

吉見は、慰安婦は国内の売春婦よりも高収入を得ていたという私の主張は間違っていると言う。ソウル大学の歴史経済学の名誉教授・李栄薫（イ・ヨンフン）も私と同意見で、慰安婦は高収入を得ていたと主張する。「国内の認可売春婦の場合と比較して、軍関係の慰安婦は、仕事は苦しく、収入は高く、リスクも大きかった」と李は書いている（李 Lee 2019, 261）。一日の接客数も慰安所のほうが多く、戦地で働くことから来るあらゆるリスクを負っていた。しかし、「慰安婦の目か

ら見れば、慰安所は需要が保証され、高収入の得られる職場だった」（李 Lee 2019, 262）。秦（1999: 392）も同様に、慰安婦は国内の売春婦の5倍に収入を得ていたと推定している。平壌の売春婦と比較すれば10倍だ。

アンバラス、スタンリー、チャタニ（茶谷）などは、「ディプロマット」誌を恫喝して、検閲をしているが、韓国の高名な経済学者・李宇衍（イ・ウヨン）は、同誌に寄稿して、次のように書いている。

「『慰安婦』は、『ハイリスク・ハイリターン』の職業に従事していた。そして、大多数が朝鮮へ帰って、雇用契約が終了した後またこの仕事に戻った。日常生活に制限が課せられるのは事実だが、それは、軍人、民間労働者、看護婦など、誰の場合でも同じことだ。結論を言えば、慰安婦は性奴隷ではなく、今日のふつうの性産業労働者と基本的に変わることのない労働者だったのである」。

吉見は、私（ラムザイヤー）がIRLE［第3論文C］に掲げた出典のリストに、6か月ないし12か月の契約期間についての出典を入れなかったことを問題視する。正しくは、前述の米軍尋問報告書49号（U.S. Office 1944, 203）だった。実は吉見は後になって、文章の中で、この出典を正しく表示しているのに、「これは一つの特定の慰安所のことに過ぎない」とケチを付けている（批判論文 p.12）。

吉見は、また、1938年の内務省の文書についても論じている。書類の内容については、私の言っていることに異議を唱えてはいない。しかし、「これがすべての日本人慰安婦に当てはまるものではない」と書いている。

(b) 何十年をも隔てた比較

吉見は、1920年代の東京での契約と1930年代の慰安婦契約とを比較することに問題はないのかと疑義を呈している。

気を付けてほしいのは、1930年代には全般的に物価は安定していて、それが、1940年代に急騰したということである。卸売り物価指数は1921年には1・296、1926年には1・157、1931年には0・747、1936年には1・036だった。それが、1939年には1・466、1941年1・758、1943年には2・046と跳ね上がったのだった。(安藤良雄 1987, 2-3)。

第二に、1940年代の物価は、政府が賃金と物価を厳しく規制したために、複雑な様相を呈していた。1930年代の末から1940年代初頭にかけて、政府はかつてなかったほどの規制を着実に課するようになっていた。その結果は、まさしく経済学者が予測する通りのものだった。政府は名目的には物価をある程度安定させることができた。ところが、それとはウラハラに、一部の部門での物資の甚だしい不足を招き、一部商品は甚だしく騰貴《とうき》し、資源の配分はめちゃめちゃになってしまった。こんな状況の下で、卸売り物価指標などを当てにすることはできない。

第三に、1920年代から1930年代にかけては、慰安婦の名目賃金はわずかながら下落した。この女性たちは、慰安婦にならなかったら、工場や農場で働いていたはずの人々だった。女性が工場で働いた場合、その賃金は1930年代は、1920年代よりも低くなっていた。標準的な経済史の教科書（安藤 1987, 12）には、製造業に従事する女性の日給は、1920年96銭、1925年103銭、1930年92銭、1935年67銭、1939年82銭だったと書いてある（統計の表は1939年で終わっている）。農業に従事する女性の場合は、もっと乱高下がひどく（安藤 1987, 12）、1920年94銭、1925年131銭、1930年86銭、1935年70銭、1939年131銭となっている。

4-5　戦況が退職を困難にした

売春婦は契約期間が満了すると帰郷することができたと私は述べた。経済学者・李栄薫（イ・ヨンフン）も同じことを書いている。「慰安所とは極めて流動的な場所だった。多くの女性たちが去って行った。契約期間が満了したら出て行った。目標の金額が貯まったら出て行った。前払金を完済したら出て行った」。

吉見は、慰安婦が退職するためには、慰安所の経営者の許可が必要だったと言っている。慰安婦が契約期間を満了しておらず、かつ前払金を完済していない場合でなければ、経営者は慰安婦が去って行くのを止めることはできなかった。

吉見は、戦況が悪化すると、女性が帰国するのが難しくなることもあったと書いている。私もIRLEの論文［第3論文D］でこの点を指摘した。「終戦の数ヵ月前までは、女性たちは、契約期間が満了するか、あるいは早期に負債を完済すると、帰国して行った」（下線筆者追加）。

吉見は中国、フィリピン、ジャワの例を挙げる。私は議論の対象をことさらに、日本人と朝鮮人の慰安婦に限った。吉見は、毎日新聞のインタビューでも、この地域出身の慰安婦と日本人・朝鮮人の慰安婦とを別扱いしている。

吉見は、千田（1973）の著書に紹介されている募集業者が私利を貪っていたと記している。私もまさしくそう思っていた。IRLE［第3論文D］でそう述べた。

4-6　高収入の「慰安婦」

（a）文玉珠の収入

吉見は、将校たちが文玉珠に惜しげなくチップをくれたのは、価値のない軍票を使ったからだったと主張する。慰安婦は高収入を得てはいなかった、と彼は言う。そう見えたのは、ひどいインフレが進行していたからだったというわけだ。

これはひどい情報操作もしくは印象操作である。文玉珠は自分の貯金口座を持っており、その口座は円建てだった。慰安所内部の取引は軍票を使う場合も、そうでない場合もあった。チップも軍票を含む場合もそうでない場合もあった。取引やチップで軍票を受け取った場合でも、円に交換することは簡単だった——貯金口座が円建てだったからだ。

ここで、文玉珠が自分の収入をどのように説明しているかをご紹介しよう。読者に読みやすいように、ウェブサイトから引用するが、このウェブサイトは、スタンリー等や吉見のお気に召さないようだ（吉見は批判論文 p.15 で、このウェブサイトは「右翼」だと言っている）。しかし、内容が正確であることについては、争わないようである。（原注23）

「私は、チップを取っておいて、相当な額の貯金ができました。そこで、事務スタッフに、貯金口座を開いて、そこに貯金を預けることができないものかと訊きました。スタッフは大丈夫だと言ってくれました。兵士たちが自分たちの給料を戦地の郵便局に預けていることを私は知っていました。そこで、私のお金を口座に入れることに決めました。私はある兵士に頼んで印鑑を作ってもらい、口座に５００円を入れました。出来てきた貯金通帳を見ると、５００円が記帳されていました。私は生まれて初めて、預金通帳の持主になれたのです。私は子供の時から、大邱（テグ）で、子守や行商をして働いていましたが、どんなに働いても貧乏なままでした。貯金通帳にこんな大金が記帳されているのを見て、自分の目が信じられませんでした。その当時、大邱では、１０００円あれば、家一軒が買えました。これで、母に楽な生活をさせてあげられる。私は嬉しくて、また誇らしく思いました。貯金通帳が私の宝物になったのです」

（23）http://scholarsinenglish.blogspot.com/2014/10/former-korean-comfort-woman-munoku.html に引用されている。

同じウェブサイトには文の郵便貯金通帳口座の写真が載っている。金額は日本円で表記されている。（原注24）

それとは別に、ラングーン（ヤンゴン）で、高価な品を買うだけの現金を持っていたことにも注目してほしい。彼女は、ダイアモンドを買うためにラングーンまで行ったと証言している。（同じ資料からの引用）

「ラングーン（ヤンゴン）では、以前よりも自由がありました。もちろん、完全に自由というわけではありませんでしたが、月に一度か二度、朝鮮人経営者の許可を得て、外出することができました。リキシャ（人力車）で、買物に行くのが楽しみでした。ラングーンの市場で買物をした経験は忘れることができません。ビルマ（ミャンマー）では宝石がたくさん産出されているので、宝石店がたくさんありました。ルビーや翡翠《ひすい》はそれほど高価ではありませんでした。友達の一人は、宝石をたくさん収集していました。私も宝石を持ってみたいと思ったので、ダイアモンドを買いました。」

吉見は、ここでもまた、慰安婦制度の責任は日本政府にあったということにするために一生懸命だ。すでに述べたように、この問題は私の論文の論題とは無関係だ。

（24） http://scholarsinenglish.blogspot.com/2014/10/former-korean-comfort-woman-mun-oku.html

（b）チップと賃金

スタンリー等への回答（補遺I、3（a）参照）の中で、サービス産業の賃金とチップ渾然一体となっている、と私は述べた。

（c）生活費調整

吉見は「開戦に至る数年の間に、日本帝国内の生活費が変わって来たために、文玉珠の貯金は価値がなくなってしまった」と言い張る。文玉珠の郵便貯金は円建てだった。軍票で貯金するわけではない。また、ビルマ（ミャンマー）、京城、東京などの特定の地域でしか通用しない通貨を使うわけでもない。円一本建てだった。2万5142円を口座に入れたら、東京でも、京城でも、2万5142円だ。吉見が言うように、124・8円になったり、21・8円になったりするわけではない。

凄まじいインフレのおかげで文玉珠が損害を蒙ったのは事実だろうが、それは彼女が慰安婦だったこととは関係がない。円建ての貯金をしていた人は、男女を問わず誰も彼もが、同じ損失を蒙ったのである。

（c）貯金の引き出し制限

吉見はまた、文玉珠の貯金は、引き出すことができなくなったので、価値がなくなってしまったと言い募る。

実際、経済学者の李栄薫（イ・ヨンフン）（2020, 67-71）の結論では、慰安婦は、1944年の初頭までは、朝鮮や日本に、自由に送金することができたとのことである。いずれにせよ、文玉珠が貯金を引き出すことができずに損害を蒙ったとしても、それは、彼女が慰安婦であったこととは無関係である。

補遺Ⅲ　慰安婦契約に関する情報

注記：批判者たちが、証拠の数が足りないと言い募り始めて以来、私は、さらに慰安婦契約の証拠書類を探し続けた。GからMまでは、IRLEの論文では取り上げていなかった資料である。この資料は、AからFまでの資料およびIRLEの論文の契約に関する分析と矛盾するところは全くない。

A　内務省警保局　支那渡航婦女の取り扱ひに関する件

1938年2月18日　鈴木裕子ほか編　日本軍「慰安婦」関係資料集成（東京：明石書店2006）第1巻 p.124–138）

＊神戸の売春宿経営者が、北支の慰安所へ送るために、山形県の500人の女性を採用しようとした。（2500人を送る計画の一環だった）。年齢は16～30歳。前払金は500～1000円。契約期間は最長で2年（p.127）。

＊神戸の売春宿経営者が、群馬県の５００人の女性を採用しようとした。（３０００人を送る計画の一環だった）第一のサンプルでは、前払金や契約最長期間は不明。第二のサンプルでは、年齢は16〜30歳。前払金は５００〜１０００円。契約期間は最長で２年。（p.127〜p.129）

＊宮城県知事の報告書によると、福島の業者が、約30人の女性（すでに売春婦として働いている女性たち）を採用して、上海の慰安所へ送ったとのこと。年齢は20〜35歳。前払金は６００円。契約期間は不明（p.130）。

＊茨城県知事の報告書によると、神戸の業者が、２人の女性（すでに売春婦として働いている女性たち）を採用して、上海の慰安所へ送ったとのこと。前払金は１人は６４２円、もう１人は６９１円。サンプルの契約書が付いている。最長契約期間と前払金の額は不明。年齢は20〜35歳。契約期間は不明（p.130）。第二のサンプルの契約書（p.132）も付いており、こちらには年齢は16〜30歳。前払金は５００〜１０００円。最長契約期間は２年となっている。（p.131〜p.132）

＊和歌山県知事の報告書によると、70人の女性を上海の慰安所へ送る計画があった。（３０００人を送る計画の一環）勧誘の文書には、前払金は最大で８００円。さらに、この報告書によると、１人は26歳で前払金は４７０円、別の１人は28歳で３６２円だった（p.134〜p.135）。

＊日本人女性の全契約については、ＩＲＬＥのＢ４に引用した内務省指示を参照のこと。「日本から北支および中支へ売春婦として渡航する女性はすべて、契約書を携帯し、自ら警察へ出頭

して許可を得ること。彼女たちの暫定の契約期間が満了したら、ただちに日本へ帰らせること（p.125）。歴史学者で政府文書に詳しい有間哲夫（2021c, ch. 11）は、アンバラスは当時の政府の習慣を誤解していると説明し、かつ、この通達は、朝鮮から渡って来た女性にも適用されたであろうと指摘している。

B 「SCAP（連合軍総司令部）の調査報告書」：日本軍の娯楽

1945年11月15日「女性のためのアジア平和基金」編集の政府調査（「従軍慰安婦」関係資料集成（東京・龍渓書舎［1998］第5巻 p.137～p.166）

＊この報告書は、さる慰安婦関係業者のことを論じている。この業者は「22人の朝鮮人の少女を買い、その家族に300～1000円を支払っている」。女性たちの年齢は19歳～31歳であり、1942年に到着している。（p.15）

＊報告書はさらに言っている。「『慰安婦の少女』はみんな、次のような条件で雇用された。──慰安婦が総売り上げの50％を取る上に、旅費、食費、医療費などはすべて無料とされる」（p.152）。

C 「米国戦争情報局尋問報告書」No.49

1944年10月1日「女性のためのアジア平和国民基金」編集、政府調査：「従軍慰安婦」関係資料集成政府調査：『従軍慰安婦に関する書類』（東京・龍渓書舎 1998 第5巻 p.203 ~ p.209）。

＊これは1944年にビルマ（ミャンマー）で見つかった20人の朝鮮人慰安婦の米軍による尋問報告書である。この女性たちは、1942年に詐術によって募集され、「数百円の前払金」を受け取った。そして、6か月ないし12か月の最長契約期間の間働いた（p.203）。吉見（p.95）は、受け取った金額は300円ないし1000円だったろうと述べている。

＊報告書によると、これに似た方法で、約800人の女性が採用されたとのことである。

＊報告書によると、軍は、「負債を完済した若干名の少女」が帰国することを許可したということである（p.205）。

＊報告書によると、慰安所と慰安婦の取り分の比は50対50または60対40だった。しかし、また、慰安所は慰安婦に、さまざまな物資購入のために、高額の料金を取ったという報告もある。

D　福岡県知事「支那渡航者に対する身分証明書発給に関する件」

1937年12月15日。「女性のためのアジア平和基金」編集　政府調査：「従軍慰安婦」関係資料集成（東京・龍渓書舎 1997 第1巻 p.113 ~ p.115）。

＊書類は、売春婦が2人、上海の慰安所への渡航の申請をしたことを示している。――1人は1年の契約、もう1人は1年9か月の契約だった（p.115）。

E　朴裕河（パク・ユハ）『帝国の慰安婦』[Comfort Women of the Empire]（朝日新聞出版）

＊朴は1938年の朝鮮の新聞の記事を引用している（p.29）。

「チョイ・ジェイヒュン（37）とその妻リ・ソンニョ（24）は、数日前にキム・インソプの次女ヨーン・グーン（12）を誘惑して、売春婦として、中華料理店の経営者チャン・ウークヨンに売り飛ばそうと画策した。価格は50円だった。チョイ・ジェイヒュンは、契約書を起草した容疑で逮捕され、目下厳しい取り調べを受けている」

＊朴裕河は慰安婦募集広告を掲載した朝鮮の新聞広告をコピーしている（p.33）。一枚は、年齢18歳～30歳、契約の詳細は面接した上で決める、となっている。もう一枚は、年齢17歳～23歳、月収は最低で300円、前払金は最高3000円である。

F　千田夏光『従軍慰安婦』（東京：双葉社 1973）

＊本書によると、北九州出身の100人を超える日本人と朝鮮人の女性たちが、慰安婦として採用されたとのこと（p.24～p.28）。前払金は大体において約1000円。女性たちは、負債を完済したら自由に帰国することができた。

＊本書によると、1938年に、上海の慰安所で慰安婦として働くために、20人の女性が渡航

した。この女性たちを上海へ連れて行った北九州出身の募集業者に関する報告書。募集業者が言うには、女性たちは上海へ行く途中の慰安所で、日本軍関係者に性的サービスをし、上海に着いた頃には、1000円の前払金を完済して、自由になっていたとのことだが、私には真実だとは思われない。

G　李栄薫（イ・ヨンフン）『反日種族主義』（東京：文芸春秋 2019）

＊本書によると、1937年に、22歳の朝鮮人の娘が父親によって満洲の売春宿に売り飛ばされた。前払金は1300円。彼女は同意せず、警察に駆け込んだ（p.251）。

＊本書によると、ビルマ（ミャンマー）の朝鮮人経営の慰安所で、1942年、慰安婦たちが前払金を6か月で完済した。

＊本書によると、ラングーン（ヤンゴン）の慰安所で、1944年に、全20人の慰安婦のうち15人が、契約上の義務を完了して、朝鮮の実家へ帰った。慰安婦の一人はその年、実家に1万1000円を送金していた（p. 275, p. 283, p.320）。

H　吉見義明『従軍慰安婦』（東京：岩波書店 1995）

＊本書は、ある日本人女性が1938年初頭に、前払金1000円で上海の慰安所へ行ったこ

とを報告している（p.88～p.89）。

＊本書によると、ある日本人女性は1939年に、サイパン島とパラオ島から帰国した。彼女は前払金を完済していたが、今度は志願して、他の数人の女性と一緒に南京の慰安所で働くために渡航した（p.89）。

＊本書によると、ある日本人の芸者は、1942年にトラック諸島の海軍経営の慰安所で働くために渡航した。彼女が置屋から借金していた4000円を慰安所が肩代わりしてくれたからである。契約期間は1年半だった（p.89）。

I　李宇衍（イ・ウヨン）「朝鮮人業者と契約し、慰安所を転々とした慰安婦の証言」
ヤフーニュース・ジャパン　2021年3月7日（JBプレスより）

＊16歳の朝鮮人女性が、3年間慰安婦として働くという契約書に署名した。前払金は3000円。結局、この女性は、慰安所で働くという契約に同意した。日付は不明。

J　山田清吉『武漢兵站』（東京：図書出版社 1978）

＊本書によると、1943～1944年（このころには深刻なインフレが進行していた）に、武漢地方で慰安婦になった女性たち（日本人130人、朝鮮人150人）は平均して6000～

7000円の前払金を受け取り、毎月400円～500円を返済していた。その結果、1年半くらいで前払金を完済し、帰国することができた（p.77, p.84）。

＊収入を分割する際の、「慰安所：慰安婦」の取り分の比は、負債を抱えている女性の場合は60対40、負債のない女性の場合は50対50だった。

＊本書によると、大阪出身のある慰安婦の場合は、年齢20歳、前払金は10000円だった（p.87）。

＊本書によると、ある女性は、2歳の時に母に死なれ、父には捨てられてしまった。後になって、彼女は、慰安婦の募集に応募して武漢へやって来た。（朝鮮の募集業者は、この仕事を別の言葉で呼ぶことが多いとのこと）2年間働き、朝鮮へ帰り、それからまた、武漢でもう一度働くために、契約をした。

K　西野瑠美子他『「慰安婦」バッシングを超えて』（東京：大月書店 2013）

＊本書では、日本人慰安婦が慰安婦の仕事に応募して、1年か2年で前払金を完済して、帰国した事情を説明している。

＊本書によると、ある18歳の日本人女性は、1942年に慰安婦として働くために渡航した。1943年に帰国した時には、4000円の前払金を完済し、他に10000円を貯めていた

(p.37, p.53 ~ p.54)。おそらくは前記の吉見の報告と同一人物であろう。

＊本書によれば、ある日本人芸者は、前払金2300円を受け取って、1年の契約で慰安婦になった。

＊本書によれば、ある日本人売春婦は、1500円の前払金を受け取って慰安婦になった。2年後に帰国して料理店を開いた(p.37 ~ p.38)。この女性の言うところによると、上海の慰安婦は、1か月ないし3か月で前払金を完済するとのことである。

L　C・サラ・ソー『慰安婦：朝鮮と日本における戦時性暴力とポストコロニアルの記憶』(シカゴ：シカゴ大学出版局)(2008)

＊本書によって確認されることとは、「朝鮮人慰安婦の生きた経験」が日本人売春婦の働いていた契約制度を鏡のように映し出していることである。巨額の前払金、最長期限、負債を完済すれば早期に退職できることなども含まれている(p.114)。

M　秦郁彦『慰安婦と戦場の性』(東京：新潮選書 1999)

＊本書によると、トラック諸島のある朝鮮人慰安所経営者は、女性たちは1年か2年で、300円~500円の前払金を完済するのが普通だった、と語った。しかも、慰安婦は、その外

に貯金までしていた。そして、結婚するか帰国するかだった。やめられた後釜を補充するのが、この経営者の最大の悩みだった（p.382～p.383)。

N　細谷清『日本軍人が証言する戦場の花：朝鮮人慰安婦』（東京：ハート出版 2019)

＊元満洲国警察官僚が慰安婦について報告している。慰安所の収入は経営者が40％を取り、女性が60％を取った。この報告によると、負債がふくらんで行くことについての苦情があり、そのような計画を止めさせるのが警察の仕事だったと言っている。また、朝鮮人慰安婦は全員が以前から売春婦として働いていた女性たちだったと述べている（本書の記述はほぼ朝鮮人慰安婦を対象にしている。日本人はわずか)。

＊ある元海軍将校の報告証言によると、採用された女性たちは、４０００円～５０００円の前払金で、１年の契約を結んだ。そのうちの大半は、前払金を6か月で完済することができた。中には3カ月で済ませた者もいた。さらに、女性たちは５０００円～１００００円の貯金をすることができたとも証言している。

＊本書によると、フィリピンの慰安所では、取り分は50対50だった。

＊本書によると、慰安所と慰安婦の取り分の比は40対60（場所は不明 p.172）だった。

O　長谷川伸『生きている小説』（東京：中央公論社 1990 再版）（初版は 1958）

（注意：題名には「小説」とあるが、実質は回想録である）

＊中国南部の沖にある島の慰安所のお話。一人の慰安婦が慰安所の内部でトラブルを引き起こしたので、経営者が旅費を負担して、故郷の台湾へ送り返した。船主は、この女性が騙されて現地に来たと証言している（p.106）。

＊本書によると、島の慰安所では（1938年当時）、前払金は500円～600円ないし1200円～1300円だった。また本書によると、女性たちは5円で将校を相手にするよりも、2円で下士官兵を相手にするほうを喜んだ。多数の客をこなしたほうが収入が多くなるからである。

＊本書には、医師が診察して、処女だと判明した新規採用者がいた。将校たちが彼女の貯金を管理し、前借金を払ってやり、早期に帰国できるように交渉してやった（p.107～p.109）。

【参考文献】

Ando, Yoshio. 1987. Kindai Nihon keizai shi yoran［Overview of Early Modern Japanese Economic History］, 2d ed. Tokyo: University of Tokyo Press.
（安藤良雄　1987『近代日本経済史要覧』第二版　東京：東京大学出版会）

Arima, Tetsuo. 2021a. Ramseyer kyoju “ianfu ronbun” wo hihan suru Harvard daigaku kyoju ha bunken wo yomete inainodeha naika［The Harvard Professors Criticizing Prof. Ramseyer’s “Comfort Women Article” Seem Unable to Read the Documents］. Daily Shincho, Apr. 5, 2021（part 1）and Apr. 6, 2021（part 2）.
（有馬哲夫　2021b.「『慰安婦』論文を批判するハーバード大教授は文献を読めていないのではないか」デイリー新潮　２０２１年４月５日（part I）、４月６日（Part II）

Arima, Tetsuo. 2021b. Harvard dai “Ianfu” ronbun wo hihan suru Kankokukei kyoju no rojikkuha goin dewa naika［The Logic of the Korean Professor Criticizing the Harvard “Comfort Women” Article Is Forced］. Daily Shincho, Apr. 13, 2021（Parts I & II）.
（有馬哲夫「ハーバード大「慰安婦」論文を批判する韓国系教授のロジックは強引ではないか」デイリー新潮　２０２１年４月13日（part I & II）

Arima, Tetsuo. 2021c. “Ianfu” ha mina goi keiyakuwo shiteita［The “Comfort Women” Had All Agreed to Contracts］. Tokyo: WAC, K.K.
（有馬哲夫　2021『「慰安婦」はみな合意契約をしていた』東京：ワックKK）

“Asahi shimbun moto kisha［Former Reporter for Asahi Shimbun］,” Zakzak, Aug. 5, 2014.
（朝日新聞元記者　Zakzak（夕刊フジ）２０１４年８月５日）

Chatani, Sayaka. 2021. Ramseyer ronbun wa naze “jiken” to natta no ka［Why Did the Ramseyer Article Become an

"Incident"?], Sekai, May 2021.
（茶谷さやか　2021 「ラムザイヤー論文はなぜ「事件」になったのか」世界　２０２１年５月）

Choe, Kilsung, 2017. Chosen shusshin no choba nin ga mita ianfu no jijitsu［The Truth About Comfort Women, as Seen by a Korean Receptionist］. Tokyo: Haato shuppan.
（崔吉城　2017『朝鮮出身の帳場人が見た慰安婦の事実』東京：ハート出版）

Choe, Kilsung. 2021a. "Ianfu nikki" kenkyusha ga akasu "kyosei renko" to wa kakehanareta jittai［Research of "Comfort Women Diary" Shows Reality Far Different from "Forced Concription"], Daily shincho, June 14, 2021.
（崔吉城「『慰安婦日記』研究者が明かす『強制連行』とはかけ離れた実態」デイリー新潮　２０２１年６月14日）

Choe, Kilsung. 2021b. Genshiryo wa watashino "ianjo nikki" kenkyu［The Original Source Was My Research on the "Comfort Station Diary"］. Shukan shincho, June 10, 2021, at 46.
（崔吉城 2021b.「原資料は私の「慰安所日記」研究」週刊新潮　２０２１年６月10日 p.46）

Chwe, Michael. 2021. Letter by Concerned Economists Regarding "Contracting for Sex in the Pacific War" in the International Review of Law and Economics. Available at: http://chwe.net/irle/letter/.

Coomaraswamy, Radhika. 1996. U.N. Commission on Human Rights: Report on the Mission to the Democratic People's Republic of Korea, the Republic of Korea and Japan on the Issue of Military Sexual Slavery in Wartime. E/CN.4/1996/53/Add.I.

Curtis, Paula R. 2021a. Ramseyer and the Right-Wing Ecosystem Suffocating Japan. Tokyo Review, May 30, 2021.

Curtis, Paula R. 2021b. Taking the Fight for Japan's History Online: The Ramseyer Controversy and Social Media. Asia-Pacific Journal: Japan Focus, 22: No. 3, December 1, 2021.

Devine, Maija Rhee. 2016. Are Comfort Women Lying? Korea Times, June 8, 2016. Available at: http://www.koreatimes.co.kr/www/news/opinon/2016/06/162_206538.html.

Doke, Seiichiro. 1928. Baishunfu ronko［A Study in Prostitution］(Shishi shuppan, 1928), reproduced in Yuko Suzuki,

et al., Nihon gun "ianfu" kankei shiryo shusei［Collection of Materials Relation to the "Comfort Women" of the Japanese Military］（Tokyo: Akashi shoten, 2006）, vol. 1, pp. 786-820.
（道家斉一郎『売春婦論考』1928 史誌出版、鈴木裕子『日本軍「慰安婦」関係資料集成』に再録。（東京：明石書店 2006）巻 1 p.786 〜 p.820）

Dudden, Alexis, et al. 2015. Standing with Historians of Japan, Perspectives on History, Mar. 1, 2015.

Eckert, Carter J. 1996. Total War, Industrialization, and Social Change in Late Colonial Korea. In Peter Duus, Ramon H. Myers, and Mark R. Peattie, eds., The Japanese Wartime Empire, 1931-1945. Princeton: Princeton University Press. pp. 3-39.

Fackler, Martin. 2007. No Apology for Sex Slavery, Japan's Prime Minister Says. N.Y. Times, March 6, 2007.

Fackler, Martin. 2014. Rewriting the War, Japanese Right Attacks a Newspaper. N.Y. Times, Dec. 2, 2014.

Gluck, Carol. 2021. What the World Owes the Comfort Women. In J.H. Lim & E. Rosenhaft, eds., Mnemonic Solidarity, Entangled Memories in the Global South.

Gordon, Andrew. 2003. A Modern History of Japan: From Tokugawa Times to the Present. New York: Oxford University Press.

Gordon, Andrew & Carter Eckert. 2021. Statement. Feb. 17, 2021. Available at: https://perma.cc/8ZHY-RD5C. N.B.: This is a later expanded version of their attack, and not the version they sent to the journal.

Gunji hyoronka no Chi Man-won［The Military Commentator Chi Man-won］, Sept. 29, 2013, available at: https://s.webry.info/sp/92971510.at.webry.info/201309/article_88.html.
（軍事評論家の池萬元 ２０１３年９月29日）

Hasegawa, Shin. 1990. Ikiteiru shosetsu［A Living Novel］（Tokyo: Chuo koro, 1990 reprint）（orig. pub. 1958）.
（長谷川伸 1990『生きている小説』（東京：中央公論　1990 再版、初版は 1958 年）

Hata, Ikuhiko. 2018. Comfort Women and Sex in the Battle Zone. Lanham, MD: Hamilton Books. Jason Michael Morgan,

transl.
（秦郁彦 1999 年『慰安婦と戦場の性』東京：新潮社）

Hicks, George. 1994. The Comfort Women: Japan's Brutal Regime of Enforced Prostitution. New York: W.W. Norton & Co.

Hicks, George. 1996. The "Comfort Women." In Peter Duus, Ramono H. Myers & Mark R. Peattie, eds., The Japanese Wartime Empire, 1931-1945. Princeton: Princeton University Press.

Hosoya, Kiyoshi. 2019. Nihon gunjin ga shogen susu senjo no hana: Chosenjin ianfu［The Flowers of War, Reported by Japanese Soldiers］. Tokyo: Haato shuppan（English translation at Mera & Hosoya［2020］）.
（細谷清 2019『日本軍人が証言する戦場の花 朝鮮人慰安婦』東京：ハート出版）

Howard, Keith, ed. 1995. True Stories of the Korean Comfort Women. London: Cassell.

Ji Man-Won shi "gi no ianfu"［Ji Man-Won "Fraudulent Comfort Women"］, Chuo Nippo, Apr. 14, 2005, available at: https://japanese.joins.com/article/j_article.php?aid=62513&sectcode=400&servcode=400.
（池萬元「偽の慰安婦」 中央日報 ２００５年４月14日）

Jiyu wa ubawareta kyoseisei atta［There was Coercion in the Sense that They Lost Their Freedom］..., Asahi shimbun, Aug. 5, 2014.
（「自由は奪われた 強制性はあった」朝日新聞 2014 年 8 月 5 日」

Josei no tame no Ajia heiwa kokumin kikin, ed. 1997, 1998. Seifu chosa: "Jugun ianfu" kankei shiryo shusei［Government Investigation: Materials Relating to the "Comfort Women Accompanying the Military］. Tokyo. 5 volumes.
（女性のためのアジア平和基金編 1997, 1998『政府調査「従軍慰安婦」関係資料』東京 全5巻）

KIH 2016a. Korea Institute of History. 2016. "The Comfort Women" by Professor C. Sarah Soh, Apr. 29, available at http://scholarsinenglish.blogspot.com/2014/10/the-comfort-women-by-chunghee-sarah-soh.html.

KIH 2016b. Korea Institute of History. 2016. "Comfort Women of the Empire" by Professor Park Yuha, Apr. 30, 2016, available at http://scholarsinenglish.blogspot.com/2014/10/summary-of-professor-park-yuhas-book.html.

Kim, Pu-ja & Yon Kim. 2018. Shokuminchi yukaku［Colonial Pleasure Quarters］. Tokyo: Yoshikawa kobunkan.
（金富子〔キム・プジャ〕、金栄〔キム・ヨン〕2018『植民地遊郭』吉川弘文館）

Kimura, Kan. 2014. Nikkan rekishi ninshiki mondai toha nanika［What is the Japan-Korea History Recognition Problem. Tokyo: Mineruba shobo.
（木村幹 2014『日韓歴史認識問題とは何か』東京：ミネルヴァ書房）

Kumagai, Naoko. 2015. On “Standing with Historians of Japan,” Perspectives on History, Sept. 1, 2015.
（熊谷奈緒子 2015「日本の歴史家たちを支持するについて」アメリカ歴史協会月報『（歴史展望）』２０１５年３月１日）

Lee, Dong-Jin. 2020. Minzoku, chiiki, sekushuaritii: Manshukoku no chosenjin “seibaibai jujisha” wo chushin to shite［Nationalism, Localism and Sexuality: The Case of Korean “Prostitution” in Manchuguo］, Quadrante, 22: 39-62（2020）.
（李東振〔イ・ドンジン〕「民族、地域、セクシュアリティー満洲国の朝鮮人「性売買従事者」を中心として」クヴァドランテ誌 22:39-62〔2020〕）

Lee, Wooyoun. 2021a. Chosenjin gyosha to keiyaku shi ianjo wo tenten to shita ianfu no shogen［The Testimony of a Comfort Woman Who Contracted with a Korean Member of the Industry and Moved from Comfort Station to Comfort Station］, Yahoo News Japan, Mar. 7, 2021（originally JB Press）. Alternative translation available at Lee Wooyoun, Controversy over Harvard Article Can’t Erase the Facts of Comfort Women Contracts, Japan Forward, Apr. 3, 2021.
（李宇衍〔イ・ウヨン〕2021a「朝鮮人業者と契約し慰安所を転々とした慰安婦の証言」Yahoo News Japan 2021年3月7日（初版はJB Press）

Lee, Wooyoun . 2021b. Anti-Japan Tribalism on the Comfort Women Issue. The Diplomat, Nov. 14, 2021. Censored under pressure from Ambaras, Stanley and Chatani, available at alternative site: https://archive.ph/20211115071637/https://thediplomat.com/2021/11/anti-japan-tribalism-on-the-comfort-women-issue/#selection-1231.547-1231.1052

Lee, Wooyoun. 2021b. No Debate? The Diplomat's Cancellation of My Comfort Women Article. Japan Forward, Dec. 4, 2021.

Lee, Yong-Shik, Natsu Taylor Saito & Jonathan Todres. 2021. The Fallacy of Contract in Sexual Slavery: A Response to Ramseyer's "Contracting Sex in the Pacific War." Mich. J. Int'l L. 42: 291.

Lee, Younghoon, ed. 2019. Hannichi shuzoku shugi［Anti-Japanese Tribalism］. Tokyo: Bungei shunju.（李栄薫〔イ・ヨンフン〕編著 2019『反日種族主義』東京：文藝春秋）

Lee, Younghoon, ed. 2020. Hannichi shuzoku shugi to no toso［The Battle Against Anti-Japanese Tribalism］. Tokyo: Bungei shunju.（李栄薫〔イ・ヨンフン〕編著　2020『反日種族主義との闘争』東京：文藝春秋）

Martin, Timothy W. & Dasl Yoon. 2021. Professor's 'Comfort-Women' Lecture Gets Him Indicted -- And Sparks Debate on Academic Freedom. Wall. St. J., Aug. 21, 2021.

Mera, Koichi & Kiyoshi Hosoya. 2020. American Soldiers Witnessed Korean Comfort Women-"Flowers of the War." Privately published（translation of Hosoya［2019］).（細谷清訳『日本軍人が証言する戦場の花　朝鮮人慰安婦』（日本語訳　自費出版　2019）

Military Intelligence Service Captured Personnel & Material Branch. 1945. Composite Report on Three Korean Navy Civilians, April 24, 1945, reproduced in Mainichi shimbun, June 10, 2016. 米陸軍情報部人と物資の捕獲班報告「３名の韓国人軍属」（１９４５年４月24日）（毎日新聞２０１６年６月16日号に再録）

Morgan, Jason. 2021a. Waseda Professor Offers Evidence of Comfort Women Working Under Contract. Japan Forward, Oct. 15, 2021. Available at: https://japan-forward.com/waseda-professor-offers-evidence-of-comfort-women-working-under-contract-now-come-the-attacks/

Morgan, Jason. 2021b. The Comfort Women Issue: Bashing the Factfinders and Policing the Party Line. Japan Forward,

Oct. 18, 2021. Available at: https://japan-forward.com/the-comfort-women-issue-bashing-the-factfinders-and-policing-the-party-line/

Morgan, Jason. 2021c. Conform or Get Attacked: Bigots Use Comfort Women Issue to Assault Free Speech in Japan. Japan Forward, Oct. 20, 2021. Available at: https://japan-forward.com/conform-or-get-attacked-bigots-use-comfort-women-issue-to-assault-free-speech-in-japan/

Morgan, Jason. 2015. On "Standing with Historians of Japan," Perspectives on History, July 1, 2015.

Moto "ianfu" e hosho wo［Compensation for Former "Comfort Women"］, Akahata, June 26, 2002.（「元慰安婦へ補償を」赤旗　２０１５年年７月１日）

Multiple Authors. 2015a. Response to Naoko Kumagai, Perspectives on History, Dec. 1, 2015.

Multiple Authors. 2015b. On "Standing with Historians of Japan," Perspectives on History, Dec. 1, 2015.（50 Japanese academics）.

Mun, Ok-ju. 1996. Biruma sensen: Tateshidan no "Ianfu" datta watashi［The Burmese Front: I Who Had Been a "Comfort Woman for the Tate Division］. Tokyo: Nashi no kisha（Machiko Morikawa, transl.）.（文玉珠〔ムン・オクジュ〕『ビルマ戦線楯師団の「慰安婦」だった私』東京：梨の木舎　森川万智子訳　２０１５年）

Murotani, Katsumi. 2021. Kihonteki na daigimon［A Basic, Major Doubt ...］, Zakzak（Yukan Fuji）, June 11, 2020.（室谷克実　2021「基本的な大疑問」 Zakzak（夕刊フジ）２０２０年６月11日）

Nishino, Rumiko, et al. 2013. "Ianfu" basshingu wo koeta［Beyond "Comfort Women" Bashing］. Tokyo: Otsuki shoten.（西野瑠美子　2015『「慰安婦」バッシングを越えて』東京：大月書店）

Park, Yuha. 2014. Teikoku no ianfu［Comfort Women of the Empire］. Tokyo: Asahi shimbun shuppan.（朴裕河〔パク・ユハ〕2014『帝国の慰安婦』東京：朝日新聞出版）

Phillips, Joe, Wondong Lee & Joseph Yi. 2019. Future of South Korea-Japan Relations: Decoupling or Liberal Discourse.

Political Quarterly, 91: 448.

Protecting the Human Rights of Comfort Women. 2007. Hearing before Subcom. on Asia, the Pacific, and the Global Environment, of Com. Foreign Affairs, House of Rep. Feb. 15, 2007.

Ramseyer, J. Mark. 1991. Indentured Prostitution in Imperial Japan: Credible Commitments in the Commercial Sex Industry, J. Law, Econ. & Org. 7: 89（1991）.

Ramseyer, J. Mark. 1996. Odd Markets in Japanese History: Law and Economic Growth. Cambridge, U.K.: Cambridge University Press.

Ramseyer, J. Mark. 2021. Contracting for Sex in the Pacific War. Int'l Rev. L. & Econ., 65. Ruff-O'Herne, Jan. 2008. Fifty Years of Silence. North Sydney: William Heinemann.

SCAP. 1945. Amenities in the Japanese Armed Forces, Nov. 15, 1945. In Josei（1988, vol. 5, 139-66）.

"Saishuto de renko" shogen［"Forced to Accompany in Jeju" Testimony］, Asahi shimbun, Aug. 5, 2014.（「済州島で連行」証言　朝日新聞 ２０１４年８月５日）

Senda, Kako. 1973. Jugun ianfu［Military Comfort Women］. Tokyo: Futaba sha.（千田夏光 1973『従軍慰安婦』双葉社）

Soh, C. Sarah. 2008. The Comfort Women: Sexual Violence and Postcolonial Memory in Korea and Japan. Chicago: University of Chicago Press.

Stanley, Amy. 2021. On Contract, March 18, 2021. Available at: https://www.amy-stanley.com/blog-1/on-contract.

Stanley, Amy, Hannah Shepherd, Sayaka Chatani, David Ambaras & Chelsea Szendi Schieder. 2021a. "Contracting for Sex in the Pacific War": The Case for Retraction on Grounds of Academic Misconduct. Asia-Pacific J., 19: no. 13. Available at: https://apjjf.org/2021/5/ConcernedScholars.html.

Stanley, Amy, David Ambaras, Hannah Shepherd. 2021b. Confronting Denialism on the "Comfort Woman" Issue, Global

Lunchbox Podcast, Apr. 16, 2021. Available at: https://soundcloud.com/wccias/confronting-denialism.
Suk-Gersen, Jeannie. 2021. Seeking the True Story of the Comfort Women. New Yorker, Feb. 26, 2021.
Suzuki, Yuko. 2006. Nihon gun “Ianfu” kankei shiryo shusei［Collection of Material Related to the Japanese Military “Comfort Women”］. Tokyo: Akashi shoten. Two volumes.
（鈴木裕子　2006『日本軍「慰安婦」関係資料集成』東京：明石書店 2006　巻１ p.786 ～ p.820）
U.S. Office of War Information. 1944. Japanese Prisoners of War Interrogation Report No. 49, in Josei（1998: v. 5, 203）
Uooru sutoriito jaaneru ni kansuru Lew kyoju to media uocchi no hanno［The Reactions of Professor Lew and Media Watch to the Wall Street Journal］, Rekishi ninshiki mondai kenkyu kai, Aug. 23, 2021. Available at: harc.tokyo/?p=2275
（「ウォールストリート・ジャーナルに関するルー（Lew）教授とメディア・ウォッチの反応」　歴史認識問題研究会　２０２１年８月23日　harc.tokyo/?p=2275 を参照）
Yamada, Seikichi. 1978. Bukan heitan［Wuhan Logistics］. Tokyo: Tosho shuppan.
（山田清吉 1978『武漢兵站』図書出版）
Yamaoka, Tetsuhide. 2021. Ianfu harumoni ...［The Comfort Women Grandmothers ...］, Gekkan Hanada purasu, May 26, 2020.
（山岡鉄秀「慰安婦ハルモニ　すべて、真っ赤な嘘だったのですか?･」月刊花田プラス２０２０年５月26日）
Yamazaki, Tomoko. 1972. Sandakan hachiban shokan［Sandakan Number 8 Brothel］. Tokyo: Chikuma shobo.
（山崎朋子 1972『サンダカン八番娼館』東京：筑摩書房）
Yi, Joseph & Joe Phillips. 2021. On “Comfort Women” and Academic Freedom. The Diplomat, Feb. 18, 2021.
Yi, Joseph, Joe Phillips & Wondong Lee. 2019. Manufacturing Contempt: State-Linked Populism in South Korea. Society, 56: 494-501.
Yi, Joseph. 2018. Confronting Korea’s Censored Discourse on Comfort Women. The Diplomat, Jan. 31, 2018.
Yi, Joseph. 2020. Illiberal Means for Liberal Ends: Low-Road Challenge to Public Discourse and International Relations.

Available at: https://preprints.apsanet.org/engage/apsa/article-details/5f52aa1a9277460012015626.
Yi, Joseph. 2021. Debating Korea's Last Taboo: "Comfort Women." Asia Times, March 3, 2021.
Yoshida, Seiji. 1983. Watashi no senso hanzai［My War Crimes］. Tokyo: San'ichi shobo.
（吉田清治 1983『私の戦争犯罪』東京：三一書房）
"Yoshida shogen" yoyaku torikeshi ...［At Last, the "Yoshida Testimony" Withdrawn ...］, Yomiuri shimbun, Aug. 6, 2014.
（「吉田証言」ようやく取り消し」読売新聞　２０１４年８月６日）
Yoshii, Riki. 2019. "Hyogen no fujiyu" ko: "Jugun ianfu ha dema" to iu dema, rekishigakusha, Yoshimi Yoshiaki shi ni kiku［Thoughts on the "Lack of Freedom of Expression": Asking Historian Mr. Yoshiaki Yoshimi about the False Rumor that "Military Comfort Women Were a False Rumor"］, Mainichi shimbun, Aug. 15, 2019.
（吉井理記 2019「表現の不自由」考：「従軍慰安婦はデマ」というデマ　歴史学者、吉見義明氏に聞く　毎日新聞　２０１９年８月15日）
Yoshimi, Yoshiaki. 1995. Jugun ianfu［Military Comfort Women］. Tokyo: Iwanami shoten.
（吉見義明 1995『従軍慰安婦』東京：岩波書店）
Yoshimi, Yoshiaki. 2021a. Response to "Contracting for Sex in the Pacific War" by J. Mark Ramseyer. Emi Koyama, Norma Field, & Tomomi Yamaguchi, transl., 2021.
Yoshimi, Yoshiaki, 2021b. Ramseyer ronbun no nani ga mondai ka［What's the Problem with the Ramseyer Article?］, Sekai, May 2021.
（吉見義明 2021b「ラムザイヤー論文の何が問題なのか」世界 ２０２１年５月）

人名索引

●翻訳者プロフィール

藤岡信勝(ふじおか・のぶかつ)

1943年年北海道生まれ。新しい歴史教科書をつくる会副会長。北海道大学大学院教育学研究科博士課程単位取得。教育学専攻。東京大学教育学部・拓殖大学の助教授・教授を歴任。著書に『社会認識教育論』(日本書籍)、『教科書採択の真相』(PHP研究所)、『国難の日本史』(ビジネス社)など。

山本優美子(やまもと・ゆみこ)

上智大学外国語学部比較文化学科卒業。なでしこアクション代表。慰安婦の真実国民運動幹事長。一般社団法人国際歴史論戦研究所所長。著書に『女性が守る日本の誇り―「慰安婦問題」の真実を訴えるなでしこ活動録』(青林堂)ほか。

藤木俊一(ふじき・しゅんいち)

30年に亘り海外との貿易を行ってきた企業経営者。米国ケンタッキー州名誉大佐。国際歴史論戦研究所上席研究員。テキサス親父日本事務局事務局長。慰安婦の真実国民運動幹事。2014年より国連で活動し、著書『我、国連でかく戦へり』(ワニ・プラス)等を執筆。

矢野義昭(やの・よしあき)

1950年生。京都大学工学部卒、同文学部卒。陸自幹部として第一師団副師団長兼練馬駐屯地司令等を歴任、退官時陸自小平学校副校長(陸将補)。元拓殖大学客員教授、現岐阜女子大学特別客員教授。(一財)日本安全保障フォーラム会長。博士(安全保障)。

茂木弘道(もてき・ひろみち)

1941年生れ。東大経済学部卒業。1990年(株)世界出版を設立。「史実を世界に発信する会」会長。著書に『大東亜戦争－日本は「勝利の方程式」を持っていた－』(ハート出版)、『小学校に英語は必要ない』(講談社)ほか。

●著者プロフィール

J.マーク・ラムザイヤー

法務博士(JD)、米国ハーバード大学ロースクール教授、ライシャワー日本研究所 日本法学教授。専門はLaw and Economics法と経済学。

1954年米国シカゴ生まれ。
宣教師のお父様の仕事の関係で、生後6か月の時に船で太平洋を渡り来日。
小学校卒業まで宮崎の地元の学校に通う。
中高は東京の米国の学校で教育を受ける。
大学入学の時に米国に帰国。
1976年 ゴーシェン大学より学士号(歴史学)取得
1978年 ミシガン大学より修士号(日本学)取得
1982年 ハーバード大学ロースクールを優秀者（magna cum laude）として卒業し法務博士を授与される。
卒業後、連邦高等裁判所ロー・クラーク、弁護士として勤務
1985-86年 フルブライト研究員として東京大学に在籍
1986-92年 カリフォルニア大学ロスアンジェルス校 教授
1992-98年 シカゴ大学教授、日本学委員会の委員長を数年務める。
1998年から ハーバード大学で現職。企業法、日本の法律について教鞭をとる。
一橋大学、東京大学、東北大学、早稲田大学、バージニア大学、ハイファ大学(イスラエル)などでも教鞭をとった経験がある。
＜受賞＞
1991年 サントリー学芸賞受賞『法と経済学 ――日本法の経済分析』（弘文堂、1990年)、2018（平成30)年 旭日中綬章受賞。
＜著書＞(日本語翻訳書のみ)
『法と経済学―日本法の経済分析』(1990 弘文堂)、『日本経済論の誤解－「系列」の呪縛からの解放』(三輪芳朗 共著 2001 東洋経済新報社)、『産業政策論の誤解－高度成長の真実』（三輪芳朗 共著 2002 東洋経済新報社）、『日本政治と合理的選択』(F.ローゼンブルース 共著2006 勁草書房)、『経済学の使い方―実証的日本経済論入門』(三輪芳朗 共著 2007 日本評論社)など。

慰安婦性奴隷説をラムザイヤー教授が完全論破

令和５年12月13日　第１刷発行
令和６年２月３日　第３刷発行

ISBN978-4-8024-0172-2　C0021

著　者　Ｊ.マーク・ラムザイヤー
訳　者　藤岡信勝・山本優美子（編訳）
　　　　藤木俊一・矢野義昭・茂木弘道（訳）
発行者　日髙裕明
発行所　ハート出版
〒171-0014 東京都豊島区池袋3－9－23
TEL. 03－3590－6077　FAX. 03－3590－6078

印刷・製本／モリモト印刷